# Quand les dictatures
# se fissurent...

## DU MÊME AUTEUR

*Pour sortir de la violence*, Paris, Éd. de l'Atelier, 1983.

*La dissuasion civile*, Paris, Fondation pour les Études de Défense nationale, 1985 (en collaboration avec Christian Mellon et Jean-Marie Muller).

*Sans armes face à Hitler. La résistance civile en Europe (1939-1943)*, préface de Jean-Pierre Azéma, Paris, Éd. Payot, 1989, « Collection historique ».

*Les nouveaux enjeux de la communication occidentale vers l'Est*, Paris, Fondation pour les Études de Défense nationale, 1989 (en collaboration avec Anne-Chantal Lepeuple).

*La non-violence*, Paris, Presses Universitaires de France, coll. « Que sais-je ? », 1994 (en collaboration avec Christian Mellon).

*Sous la direction de*
**Jacques Semelin**

# Quand les dictatures se fissurent...

Résistances civiles à l'Est et au Sud

*Culture de paix*

DESCLÉE DE BROUWER

# Remerciements

*Cet ouvrage est le fruit d'un séminaire que j'ai dirigé à l'École des Hautes Études en Sciences Sociales au cours de l'année universitaire 1992-1993, intitulé « La résistance civile contre les régimes autoritaires et totalitaires. »*

*Mes remerciements vont d'abord à Marc Ferro qui m'a permis de réaliser ce projet au sein de cet établissement.*

*Ils vont également à Pierre Hassner et Jean-Pierre Lavaud qui m'ont encouragé et conseillé tout au long de la préparation de l'ouvrage, ainsi qu'à Bernard Quelquejeu qui en a assuré la relecture finale.*

*Je tiens enfin à exprimer ma reconnaissance à Anne Le Huérou et Aurélien Colson, pour leurs remarques et suggestions sur le contenu du projet, comme pour leur assistance technique.*

J. S.

© Desclée de Brouwer, 1995
76 *bis*, rue des Saints-Pères, 75007 Paris
ISBN : 2-220-03603-0

« *Et ce sort libérateur a échu à nous autres,
les jeunots. A Ekibastouz par exemple, en
concentrant cinq mille épaules sous ces voûtes et
en appuyant un bon coup, nous avons tout de
même provoqué une fissure. Une petite fissure,
soit, invisible de loin, d'accord, c'est nous qui
nous sommes esquintés le plus, j'en conviens,
mais c'est quand même avec des fissures que
commencent à s'effondrer les cavernes.* »

Alexandre Soljenitsyne,
*L'Archipel du Goulag* (tome III).

# Sommaire

# Présentation

Les bouleversements qui, en 1989, ont marqué
l'Europe, semblent déjà bien loin. Pourtant, la question de
l'interprétation de l'effondrement des régimes communistes de l'ancien bloc de l'Est reste toujours posée. On ne
peut se contenter de dire aujourd'hui que l'ampleur de ces
événements était imprévisible, en arguant du postulat que
toute révolution constitue en elle-même une surprise. Une
telle position revient à nier les capacités d'analyse de la
science politique. Bien au contraire, la crédibilité de la dis-
cipline appelle l'effort de la recherche pour comprendre le
caractère énigmatique de tels événements. Cet ouvrage
voudrait y contribuer. Mais il ne vise pas seulement à
revenir sur les causes de la chute de systèmes qui étaient
considérés comme irréversibles parce que perçus comme
totalitaires. A travers cet examen rétrospectif, ce travail
entend surtout dégager de nouveaux objets de recherche et
de nouvelles grilles d'analyse.

Les nombreux travaux qui ont porté sur le totalitarisme depuis les années cinquante ont surtout cherché à
préciser les fondements des systèmes politiques qui pouvaient être qualifiés de totalitaires. Fort rares sont les études qui ont tenté une analyse synthétique des modes de
résistance apparus à l'intérieur de ces régimes. Il y a là un
manque : le combler revient à reprendre la question du
totalitarisme, pour ainsi dire, à revers. Une telle approche
consiste alors, non plus à examiner ses éléments constitutifs, mais les processus d'opposition interne qui ont contribué à son effondrement.

Par ailleurs, ces recherches sur le totalitarisme ont
montré la difficulté d'en donner une définition satisfai-

11

sante, notamment de s'entendre sur une distinction claire entre régime totalitaire et régime autoritaire. Le colloque organisé en 1984 par le CERI, sous la direction de Pierre Hassner, Guy Hermet et Jacques Rupnik fut une bonne illustration de ces débats[1]. Pourquoi alors ne pas faire le lien entre les processus de résistance aux régimes de l'Est dits totalitaires avec ceux apparus contre les régimes du Sud, dits autoritaires, qui se développèrent dans la même période, celle des années quatre-vingt ? C'est le pari qui a été tenté ici et qui fait l'originalité de cet ouvrage. Il voudrait marquer ainsi la continuité d'une recherche en France sur les dictatures (dix ans après le colloque du CERI) et son renouvellement par l'étude des tentatives de résistances en leur sein.

De même que certains ont cherché à montrer ce qu'il pouvait y avoir de différent et de commun entre autoritarisme et totalitarisme, il s'agit de comparer les procédés de résistance qui se sont développés dans l'un et l'autre cas. Cet exercice de décentrage a pour première conséquence de relativiser ce qui pouvait être perçu comme exceptionnel. Ainsi le soutien de l'Église catholique à la résistance polonaise a pu être considéré comme un cas unique, alors que les lointaines Philippines présentent des aspects semblables. De même est-il sain de s'interroger sur le rôle des médias occidentaux au cours de la protestation des étudiants chinois en 1989, à la lumière du rôle de ces mêmes médias dans d'autres crises durant la même année, que ce soit en Europe de l'Est ou en Afrique.

Cet essai prend donc la forme d'un ouvrage collectif réunissant des spécialistes de l'Est et du Sud, qui ont eu chacun la responsabilité d'une étude de cas particulièrement significative. Mais que peut-il y avoir de commun entre la constitution de la Charte 77 en Tchécoslovaquie et les grèves de la faim des femmes de mineurs en Bolivie un an plus tard ? Rien, *a priori* : ces tentatives oppositionnelles apparaissent au sein de régimes politiques, de systèmes économiques et d'univers culturels fort différents. Et pourtant, elles ont en commun de prendre appui toutes

---

1. *Totalitarismes*, sous la direction de Pierre Hassner, Guy Hermet, Jacques Rupnik, Paris, Éd. Economica, 1984.

deux sur la thématique des droits de l'homme, à peu près à la même période, en se référant aux textes de l'ONU ou de la Conférence d'Helsinki. Toutes deux interviennent aussi dans l'espace public à travers des procédés non provocateurs (lettres collectives et grèves de la faim) pour prendre à contre-pied les régimes très répressifs qu'elles défient. La nature pacifique de ces protestations fut le trait marquant des oppositions des années quatre-vingt à l'Est ou au Sud. A l'Est, les leçons de l'échec de l'insurrection armée de 1956 à Budapest ou des grèves accompagnées de violence à Gdansk en 1970 ont conduit à l'invention de nouvelles pratiques résistantes, reposant sur la protestation ouverte, l'appel à l'opinion publique, l'autocontrôle de la violence. Au Sud, la répression des mouvements de guérilla a parallèlement entraîné plusieurs acteurs du continent latino-américain à rechercher de nouvelles stratégies résistantes, fondées elles aussi sur la protestation publique, l'utilisation des médias et la revendication des droits de l'homme. Il s'est ainsi opéré une convergence fondamentale entre des procédés oppositionnels nés au sein de plusieurs pays de l'Est et du Sud qui n'a pas été suffisamment remarquée et discutée.

Ce caractère non armé des procédés de résistance a donc constitué le principal critère de sélection des études de cas. Des acteurs sociaux ou politiques ont recouru à des modes de lutte souvent semblables (grèves, manifestations, désobéissance civile, grèves de la faim, etc.) tout en puisant dans des symboliques culturelles fort différentes. Analyser ces formes particulières de résistance, c'est revenir à la question du rôle de la société civile, à travers l'étude de ses modes d'expression culturelle et d'organisation protestataire, dans sa confrontation avec l'État. Mais il s'agit moins de parler de la société civile, en tant qu'entité sociale abstraite, que du rôle de certains acteurs de cette société qui, apprenant à se libérer de la peur, prennent le risque de s'engager dans une action publique oppositionnelle. Il s'agit encore d'étudier les processus de résistance survenus non seulement par le bas, mais aussi par le haut de la société, par exemple quand des personnalités politiques éminentes de l'État pèsent de toute la légitimité de leur autorité pour faire échouer un coup de force militaire qui vise à briser toute évolution démocratique du pays. Deux études de cas abordent cette question de la résistance au putsch en Espagne (1981) et en URSS (1991).

Afin de proposer une approche synthétique de ces phénomènes, nous avançons la notion de « résistance civile » définie comme la résistance de certains acteurs de la société civile et / ou de l'État par des moyens politiques, juridiques, économiques ou culturels. Nous nous efforçons de décliner chacun des termes de cette définition, et décrivons dans cette perspective plusieurs figures politiques de la résistance civile selon la nature de ses acteurs et de ses moyens.

Partant, une question traverse l'ouvrage : comment comprendre le développement de ces phénomènes de résistance sans armes alors même que les dictatures sont, par la spécificité de leur fonctionnement et de leurs objectifs, particulièrement à même de les détruire? Tenter d'y répondre, c'est vouloir élucider les « mystères » de la résistance civile, à commencer par celui de ses débuts. C'est aussi donner un éclairage fondamental sur les raisons de la chute de ces régimes. Car réfléchir sur les facteurs de développement de la résistance revient à étudier les points de vulnérabilité des systèmes politiques qu'elle combattait. Autrement dit, penser la résistance qui se développe, c'est penser la dictature qui se fissure.

Quatre facteurs, qui sont apparus comme les plus décisifs, structurent la construction du livre : ils sont traités à travers deux études de cas, l'une portant sur un pays de l'Est et l'autre sur un pays du Sud. Leur analyse comparée est amorcée par un texte introductif.

### Le facteur religieux

Son choix tient à deux raisons : d'une part, le constat qu'un nombre important d'exemples de résistance civile lui ont donné une large place ; d'autre part, parce que le religieux apparaît être un puissant vecteur de la cohésion sociale nécessaire à tout processus de résistance. Les deux études de Patrick Michel sur la Pologne et de Pierre de Charentenay sur les Philippines argumentent en ce sens et montrent que les Églises, dans ces deux pays, ont été instrument et catalyseur du changement social et politique. Mais elles soulignent également de profondes différences tant dans la signification du religieux pour chacune des sociétés que dans son rôle dans le processus de résistance lui-même. Les équivoques multiples qui ont marqué les relations entre les Églises, les institutions et la société perdurent encore après la chute des régimes qu'elles ont combattus.

## Le facteur éthique

Par ce terme, on entend ici le combat pour les droits de l'homme au sein de sociétés autoritaires ou totalitaires. L'appel à des normes dites universelles, qui font l'objet de chartes ou de conventions internationales, a en effet été souvent utilisé comme un levier dans la lutte contre des régimes qui bafouent ces droits, tout en s'en réclamant souvent dans les textes. Les exemples retenus sont ceux de la grève de la faim des femmes de mineurs en Bolivie, étudiée par Jean-Pierre Lavaud, et de l'action de la Charte 77 en Tchécoslovaquie, traitée par Miroslav Novak. Si le premier estime que le combat pour les droits de l'homme a contribué à la déstabilisation de la dictature militaire bolivienne, le second considère que celui de la Charte 77 n'a eu que peu d'effets sur la décomposition du régime communiste tchécoslovaque. Néanmoins, les deux auteurs s'accordent pour admettre que l'invocation des droits de l'homme fut dans ces pays une première étape, limitée et transitoire, permettant de poser la question de l'État de droit et de la démocratie.

## Le facteur médiatique

La question est d'évaluer le rôle des médias étrangers dans le renforcement des mouvements de résistance civile. La contribution de Théophile Vittin sur la transition démocratique au Bénin montre en quoi l'accès à l'information extérieure est vital et, plus particulièrement, comment l'écoute des radios étrangères, en favorisant la constitution d'un espace de débats, peut contribuer au développement de l'opposition interne. Celle de Jacques

Andrieu sur le rôle des médias occidentaux durant le mouvement des étudiants chinois sur la place Tiananmen est beaucoup plus critique. Tout en soulignant certains aspects positifs (diffusion de l'information), il pose le double problème des « médias voyeurs » et des effets pervers de leur présence auprès des étudiants, tentés alors de « sacrifier au dieu Image ».

## Le facteur de la légitimité politique

Des régimes sortis depuis peu — quelquefois pas encore — du totalitarisme ou de l'autoritarisme, à la recherche de leur propre stabilité, ont eu parfois à faire face à des tentatives de putsch ou de coup d'État. Ce fut par exemple le cas de l'Espagne en 1981 et de l'ex-Union soviétique en 1991, les deux pays choisis pour ces études de cas présentées respectivement par Francisco Campuzano-Carvajal et Anne Le Huérou. Toutes deux font l'hypothèse que c'est la légitimité des dirigeants incarnant la continuité des institutions ou la volonté de changement, qui a été le facteur clé permettant de faire échec au coup d'État, d'affirmer le primat du politique sur le militaire et, dans le cas de la Russie, d'engendrer une certaine dynamique de résistance dans l'opinion. En même temps, les deux analyses montrent la fragilité de ce phénomène politique lorsque cette légitimité est précaire et doit se vérifier durablement, tant dans les institutions que dans la population.

Reste que la compréhension des modes de développement de ces formes de résistance ne permet pas d'expliquer leur éventuelle réussite. En outre, si succès il y a, est-il véritablement imputable à la résistance civile, et à quel degré ? A quelles conditions la chute du régime peut-elle être considérée comme une révolution ? Pour répondre à ces nouvelles interrogations, il faut élargir l'analyse en situant les processus de résistance dans l'espace et dans le temps.

– Dans l'espace, en mettant à jour les circonstances internationales qui en favorisent la réussite. Le contexte économique, national et international, est aussi très important. A cet égard, on verra que la comparaison Est-Sud est féconde.

16

– Dans le temps, en prenant en compte ce qui se passe après la chute éventuelle du pouvoir combattu. C'est l'intérêt de cet essai que de permettre aussi cette distance, puisque à l'effondrement de la dictature correspond souvent la disparition de la résistance qui la combattait. Or, au terme de cette double chute, la démocratie est loin d'être toujours au rendez-vous ; d'où une renaissance possible de la résistance, sous d'autres formes et avec d'autres acteurs.

De ce travail se dégage une évidence : l'étude des processus résistants est particulièrement complexe. Elle se doit de convoquer plusieurs disciplines : l'histoire, la sociologie, la science politique, l'économie, la psychologie, la géographie, la philosophie. Dans cet esprit d'ouverture et de recherches interdisciplinaires, les études de cas ont été soumises au regard critique de l'historien Jean-Pierre Rioux, du sociologue Michel Wieviorka et du politiste Pierre Hassner.

Jean-Pierre Rioux estime que l'étude de la résistance civile provoque et épouse l'histoire en cours. Il ouvre de multiples perspectives de recherche, et insiste notamment sur l'importance d'associer l'ethnologie et le droit à une réflexion sur ce type de résistance. Selon lui, la résistance civile invite à une réévaluation du culturel dans l'histoire des phénomènes oppositionnels. Mais elle doit aussi se dégager de l'analyse répétitive du face à face avec le pouvoir totalitaire pour s'intéresser à l'étude de modes de contestation dans d'autres contextes.

Michel Wieviorka souligne la difficulté de l'analyse sociologique au sein de régimes totalitaires, dont le propre est de ne laisser aucune autonomie aux sciences sociales. Il décrit trois registres de conscience à partir desquels peut se construire une action collective oppositionnelle : la conscience sociale, la conscience communautaire, la conscience politique. Mais gardons-nous, dit-il, de parler du triomphe de la résistance : l'effondrement des régimes totalitaires donne plutôt à voir des sociétés civiles épuisées, de bien modestes mouvements sociaux, ouvrant souvent la voie à des « antimouvements sociaux », au populisme ou au nationalisme.

Pour sa part, Pierre Hassner revient sur la notion de « société civile » dont il distingue plusieurs formes : société civile minima, société civique, société privée ou privatisée.

Il se montre sceptique envers l'énoncé d'une théorie générale des rapports entre la résistance active et spirituelle des dissidents, la résistance passive et indirecte de la société et la volonté de changement des élites dirigeantes. Évoquant la pensée d'Hannah Arendt, Pierre Hassner s'en tient à une certitude négative : celle de l'érosion du totalitarisme dès que la terreur tend à disparaître, et l'idéologie à s'effondrer. Selon lui, cet ouvrage vient montrer la parenté des régimes autoritaires ou atténuer l'originalité des systèmes post-totalitaires. Mais on aurait tort, ajoute-t-il, de croire que les régimes communistes, après Staline, sont devenus des régimes autoritaires comme les autres. Leur héritage révèle, chez certains d'entre eux, des traits plus totalitaires qu'on ne pouvait l'imaginer, en particulier à travers l'espionnage quotidien de la population.

Le parti pris a été de ne pas donner de conclusion, car il faut espérer que ce travail se prolonge par de nouveaux chantiers. Les quatre thèmes présentés plus haut mériteraient par exemple des ouvrages distincts, tant il peut être dit sur résistance et religion, résistance et droits de l'homme, résistance et communication, résistance et légitimité. Certains regretteront que les études de cas proviennent surtout des années quatre-vingt. Deux raisons expliquent ce choix :

– le souci de la cohérence temporelle afin de rester dans une période où les relations internationales demeurent dominées par la rivalité États-Unis - URSS ;

– la nécessité d'un minimum de distance avec les événements pour être mieux à même d'en avoir une compréhension approfondie.

Si l'actualité des années quatre-vingt-dix est davantage marquée par le retour de la guerre, elle continue à offrir des exemples de résistance civile aussi bien au Sud qu'à l'Est. Que l'on songe en particulier à la lutte du peuple albanais du Kosovo qui, à travers divers réseaux clandestins (notamment en matière d'éducation et de santé), s'efforce de résister à la domination serbe[2]. Que l'on songe aussi à la mobilisation de la population malgache qui, au

---

2. Ibrahim Rugova, *La question du Kosovo.* Entretiens avec Marie-Françoise Allain et Xavier Galmiche, Éd. Fayard, 1994.

moyen de grèves, de manifestations pacifiques et d'actions de désobéissance civile, a conduit en 1993 au renversement du régime autoritaire de Ratsiraka[3]. Les textes réunis dans ce volume ne font donc qu'amorcer une réflexion qu'il faudrait poursuivre par de nouvelles recherches interdisciplinaires. Un tel effort est assurément nécessaire dans cette période où la question de la résistance redevient d'actualité face à la montée du racisme, du nationalisme et du fanatisme.

J. S.

---

3. Joana Ravaloson, *Transition démocratique à Madagascar*, Coll. Repères pour Madagascar et l'Océan Indien, Éd. L'Harmattan, 1994.

# Introduction

# La notion de résistance civile

Faisant le bilan des recherches sur le totalitarisme, Pierre Hassner soulignait en 1984 : « Nous nous sommes trop occupés jusqu'ici du totalitarisme et pas assez du pôle opposé, de cette société civile ou de ces cultures nationales qu'il détruit mais qui renaissent, qu'il transforme mais qui lui résistent[1]. » Le constat était doublement significatif. D'une part, pour son diagnostic autocritique de l'état de la science politique, confirmé l'année suivante par la publication du *Traité de science politique* de Madeleine Grawitz et Jean Leca : Luc Ferry et Évelyne Pisier-Kouchner y consacrent un long article au totalitarisme, mais sans jamais poser la question de la résistance des sociétés[2]. D'autre part, pour sa légitimation des études qui avaient perçu l'importance de la société civile en tant qu'élément de limitation du contrôle totalitaire, approche développée par le philosophe polonais Leszek Kolakowski[3], puis reprise en France par Alexander Smolar[4] et Jacques Rupnik[5].

---

1. Pierre Hassner, « Le totalitarisme vu de l'Ouest », dans *Totalitarismes*, Paris, sous la direction de Pierre Hassner, Guy Hermet, Jacques Rupnik, Éd. Economica, 1984, p. 32.
2. Luc Ferry et Évelyne Pisier-Kouchner, « Le totalitarisme », dans Madeleine Grawitz et Jean Leca, *Traité de science politique*, Paris, PUF, 1985, pp. 115-159.
3. Leszek Kolakowski, « The Myth of Human Self-Identity : Unity of Civil and Political Society in Socialist Thought », dans Stuart Hampshire and Leszek Kolakowski, *The Socialist Idea. A Reapraisal*, Londres, 1977.
4. Alexander Smolar, Préface au livre, *Pologne : une société en dissidence*, textes rassemblés par Z. Erard et G.M. Zygier, Paris, Éd. Maspero, 1978.
5. Jacques Rupnik, dans R. Tökes, *Opposition in Eastern Europe*, Baltimore, 1979.

Une réflexion sur les processus de résistance qui ont précipité la chute des régimes communistes en Europe peut aujourd'hui prolonger la remarque de Pierre Hassner. En effet, les penseurs du totalitarisme n'ont guère discuté la question de l'émergence éventuelle de modes d'opposition à l'intérieur d'un tel système. On chercherait en vain chez Friedrich[6] ou Brzezinski[7] de quelconques remarques à cet égard. Dans les toutes dernières lignes de *The origins of Totalitarianism*, Hannah Arendt note sans le développer que « la domination totalitaire, comme la tyrannie, porte les germes de sa propre destruction[8] ». C'est la pensée de Karl Deutsch qui apparaît la plus juste en ce domaine, notamment quand il pressent les craquements inévitables du monolithisme totalitaire du fait de sa centralisation extrême et de sa volonté de contrôle absolu sur la société[9]. Ce début de réflexion sur les vulnérabilités internes du totalitarisme aurait pu conduire ces auteurs à amorcer une prospective de la résistance contre lui. Mais leurs définitions du système impliquent que celui-ci a la capacité de détruire toute opposition. Le totalitarisme étant perçu comme invulnérable, la résistance contre lui est impensée parce que supposée impensable. Il faut attendre la littérature historique pour que la question soit posée. Le troisième tome de l'*Archipel du Goulag* révèle une terre inconnue de résistance : par « les fissures commencent à s'effondrer les cavernes[10] ». Claude Lefort est l'un des rares à avoir commenté les écrits d'Alexandre Soljenitsyne en ce sens, lui qui nous fait « entrevoir une histoire qui mine le totalitarisme, l'histoire d'une résistance qui s'est écrite dans les camps et qui peut être efficace[11] ».

6. C. Friedrich, *Totalitarianism*, Cambridge, Harvard University Press, 1954.
7. Z. Brzezinski, « Totalitarianism and Rationality », *American Political Review*, 50, pp. 751-763.
8. Hannah Arendt, *The Origins of Totalitarianism*, New York, 1951 ; traduction française de la troisième partie, *Le système totalitaire*, Paris, Le Seuil, 1972.
9. Karl Deutsch, « Cracks in the Monolith : Possibilities and Patterns of Disintegration in Totalitarian Systems », dans C. Friedrich, *Totalitarianism, op. cit.*
10. Alexandre Soljenitsyne, *L'Archipel du Goulag*, tome III, Paris, Le Seuil, 1976, p. 230.
11. Claude Lefort, *Un homme en trop*, Paris, Le Seuil, 1976, p. 253.

Mais, curieusement, cette approche a été peu développée. On s'est en effet attaché à approfondir une réflexion sur la société civile et ses identités plutôt que sur les formes d'opposition qui ont contribué à saper les fondements du pouvoir communiste. Or, la manière dont la résistance contre celui-ci a été pensée, principalement par les intellectuels « dissidents », est radicalement nouvelle par rapport aux modèles du passé, hérités notamment de la révolution bolchévique de 1917. Comme le souligne Jacques Rupnik, « la fin du communisme, c'est aussi la fin du mythe révolutionnaire, c'est-à-dire de l'accouchement dans la violence d'une société nouvelle, de l'idée que pour progresser, il faut détruire son adversaire. C'est ainsi qu'il faut comprendre Jacek Kuron lorsqu'il dit qu'« en cessant d'être communiste, il avait cessé d'être un révolutionnaire[12] ». Après l'insurrection hongroise de 1956, les grandes crises de l'Europe Centrale ont reflété cette nouvelle conception de l'action sociale et politique : résistance tchécoslovaque en 1968, grèves polonaises en 1980, grandes manifestations en RDA et Tchécoslovaquie en 1989[13]. Pour certains, ces événements de 1989 semblent d'ailleurs avoir été des « révolutions sans révolutionnaires », selon la formule de François Fejtö[14], en particulier parce que leur caractère pacifique déroge au schéma convenu de la révolution violente. Pourtant, ces « révolutions de velours » ont engendré des ruptures historiques fondamentales, à commencer par la chute du mur de Berlin. Nous proposons d'appeler « résistance civile » ce processus d'opposition pacifique, devenu dominant en Europe Centrale de la fin des années soixante à la fin des années quatrevingt, dont la force collective a défié les régimes en place.

Si les recherches sur le totalitarisme ont ouvert de nouvelles perspectives en science politique, le terme a été contesté, dans la mesure où il vise à englober sous une

---

12. Jacques Rupnik, *L'autre Europe. Crise et fin du communisme*, Paris, Odile Jacob, 1993, p. 346.

13. Le cas roumain est l'exception qui confirme la règle, en gardant toutefois à l'esprit que la Roumanie n'est pas un pays de l'Europe Centrale et que ceci explique peut-être cela.

14. François Fejtö, avec la collaboration d'Eva Kulesza-Mietkowski, *La fin des démocraties populaires. Les chemins du post-communisme*, Paris, Le Seuil, 1992.

même dénomination des systèmes politiques très différents : en premier lieu ceux de l'Allemagne hitlérienne et de l'URSS stalinienne. En outre, il est vrai que, si chaque cas est unique pour l'historien, le politologue se doit de rechercher les traits communs entre plusieurs régimes ou systèmes politiques, comme l'a rappelé Juan Linz. Selon lui, la notion de « totalitarisme » réunit au moins trois caractéristiques fondamentales :

– une révolution permanente parce que le système totalitaire entend « remodeler et transformer fondamentalement la société (jugée par définition maléable) selon les idéaux et les objectifs de ceux qui détiennent le pouvoir » ;

– de nouvelles formes d'organisations sociales inventées par ce type de système, notamment à travers la subordination des médias, de l'armée et de la bureaucratie ;

– la négation du principe libéral d'autonomie des individus[15].

Dans cette perspective, mieux vaut parler de système totalitaire que de régime totalitaire, comme le proposent les auteurs du *Dictionnaire de la science politique*, parce que les pouvoirs nazi ou communiste ont prétendu embrasser et contrôler tous les aspects, tous les moments de l'existence sociale du milieu qui leur était soumis, sans plus opérer de distinction entre la vie privée et la vie publique[16].

Mais à quelles conditions peut-on continuer à parler de « totalitarisme » en URSS après la mort de Staline, comme l'affirmait Hélène Carrère d'Encausse au milieu des années quatre-vingt[17] ? Le qualificatif « totalitaire » a été encore plus discuté, s'agissant de décrire les régimes politiques de l'Europe du Centre-Est après 1956. Certes, Raymond Aron avait donné pour titre à sa préface de l'ouvrage de Melvin Lasky sur l'insurrection hongroise « une révolution antitotalitaire ». Mais dans le corps de son texte, il prit

---

15. Juan Linz, dans P. Hassner, G. Hermet et J. Rupnik, *Totalitarismes, op. cit.*, p. 242 ; Juan José Linz est notamment l'auteur de *The breakdown of democratic regimes* (quatre volumes), The Johns Hopkins University Press, 1978.
16. *Dictionnaire des sciences politiques et des institutions politiques*, Guy Hermet, Bertrand Badie, Pierre Birnbaum, Philippe Braud, Éd. Armand Colin, 1994, pp. 243-244.
17. Hélène Carrère d'Encausse, « L'URSS ou le totalitarisme exemplaire », dans Madeleine Grawitz et Jean Leca, *op. cit.*, pp. 210-237.

soin de s'interroger sur ce qu'il nomma en réalité le « pseudo-totalitarisme » de ce pays : « Car un totalitarisme imposé de l'extérieur, ressenti comme la domination d'une puissance étrangère, est-il authentiquement totalitaire ? Bénéficie-t-il de ce minimum d'adhésion populaire faute de quoi les institutions sont comme des coquilles vides[18] ? » Si les régimes de l'Europe de l'Est entrent dans la phase du post-totalitarisme, au moins à partir de 1956, n'évoluent-ils pas alors vers des formes de pouvoirs autoritaires, devenant ce que Pierre Hassner a appelé un « autoritarisme post-totalitaire[19] » ?

Nombre d'intellectuels dissidents est-européens ont néanmoins continué à utiliser le terme de « totalitarisme », tout en ayant conscience que ses formes de coercition se sont transformées, pour ne pas dire « adoucies », au cours des années soixante-dix et quatre-vingt. Adam Michnik décrit un « totalitarisme aux dents cassées[20] », tandis que Vaclav Havel préfère parler d'un « système post-totalitaire[21] ».

En fait, la distinction entre autoritarisme et totalitarisme est complexe, les critères de définition de l'un et de l'autre ayant suscité nombre de controverses, dont Guy Hermet a tenté la synthèse[22]. La critique de la notion de totalitarisme, que ce soit du point de vue historique ou politique, a ainsi conduit à s'interroger sur les définitions tant de l'autoritarisme que du fascisme et, plus généralement, de la tyrannie ou du despotisme.

Compte tenu de ces débats, pourquoi ne pas étudier les processus de résistance contre les pouvoirs dits totalitaires, en parallèle avec les modes de résistance comparables apparus contre des pouvoirs qualifiés d'« autoritaires » ? De même que certains ont comparé les régimes politiques de l'Est et du Sud (précisément pour débattre de leur nature :

18. Raymond Aron, « Une révolution anti-totalitaire » dans Melvin Lasky, *La révolution hongroise*, Paris, Plon, 1957, p. IX.

19. Pierre Hassner, « Le totalitarisme vu de l'Ouest », *Totalitarismes, op. cit.*, pp. 33-34.

20. Cité par Jacques Rupnik, *L'autre Europe, op. cit.*, p. 320.

21. Vaclav Havel, *Essais politiques*, Paris, Calmann-Lévy, 1989.

22. Guy Hermet « Qu'est-ce que l'autoritarisme ? » dans Madeleine Grawitz et Jean Leca, *op. cit.*, pp. 269-314, et Guy Hermet, « Passé et présent : des régimes fasciste et nazi au système communiste », dans *Totalitarismes, op. cit.*, pp. 133-158.

totalitaire ou autoritaire ?), il semble légitime de comparer les processus de résistance qui ont contribué à leur effondrement. Des cas de résistance civile particulièrement significatifs se sont développés contre des régimes militaires du Sud, principalement au cours des années quatre-vingt, notamment en Argentine, en Bolivie, en Uruguay, au Brésil ou aux Philippines. Ces luttes, qui ont conduit à un processus de démocratisation, peuvent être rapprochées de celles qui, à l'Est, ont été associées à la chute des pouvoirs communistes. La notion de résistance civile permet un tel rapprochement : l'analyse comparée de son développement dans les régimes de l'Est et du Sud devrait permettre d'en approfondir la dynamique spécifique, en fonction des données politiques et historiques de chaque pays.

### Essai de définition

Quelle définition en donner ? Voici celle que nous proposons et que nous voudrions justifier en déclinant ses principaux termes : la résistance civile est la résistance d'acteurs sociaux ou politiques appartenant à la société civile et / ou à l'appareil de l'État, et ce par des moyens politiques, juridiques, économiques ou culturels.

Le terme de résistance renvoie à des actes par lesquels une volonté de refus s'exprime collectivement. Résister, c'est d'abord trouver la force de dire « non », sans toujours avoir une idée très claire de ce à quoi on aspire. La résistance est d'abord un refus qui s'exprime à travers des procédés de non-coopération et de confrontation avec l'adversaire. Certaines définitions — trop larges — de la notion de « résistance » en affaiblissent la signification. Car, si la résistance naît d'une rupture, il faut ajouter qu'elle ne devient telle que lorsqu'elle parvient à s'exprimer collectivement. Dans le cas d'actions purement individuelles, les notions de « dissidence » ou de « désobéis-sance » semblent plus adéquates[23]. Toutefois, la coercition du système et ses techniques de répression empêchent souvent que la résis-

---

23. Voir Jacques Semelin, « Qu'est-ce que résister » ? dans *Esprit*, janvier 1994, n° 198, pp. 50-63.

tance se traduise par un mouvement social organisé. Il faut donc admettre que la multiplication d'actes individuels d'opposition, lorsqu'elle prend une dimension collective, acquiert la signification sociale d'un mode particulier de résistance, même si elle reste éclatée dans sa forme[24].

La question du droit à la résistance renvoie à l'héritage de la Révolution française de 1789 et, en tout premier lieu, à la Déclaration des droits de l'homme et du citoyen qui, dans son article 2, reconnaît comme droit naturel le « droit de résistance à l'oppression » au même titre que la liberté, la propriété et la sûreté. Mais, comme l'a remarqué Marcel Gauchet, ce droit à la résistance doit être interprété plutôt comme une « exception au droit », tant il paraît impossible à institutionnaliser[25]. En ce sens, il se rapproche beaucoup de la définition du droit d'opposition pensé par Locke après la *glorious revolution*, qui estime que celui-ci ne peut se fonder que sur la loi de nature[26]. Aucun autre article de la Déclaration n'en explicite d'ailleurs le contenu, contrairement aux autres droits placés sur le même plan. Par ailleurs, les rédacteurs ont alors à l'esprit la reconnaissance d'une résistance individuelle à l'oppression, beaucoup plus que l'affirmation de la légitimité d'une résistance sociale. La Constitution de 1793, d'inspiration jacobine, exprime une vision plus collective de la résistance, lorsqu'elle déclare dans son article 35 : « Quand le gouvernement viole les droits du peu-ple, l'insurrection est pour le peuple et pour chaque portion du peuple le plus sacré des droits et le plus indispensable des devoirs. » Cette justification de la rébellion populaire contre toute tyrannie sous-entend la légitimité du soulèvement du peuple contre tous les intermédiaires institutionnels supposés parler en son nom ; c'est donc une remise en question du principe de la

---

24. A cet égard, l'étude des pratiques culturelles est intéressante en tant qu'elles peuvent révéler un rejet larvé ou explicite d'un système oppressif ; voir les pistes de recherche qui ont été ouvertes par Jean-Pierre Rioux sur le comportement des Français sous l'occupation allemande de 1940 : Jean-Pierre Rioux, « Survivre » dans *L'Histoire*, n° 80, juillet-août 1985, pp. 97 et suivantes.

25. Marcel Gauchet, *La révolution des droits de l'homme*, Paris, Gallimard, 1989, p. 153.

26. John Locke, *Deuxième traité du gouvernement civil*, traduction et notes de Bernard Gilson, Paris, Éd. Vrin, 1967, points 202, 203 et 224.

représentation parlementaire tel qu'il avait été élaboré en 1789. Cette vision de la « résistance » paraît liée à une pratique de la violence insurrectionnelle, qui peut aller jusqu'au régicide ou au tyrannicide. L'article 27 reflète bien l'état d'esprit de l'époque sur ce point : « Que tout individu qui usurperait la souveraineté soit à l'instant mis à mort par les hommes libres. »

Au XIX<sup>e</sup> siècle, le mot « résistance » prend un sens très différent pour désigner le « Parti de la Résistance » qui regroupe les orléanistes conservateurs opposés à la monarchie de Juillet. C'est au XX<sup>e</sup> siècle, dans le cadre de la lutte contre l'occupation nazie en Europe, que la notion de « résistance » retrouve son sens révolutionnaire. Résistance devient surtout synonyme de lutte armée des populations contre l'occupant. Une telle assimilation de la résistance à la violence insurrectionnelle est discutable, l'opposition intérieure au nazisme ne s'étant pas traduite uniquement par le recours aux armes. La résistance au nazisme prit en effet des formes très diversifiées, où les actions non militaires jouèrent parfois un rôle important. Nous avons tenté d'en faire l'analyse[27], soulignant qu'elles furent en général premières dans l'histoire de l'affrontement avec l'occupant.

Le qualificatif « civile » doit donc corriger la connotation militaire du mot « résistance ». Le rajout de cet adjectif présente un double intérêt. Le premier est que l'épithète « civile » qualifie ce qui n'est pas armé, en vertu d'une distinction pertinente dans de nombreuses langues (on oppose par exemple « institutions civiles » et « institutions militaires »). L'épithète souligne ainsi la dimension pacifique, non armée, de la résistance civile. Il est vrai que sa signification peut se trouver obscurcie par le fait que des civils recourent parfois aux armes pour se défendre, comme justement durant la Seconde Guerre mondiale ou, plus récemment, en ex-Yougoslavie. Mais d'autres termes sont préférables pour décrire ce type de phénomène, que ce soit celui de « résistance armée » au sens générique, ou ceux plus spécifiques de « guérilla », de « milice », ou de « terrorisme ». Nous

27. Jacques Semelin, *Sans armes face à Hitler. La résistance civile en Europe (1939-1943)*, préface de Jean-Pierre Azéma, Paris, Éd. Payot, 1989.

proposons donc de réserver la notion de « résistance civile »
aux formes de résistance sans armes par des populations ou
des institutions. En second lieu, le mot « civile » renvoie à la
notion de citoyenneté, au sens où il s'agit de décrire des
actions de citoyens, du moins de « citoyens potentiels », qui
cherchent à conquérir ou préserver des droits civiques, politiques ou sociaux. Dans la même perspective, l'adjectif
« civile », lié à la notion de « civisme », souligne qu'il s'agit
d'œuvrer pour l'intérêt général, quitte à payer de sa personne et donc à prendre des risques, ce qui suppose un certain courage : le courage de résister. Établir un lien étroit
entre la résistance civile et la citoyenneté, c'est mettre
l'accent sur ses rapports avec la construction d'une démocratie. On constate en effet que le recours à des formes de résistance civile contre des régimes autoritaires ou totalitaires
constitue souvent la voie privilégiée pour instaurer ou restaurer un système démocratique. Un rapprochement
s'impose ici avec la conception politique du pouvoir selon
Hannah Arendt. Si, comme elle le prétend, le pouvoir démocratique est le contraire de la violence, alors la constitution
d'un tel pouvoir ne devrait pas, en principe, reposer sur
l'usage de la violence armée[28]. Il ne faut pourtant pas tenir
un tel jugement pour absolu : d'une part parce que la pratique historique ne le confirme pas toujours, et d'autre part
parce que la résistance civile contribue parfois à instaurer ou
restaurer des formes autoritaires de pouvoir, ne serait-ce
que lorsqu'elle est dirigée par des leaders charismatiques
eux-mêmes autoritaires. En outre, les sociétés dites « démocratiques » conservent bien souvent de forts îlots d'autoritarisme qui modèlent depuis des siècles les structures sociales
et les mentalités. Aussi le peuple semble-t-il jouer parfois
lui-même contre la démocratie[29]. La dynamique de la résistance civile n'échappe donc pas au constat amer et lucide de
Simone Weil, selon lequel les opprimés en révolte n'ont
jamais réussi à fonder une société non oppressive[30].

28. Voir Hannah Arendt, *Du mensonge à la violence*, traduction, Paris,
Éd. Calmann-Lévy, 1972.
29. Voir sur ce thème Guy Hermet, *Le peuple contre la démocratie*,
Paris, Fayard, 1989.
30. Simone Weil, *Réflexions sur les causes de la liberté et de l'oppression sociale*, Paris, Gallimard, coll. Idées, 1955.

## Trois figures politiques

La résistance civile se développe à travers la mobilisation de certains acteurs de la société civile et / ou de l'État. Elle n'est pas, en elle-même, une lutte de la société civile *contre* l'État, même si ce cas se présente assez souvent. Trois de ses figures politiques sont à distinguer : la résistance civile résultant d'une mobilisation « par le bas » (à l'intérieur de la société civile), celle qui résulte d'une mobilisation « par le haut » (au sein de l'appareil de l'État), celle qui conjugue les deux (par une mobilisation dialectique de la société civile et de l'État). Chacune de ces figures appelle une réflexion spécifique qui déborde le cadre de cette introduction. Bornons nous à développer quelques points de nature à éclairer notre définition.

On sait que la distinction société civile / État est assez récente. Le grec *polis* et le latin *civitas* ont indifféremment les deux sens, le terme « État » n'apparaissant qu'au XVIᵉ siècle. Au XVIIᵉ siècle, Hobbes parle indifféremment de « société civile », de « corps politique » ou d'« État » tandis qu'au XVIIIᵉ, maints vocables chez Rousseau désignent la *civitas* : « corps politique », « État », « corps de l'État », « corps du peuple ». On s'accorde à reconnaître que c'est Hegel qui fonde dans les *Principes de la philosophie du droit*, en 1821, la distinction moderne entre société civile et État[31], bien que l'on puisse en trouver les prémisses chez Kant avec un autre vocabulaire[32]. La société civile, c'est ce qui n'est pas l'État : elle regroupe la sphère des intérêts privés, des besoins et du travail, les activités d'une société indépendante, autonome par rapport à l'État, ce qui caractérise avant tout la sphère économique, selon Ernest Gellner[33].

Cependant, pour dépasser l'ordre des intérêts privés, les hommes doivent être liés par une rationalité propre à l'État

---

31. Bernard Quelquejeu, *La volonté dans la philosophie de Hegel*, Paris, Le Seuil, 1972, pp. 296-301.
32. Voir Alain Renaut, « Genèse du couple État-société », dans *Projet*, printemps 1993, p.7 et sq.
33. Ernest Gellner, « La société civile dans une perspective historique », dans *Revue internationale des Sciences Sociales*, août 1991, p. 527 et sq.

à travers les lois de la raison. C'est donc l'État qui rend les hommes citoyens, sujets d'une rationalité du politique. Le rapport État / société civile est toutefois interprété de manière très différente selon les écoles de pensée (libérale, marxiste, etc.). Dominique Colas a tenté de reconstituer la généalogie de ce concept polysémique de « société civile[34] ».

Ces diverses approches de la société civile par la philosophie politique en donnent parfois des visions un peu trop systématiques qui ne semblent pas toujours très opératoires pour l'analyse de la résistance civile. Par exemple, n'a-t-on pas eu tendance, au cours des années quatre-vingt, à trop mythifier le rôle de la société civile en la présentant comme un véritable rempart au totalitarisme, l'expression d'une sorte de globalité résistante ? On a pris conscience — après 1989 — que celle-ci contient évidemment des réalités fort diverses et contradictoires, dont certaines sont porteuses de régression sociale.

## Les acteurs

Aussi convient-il de développer une approche sociologique plus pragmatique, qui saisisse la société civile, non pas tant à travers une définition générale, mais par ses *acteurs*. Des acteurs sociaux peuvent, en fonction de circonstances historiques particulières, se rassembler contre un ennemi perçu comme commun (il y a lieu alors de parler de résistance) ; ultérieurement, ils peuvent se séparer et avoir des rapports conflictuels, voire antagonistes. En empruntant une métaphore à la chimie, on peut les comparer aux ions d'une molécule qui se rassemblent ou se séparent selon la nature de leur milieu. Par acteurs sociaux, il faut entendre les syndicats, les Églises, les organismes professionnels, les mouvements et associations de toutes sortes en tant qu'ils sont l'expression plurielle des groupes d'intérêts et courants d'opinion qui traversent une société donnée. Parler de la mobilisation de la société civile, c'est en réalité évoquer celle de certains de ses acteurs : par exemple, l'Église,

---

34. Dominique Colas, *Le Glaive et le Fléau. Généalogie du fanatisme et de la société civile*, Paris, Grasset, 1992.

les ouvriers et certains intellectuels en Pologne à la fin des années soixante-dix. Mobilisation partielle donc, mais bien souvent fort significative de la constitution d'un nouveau rapport de force. Significative parce qu'elle témoigne d'une effervescence collective qui est précisément le signe d'une résistance importante. Significative également quand ces acteurs se font pour ainsi dire les porte-parole de toute la société et apparaissent comme la pointe avancée de son combat. Il arrive même parfois qu'un acteur social unique, en tant que représentant de toute une société, devienne à un moment historique donné le vecteur par lequel peut se produire le changement. Tel voulait être en particulier le mouvement étudiant chinois en 1989.

La même démarche conduit à réfléchir sur la place éventuelle de l'État dans ce type de résistance. La résistance civile peut en effet reposer sur l'action de représentants de l'État engagés dans un processus de confrontation et d'opposition avec l'adversaire. Ceux-ci peuvent être les personnages les plus éminents de l'État (président de la République, chef de gouvernement, etc.), les responsables de la haute administration et plus largement tous les membres des corps d'État (justice, police, armée, etc.). Pensons à plusieurs exemples de résistance à des putschs ou coups d'État : l'opposition résolue du gouvernement de Friedrich Ebert au putsch de Kapp contre la république de Weimar en 1920[35], celle du roi Juan Carlos d'Espagne contre le putsch de Tejero en 1981 ainsi que celle de Boris Eltsine contre le coup d'État de 1991. D'autres formes de résistance des corps d'État sont encore possibles, comme celle de la Cour suprême de Norvège contre la nazification du pays en 1940[36] ou le soutien d'éléments de la police et de l'armée tchèques à la protestation populaire contre l'invasion des troupes du pacte de Varsovie en 1968[37]. Cette implication d'acteurs étatiques dans la résistance civile n'est paradoxale qu'en appa-

---

35. Benoist-Méchin, *Histoire de l'armée allemande*, tome 2, *La discorde (1919-1925)*, Paris, Albin Michel, 1964, pp. 79-122.

36. Magne Skodvin, « Norwegian Non Violent Resistance During the German Occupation », dans Adam Roberts (ed), *The Strategy of Civilian Defence. Non Violent Resistance to Aggression*, Londres, Faber and Faber, 1967, pp. 106-135.

37. Gordon Skilling, *Czechoslovakia's Interrupted Revolution*, Princeton, University Press, 1976.

rence. Ce n'est pas parce que l'État se définit par le fait qu'il revendique le « monopole de la violence légitime[38] », que ses agents (même l'armée et la police) doivent ne pratiquer que la violence : dans bien des conflits, notamment quand l'exercice de cette violence est jugé inopportun, les agents de l'État peuvent mettre en œuvre d'autres formes de lutte, et même la résistance civile.

La question du degré d'engagement de l'État et de la société civile dans le processus de résistance se pose de façon différente selon que le conflit se déroule dans un cadre national ou international. La situation classique de l'occupation d'un pays par une puissance étrangère appelle en principe l'engagement de l'État occupé contre l'envahisseur. La figure politique de la résistance civile pourrait donc être ici celle de la lutte conjointe de l'État et de la société du pays envahi contre l'occupant. Mais chaque situation d'occupation pose à tout individu de la société occupée la question de la « collaboration » avec la puissance occupante. C'est ainsi que l'État d'un pays envahi peut décider de s'engager dans une véritable politique de collaboration avec l'occupant, que ce soit pour des raisons tactiques ou stratégiques, ou en vertu de réelles convictions politiques partagées avec ceux qui, alors, ne peuvent plus vraiment être considérés comme des « envahisseurs ». Tel fut le cas de la France en 1940 avec la constitution du régime de Vichy , dont Robert Paxton a montré tous les dommages[39]. Une telle politique de collaboration d'État est évidemment de nature à neutraliser, ou du moins à limiter fortement le développement de la résistance de la société civile. Cela a été souligné, à la suite de Paxton, par l'historien anglais Roderick Kedward[40] et par une nouvelle génération d'historiens français[41]. Dans un tel cas, les acteurs résistants de la

---

38. Max Weber, *Le savant et le politique*, Paris, Éd. 10/18, pp. 112-113.

39. Robert Paxton, *La France de Vichy (1940-1944)*, Paris, Le Seuil, 1973.

40. *Naissance de la Résistance dans la France de Vichy (1940-1942)*, trad. Éd. Champ Vallon, 1989 et *In Search of the maquis. Rural resistance 1942-1944*, Oxford, Clarendon Press, 1993.

41. Principalement les recherches développées par l'I.H.T.P. avec Jean-Pierre Azéma, Laurent Douzou, Pierre Laborie, Denis Pechanski, Henry Rousso et Dominique Veillon.

société civile doivent mener un double combat : contre l'État collaborateur d'une part, contre la puissance occupante d'autre part.

Si le cadre de l'affrontement est national, on peut penser que la figure politique de la résistance civile sera celle du schéma bien connu de la lutte de la société civile opprimée contre l'État oppresseur. Mais l'analyse doit être plus complexe, car des responsables et agents de cet État peuvent se comporter, dans certaines circonstances, ouvertement ou clandestinement, en faveur de la résistance de la société civile. Une dialectique peut ici s'instaurer : plus la résistance de la société civile devient massive, plus elle interagit sur la sphère étatique de telle manière que certains éléments de cet État s'en détachent pour apporter leur soutien aux acteurs sociaux contestataires. Ainsi, l'opposition au président Marcos aux Philippines s'est radicalisée avec la rébellion du général Ramos, lequel, dès le début de la crise, obtint l'appui de la puissante Église catholique du pays. Bien entendu, de tels ralliements encouragent le développement de la résistance. On peut imaginer aussi que cette mobilisation en spirale de l'État et de la société civile ait pour origine des dissensions au sein même de l'appareil d'État. En ce cas, les contradictions au sommet du pouvoir peuvent, en éclatant, ébranler la société civile et renforcer en son sein un processus de résistance. A certains égards, c'est le scénario évoqué par Raymond Aron lorsqu'il envisage, à la fin de *Démocratie et totalitarisme*, de manière très hypothétique, la voie par laquelle le pouvoir soviétique pourrait s'effondrer par « une scission dans la minorité privilégiée[42] ». Mais l'histoire de la *perestroïka* est aussi celle de l'évolution de la société soviétique elle-même qui, à travers la partie la plus avancée de la population, s'est traduite par des changements institutionnels[43].

42. Raymond Aron, *Démocratie et totalitarisme*, Paris, Gallimard, 1965, p. 333.
43. Marc Ferro, *Les origines de la perestroïka*, Paris, Éd. Ramsay, 1990.

## Les moyens

Venons-en à la définition des moyens de la résistance civile. On pourrait se contenter d'affirmer qu'ils sont « non armés », mais ceci revient à les définir négativement, ce qui ne dit rien de leur nature. Aussi faut-il préciser qu'il s'agit de moyens politiques, juridiques, économiques ou culturels. La caractéristique commune à ces modes d'action est qu'ils ne reposent pas sur l'emploi de la violence physique. Cette notion de « violence » est d'un emploi difficile en science politique, tant le terme est chargé affectivement et connoté idéologiquement. Constatons seulement que des changements historiques profonds se sont produits au cours des années quatre-vingt sans que la violence en ait pour autant été le « moteur ». Jacques Julliard note à ce propos que « rien peut-être n'aura été plus important que cette irruption de la non-violence dans l'Histoire[44] ». La tendance existait en réalité au moins depuis dix ans à l'Est, si l'on se rappelle la déclaration suivante d'Andreï Sakharov en 1978 : « Tous les courants de l'opposition que je connais ont une chose en commun : la lutte à visage découvert, la défense publique et non-violente des droits de l'homme. Voilà l'idéologie qui peut regrouper et qui regroupe dans notre pays les gens venus d'horizons politiques, nationaux et religieux différents[45]. » Orientation que l'on retrouve encore en Amérique du Sud à la même époque dans plusieurs luttes contre les dictatures militaires du continent (action des mères de la place de Mai en Argentine, campagne de grèves de la faim en Bolivie, grèves « civiques » au Brésil), et dont le prix Nobel de la Paix attribué à l'Argentin Adolfo Perez Esquivel en 1981 est l'un des symboles[46]. Avons-nous assisté, à travers ses combats, à la naissance d'une autre manière de faire l'Histoire ?

Vaste débat, qui pose à nouveau le problème de la signification des concepts utilisés, en premier lieu celui de « violence ». Ne faudrait-il pas, notamment, mieux distinguer le recours à la force du recours à la violence ? Conve-

---

44. Jacques Julliard, *Le génie de la liberté*, Paris, Le Seuil, 1990, p. 41.
45. *Le Monde*, 19 août 1978.
46. Adolfo Perez Esquivel, *Le Christ au poncho*, Paris, Le Centurion, 1981.

nons, avec Paul Ricœur, que « la visée de la violence est (...) la mort de l'autre », que ce soit sa négation physique ou morale[47]. Est-il possible de dégager une autre conception de la force et un espace de résistance qui ne reposent pas sur l'usage de la violence ainsi définie ? Dans son *Eichmann à Jérusalem*, Hannah Arendt souligne à cet égard l'importance de l'exemple du sauvetage des juifs du Danemark en 1943, sans toutefois approfondir la signification de ce fait du point de vue de la philosophie politique[48]. C'est Claude Lefort qui, dans son commentaire du coup de force du général Jaruzelski en Pologne en décembre 1981, amorce une véritable réflexion sur ce thème. A la lumière du texte de La Boétie dont il a déjà publié une étude avec Pierre Clastres[49], il observe que « le combat des Polonais semble inspiré par *le Discours de la servitude volontaire* », et en rappelle le passage qui conseille à tous ceux qui sont victimes de la tyrannie « de ne rien arracher (au tyran), mais seulement de ne rien lui donner[50] ». Autrement dit, la soumission des hommes ne repose pas seulement sur la violence qu'ils subissent, mais aussi sur l'obéissance qu'ils consentent. En développant cette approche, on perçoit dès lors qu'un espace de résistance peut se construire autour de deux pôles indissociables et complémentaires :

– un pôle négatif, fondé sur le refus de la servitude ; il se traduit par la mise en œuvre de moyens de non-coopération, principalement par la grève, le boycottage et la désobéissance civile. Ces moyens de pression et de contrainte ont des champs d'application diversifiés dans les sphères de la production, des services ou des lois ;

– un pôle positif, fondé sur l'affirmation d'une identité et d'une légitimité différentes de celles de l'adversaire. En ce sens, la résistance civile est toujours une résistance culturelle parce qu'elle s'appuie sur des valeurs, met en scène des symboles, s'enracine dans une histoire et des

47. Paul Ricœur, *Histoire et vérité*, Paris, Éd. du Seuil, 1955, p. 239.
48. Hannah Arendt, *Eichmann à Jérusalem. Rapport sur la banalité du mal*, Paris, Gallimard, 1966.
49. Étienne de la Boétie, *Le discours de la servitude volontaire* ; *La Boétie et la question du politique*, par Pierre Clastres et Claude Lefort, Paris, Payot, 1978.
50. Claude Lefort , « Un peuple uni et indompté », dans *Esprit*, mars 1992, p. 117.

modes de vie qui constituent le substrat identitaire de la société en train de résister. Cette résistance s'exprime par l'action politique, la manifestation publique, le recours au droit et, en fin de compte, à l'opinion, afin de donner force à ce que Habermas appelle la « publicité critique » susceptible de transformer la nature de l'espace public[51]. C'est pourquoi les médias peuvent jouer un rôle important dans le développement de ce type de résistance.

## Les circonstances favorables

Ces moyens de la résistance civile peuvent paraître dérisoires au regard de ceux de l'adversaire. Comment cette force des faibles, ce « pouvoir des sans-pouvoir » selon la belle formule de Vaclav Havel[52], peuvent-ils parfois gagner contre des appareils répressifs très efficaces ? Des circonstances favorables en expliquent le succès ; mais lesquelles ? Les contradictions internes à l'adversaire ne doivent-elles pas être suffisamment « mûres » pour que ce type de lutte ait quelque chance de l'emporter ? Ne faut-il pas que les parties en conflit partagent certaines valeurs, ou du moins le sens d'un intérêt supérieur, qui les empêchent d'aller trop loin en adoptant des solutions trop radicales ? La résistance civile semble profiter d'une certaine paralysie du pouvoir, ce qui rend possible sa réussite. Reprenant les analyses de Tocqueville, Guy Hermet souligne justement ce phénomène qui conduit les dirigeants à croire qu'ils ne sont plus aptes à gouverner. Ce « mécanisme intervient aussi bien à l'Est que dans les pays libérés des dictatures classiques de l'Europe méridionale ou de l'Amérique latine : il s'inscrit dans ce défaitisme qui saisit soudain les autocrates (...), qui les fait douter eux-mêmes de leurs droits de se maintenir au gouvernement[53] ».

Un tel phénomène est loin d'être toujours imputable à l'action résistante. Il peut résulter de multiples facteurs

---

51. Jürgen Habermas, *L'espace public*, traduction, Paris, Payot, 1976.
52. Vaclav Havel, « Le pouvoir des sans-pouvoir », dans *Essais politiques*, Paris, Éd. Calmann-Lévy, pp. 655 et suiv.
53. Guy Hermet, *Les désenchantements de la liberté*, Paris, Éd. Fayard, p. 121.

qui conduisent à moyen ou à long terme un système donné vers l'implosion. Telle est par exemple l'analyse que font Bertrand Badie et Marie-Claude Smouts de l'effondrement du bloc communiste : « L'Union soviétique s'est effondrée comme super-puissance, écrivent-ils, notamment par l'effet croisé de multiples flux transnationaux, économiques, culturels, humains, qui rendaient de plus en plus hypothétique le maintien du glacis en Europe de l'Est, alors que sa force militaire pouvait entretenir l'illusion d'un partenariat avec les États-Unis[54]. » De même, l'évolution des relations internationales peut être d'une importance décisive, comme le montrent ici plusieurs études de cas. Ainsi, les succès enregistrés par les luttes pour les droits de l'homme contre les dictatures latino-américaines ont été en partie facilités par la politique des États-Unis qui, sous la présidence de Jimmy Carter, ont alors poussé ces régimes à se libéraliser. De même, la politique de *Glasnost* engagée dans l'ex-Union soviétique par Mikhaïl Gorbatchev a certainement favorisé la montée en puissance des oppositions en Europe Centrale, laquelle a conduit à la chute des régimes communistes en 1989. Autrement dit, les pressions exercées par la puissance tutélaire d'un régime en proie à une contestation interne sont non seulement de nature à limiter le recours à la répression par ce régime, mais également à favoriser le développement de son opposition, ceci expliquant cela.

Comment, dès lors, évaluer le poids de ces facteurs transculturels, économiques, internationaux, voire militaires[55] — extrinsèques à la résistance civile — dans la chute des régimes dictatoriaux ? Il y a au moins deux manières de penser leur influence par rapport au processus résistant lui-même :

– ou bien on pose qu'ils jouent le rôle déterminant dans

---

54. Bertrand Badie et Marie-Claude Smouts, *Le retournement du monde. Sociologie de la scène internationale*, Paris, Éd. Presses de la Fondation Nationale des Sciences Politiques / Dalloz, 1992, p. 77.

55. Certains estiment que la politique militaire de fermeté des États-Unis, engagée par le président Reagan depuis les années quatre-vingt (principalement à travers le programme appelé « Initiative de Défense Stratégique »), a eu pour effet d'« essouffler » le système soviétique, ce qui aurait accéléré sa décomposition.

l'effondrement de ces régimes et en ce cas, l'influence de la résistance civile est secondaire : son éventuel développement n'est que la conséquence de l'évolution d'un système qui se fissure ou qui s'effondre pour des raisons qui n'ont que peu de rapport avec une possible opposition intérieure ;
– ou bien on considère que l'action résistante n'est malgré tout pas négligeable dans la mesure où son rôle est précisément de savoir tirer avantage d'une situation historique favorable. Cette situation est précisément définie par la convergence de facteurs structurels et conjoncturels les plus divers, qui fragilisent le système que cette résistance veut renverser.

Il est impossible de trancher abstraitement entre ces deux lignes d'interprétation, dans la mesure où le contexte historique de chaque pays doit être pris en compte. Ainsi, à l'Est, le cas de la Pologne est bien différent de celui de la Roumanie, tandis qu'au Sud la situation de la Bolivie n'a que peu à voir avec celle du Chili (comme le souligne ici Jean-Pierre Lavaud). En outre, à ces deux grilles d'analyse, il faut en ajouter une troisième : celle qui consiste à penser de manière dialectique l'articulation des facteurs internes et externes au processus résistant, comme le propose Pierre Hassner à l'égard des événements de 1989 en Europe Centrale[56].

### Quel héritage ?

Quel héritage nous lèguent tous ceux qui ont lutté contre de tels systèmes ? Ces formes diversifiées d'opposition illustrent l'importance de la réflexion sur la notion de société civile. Dans un ouvrage précisément nourri d'exemples de luttes sociales à l'Est ou au Sud au cours des années soixante-dix et quatre-vingt, Jean Cohen et Andrew Arato tentent de développer une nouvelle approche théorique de la société civile[57]. Montrant combien ces mouvements sont en rupture avec le schéma marxiste-

---

56. Pierre Hassner, « Un cadavre encombrant », dans *Revue politique et parlementaire*, juillet 1990, p. 10.
57. Jean L. Cohen et Andrew Arato, *Civil Society and Political Theory*, Cambridge, M.I.T. Press, 1992.

léniniste du changement révolutionnaire, les auteurs justifient un modèle de la société civile partiellement reconstruite autour de la notion de « mouvement de démocratisation auto-limitée » qui cherche à étendre et développer des espaces protégés de liberté. Pour eux, ces expériences résistantes ne sont justement pas de l'histoire ancienne : elles nous lèguent une vision de la société civile dont les démocraties occidentales peuvent s'inspirer pour régénérer leur fonctionnement interne.

En second lieu, la spécificité de ces luttes fut de déborder le cadre national de l'affrontement avec l'État. Pour briser leur isolement et être plus efficaces, elles ont inventé des pratiques ouvertes sur le monde extérieur, que ce soit par leur référence aux droits de l'homme ou à travers l'utilisation de médias étrangers. Ce faisant, ces modes de résistance civile témoignèrent alors d'une nouvelle tendance qui a vu des groupes privés et même des individus (les dissidents par exemple) s'immiscer dans le champ des relations internationales, là où les États avaient pour habitude de régner en maîtres[58]. En ce sens, ces formes de résistance civile ont participé de plain-pied à cette évolution des systèmes contemporains, caractérisés par la mondialisation des échanges et des moyens de communication.

Mais on sait aussi que cette globalisation a simultanément contribué à développer des formes de repli sur soi, que ce soit à travers le fondamentalisme religieux ou le nationalisme fanatique. De tels mouvements peuvent eux-mêmes être considérés comme des formes de résistance, principalement à la modernité occidentale. A cet égard, ils nous posent à nous, Occidentaux, la question *de nos propres valeurs*[59].

Mais les combats d'aujourd'hui ne doivent aucunement faire oublier ceux d'hier. Nous avons conscience du devoir de mémoire envers ceux qui ont eu le courage de résister au nazisme dans la France occupée. Ne convient-il pas également de cultiver une conscience plus européenne de

---

58. *Les individus dans la politique internationale*, sous la direction de Michel Girard, Paris, Éd. Economica, 1994.
59. *Résister*, sous la direction de Gérald Cahen, Paris, Éd. Autrement, 1994, p. 15.

la résistance, en rappelant la mémoire non seulement de ceux qui ont lutté contre le pouvoir nazi, mais aussi de ceux qui se sont opposés au pouvoir communiste ? De même qu'il est impossible d'oublier l'histoire du totalitarisme, au cœur de la tragédie de ce siècle, il est impossible d'oublier les pages de la résistance contre ce système. Résistance certes laborieuse, parce qu'elle est trop souvent restée minoritaire, mais résistance quand même, et d'autant plus honorable qu'on la croyait impossible. Inspirée par des valeurs enracinées dans une foi en l'homme ou en Dieu, elle témoigne de notre capacité à défier la violence la plus cynique, dès lors que nous savons nous libérer de la peur.

J. S.

# ÉTUDES DE CAS

# RÉSISTANCE
# ET RELIGION

Résister sans armes suppose de faire corps — de faire bloc — contre la répression. La notion de cohésion sociale tient une place centrale dans l'interprétation des processus de résistance civile. Or, le religieux peut justement être un puissant facteur de cohésion contre l'ordre politique temporel de la tyrannie. D'autres formes de cohésion sociale sont évidemment possibles, sur des bases civiques et nationales. Néanmoins, les exemples de résistance civile qui se sont développés dans un contexte religieux sont assez nombreux pour justifier un examen prioritaire.

Les textes de Patrick Michel sur la Pologne et de Pierre de Charentenay sur les Philippines montrent bien que les Églises ont été étroitement liées au changement social et politique. Dans ces deux pays, conscience nationale et conscience religieuse se recoupent et constituent par là même un profond facteur d'intégration sociale. Dans un combat qui est d'abord celui des valeurs, le religieux entend marquer sa suprématie sur le politique. Ainsi, dans sa lutte contre le communisme, l'Église polonaise cherche à manifester « le primat de la spiritualité qui, au nom d'une position a-historique, prétend à la maîtrise du temps ». De même, dans les jours qui précèdent la révolution de 1986 aux Philippines, la lettre pastorale des évêques recommande aux croyants d'« obéir à Dieu plutôt qu'aux hommes ». Par-delà cette volonté de supplanter le politique, la place du religieux dans le processus résistant doit s'interpréter dans le contexte de chaque pays, ce qui revient à examiner les rapports entre le pouvoir, l'Église et la société.

En Pologne, selon Patrick Michel, l'idéologie communiste a cherché à *ignorer* le religieux. Dans ce pays profondément catholique, une telle attitude s'est révélée intenable et s'est retournée contre le pouvoir : « C'est en faisant de Dieu la seule catégorie qu'il se refusait à intégrer idéologiquement que le régime a érigé le religieux en véhicule privilégié de la mise en cause de sa propre légitimité. » Rien de tel aux Philippines, où l'Église catholique était reconnue par la dictature, le président Marcos se disant lui-même croyant. Il s'agit alors d'un religieux *partagé* et non plus nié, parce qu'il est commun au pouvoir et à la société. Dans les années soixante-dix, la hiérarchie catholique était d'ailleurs proche du régime, ayant cautionné la loi martiale instaurée pour lutter conte la guérilla communiste.

La construction des processus résistants est donc différente dans les deux pays. En Pologne, le religieux est investi par la société puisqu'il constitue, pour ainsi dire, la seule sphère que lui laisse le pouvoir. Il en résulte une « instrumentalisation » politique du religieux par la société, qui l'utilise comme espace et langage de sa résistance ; d'où une grande confusion entre le social et le religieux, à l'origine de plusieurs équivoques entre l'Église et la société polonaise. Mais c'est sans doute à ce prix que s'est construite la Pologne résistante. Aux Philippines, l'opposition à la dictature s'est développée du fait de la rupture des élites catholiques avec le régime. La hiérarchie catholique s'est progressivement détachée d'un pouvoir de plus en plus corrompu et dont les atteintes aux droits de l'homme étaient toujours plus criantes. Au nom de ses propres valeurs, l'Église est donc entrée dans un processus de résistance sur la base d'une contestation éthique et politique du régime. C'est ce qui fait dire à Pierre de Charentenay que « si la révolution de 1986 est religieuse par sa participation et par ses moyens, elle ne l'est pas dans sa finalité, qui est politique ».

Cette analyse permet de relancer la distinction entre régimes autoritaire et totalitaire. En Pologne, le religieux apparaît comme le seul espace de lutte possible face à un pouvoir qui veut monopoliser toutes les sphères de la société. Certes, ce pouvoir n'y parvient pas, mais il a bien la prétention d'être le « tout social ». Le cas philippin est celui d'un régime autoritaire banal qui ne supporte pas la contestation politique et où le religieux est non seulement toléré, mais intégré à la vie publique. La dictature ne manifeste pas cette volonté du tout social ; il n'y a pas d'économie officielle, ni de culture officielle.

Est-ce pour cette raison que l'histoire des résistances dans ces deux pays est également distincte ? En Pologne, il s'agit plutôt d'une « histoire-processus » qui, d'une certaine manière, épouse la pesanteur du système totalitaire. La résistance polonaise est d'abord l'histoire de la survie, puis de la conquête laborieuse d'une plus grande autonomie de la société civile. Le contexte stratégique de l'Europe soviétisée explique cette prudence, fondée sur la non-provocation. Pour Patrick Michel, « ce n'est pas le Pape qui a fait tomber le communisme » : c'est un processus lent dans lequel interviennent d'autres acteurs que l'Église, principalement les ouvriers et les intellectuels. Aux Philippines, en revanche, il s'agit davantage d'une « histoire-événement », au cours de laquelle se précipite la chute de la dictature durant une confrontation brève et dramatique. C'est l'Église qui appelle à ce face-à-face très risqué avec le pouvoir. C'est l'Église qui est toute la résistance et qui s'affirme, insiste Pierre de Charentenay, comme « l'élément cristallisateur de la crise paroxysmique ». Répondant à l'appel des autorités religieuses, une foule gigantesque aux mains nues réussit à arrêter des chars dans les rues de Manille. Cette force du nombre, du « pouvoir du peuple » (*people power*), et la conviction religieuse de tous ceux qui se trouvèrent engagés dans cette confrontation directe leur permirent de « dépasser la peur d'être victimes, la peur de la mort ». En Pologne, on ne trouvera pas un moment historique semblable, considéré dans la mémoire nationale comme événement fondateur et révolutionnaire.

Par-delà ces différences, une question commune se pose : comment l'Église peut-elle retrouver sa place dans une société en voie de démocratisation ? Dans les deux cas, l'Église éprouve des difficultés à reprendre ses marques. La question s'est posée de façon aiguë en Pologne où, aussitôt le gouvernement communiste tombé, les autorités religieuses ont manifesté leur volonté d'emprise sur la société. Le problème est apparu également aux Philippines, où l'Église renâcle à « accepter de ne plus avoir de levier d'action directe sur la politique ». Tout dépend alors du nouvel équilibre des pouvoirs et de la capacité de la société civile à résister à la volonté d'influence des autorités religieuses.

J. S.

# De l'interprétation politique d'un « miracle » : la révolution philippine de 1986

*Pierre de Charentenay*

Les Philippins ont conduit, en 1986, une révolution sociale et politique dont les soubassements religieux ont été manifestes : prêtres et religieuses en première ligne, messe sur les barricades, soutien direct des autorités ecclésiastiques, information et logistique fournies par l'Église. Le croire collectif s'exprimait directement dans cette transformation fondamentale de toute une société. Cette révolution représente aussi un exemple de lutte non-violente réussie, assez rare pour être analysé, précisément parce qu'il s'appuie sur la particularité religieuse d'un système social. Pour situer cette révolution, il importe d'abord d'examiner la place du phénomène religieux dans ce pays.

## Le religieux comme catalyseur social

L'archipel des Philippines est catholique à 90 %, avec une pratique religieuse élevée, même si le nombre de prêtres reste faible. La culture elle-même est très fortement imprégnée de spiritualité, proche d'une spiritualité latino-américaine, expressionniste sur le modèle espagnol, mais sans les tendances libérales héritées des Lumières ou de la

49

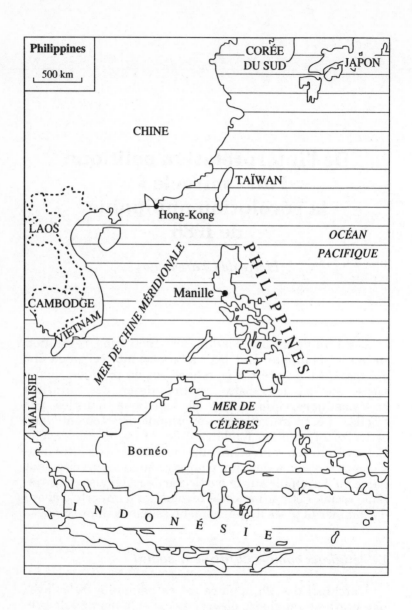

Philippines

500 km

CORÉE
DU SUD

JAPON

CHINE

TAÏWAN

Hong-Kong

LAOS

OCÉAN

PACIFIQUE

PHILIPPINES

CAMBODGE

Manille

VIETNAM

MER DE CHINE MÉRIDIONALE

MALAISIE

MER DE
CÉLÈBES

Bornéo

INDONÉSIE

Révolution française, et avec une connotation asiatique ouverte à une présence du facteur spirituel tel qu'on peut le trouver en Inde. Synthèse philippine bien unique en son genre, la religion catholique façonne la culture, depuis des pratiques individuelles et familiales jusqu'aux grandes manifestations publiques. Elle unifie les représentations symboliques du pays, dans une sorte de synthèse sociale concrète de l'Occident et de l'Extrême-Orient.

Le facteur religieux n'est pas le seul à être la clé d'intégration de cette population. Un autre élément fondamental est sa structure hiérarchique traditionnelle qui organise la société politique. L'intégration se fait par le haut, par la cohésion que donne le chef de clan, le cacique local ou le chef de famille autant à la vie de sa famille qu'à la région. Le sénateur Aquilino Pimentel, homme politique de la région de Mindanao, ou Ferdinand Marcos dans l'Ilocos Norte en sont de bons exemples. La cohésion sociale est ainsi donnée par la figure d'autorité. Des études récentes ont montré que les Philippins respectent naturellement ceux qui sont en position de pouvoir et que « non seulement ils obéissent, mais qu'ils peuvent aussi en être dépendants s'ils sont en situation de besoin[1] ». Le catholicisme vient renforcer ce fonctionnement dans la mesure où il invite à l'obéissance et à la légitimité. La cohésion sociale se produit ainsi à travers la religion catholique et dans une structure hiérarchique. Telle serait en quelques lignes la situation de la culture philippine vue de manière statique.

Mais cette intégration sociale par l'autorité hiérarchique se détruit elle-même quand elle n'est plus l'occasion d'une juste redistribution des biens que chacun attend. Si cette autorité est l'occasion, voire l'initiatrice de l'injustice, de l'oppression et de la corruption, le système ne tient plus, et sa décomposition se produit. C'est ce qui advint au régime Marcos, installé dès 1965 et qui mit en coupe réglée tout le pays pendant vingt ans alors que les Philip-

---

1. « Can democracy succeed in the Philippines », dans *Philippines Politics and Society*, p. 63, Vol. 1, n° 1 janvier 1992, publication bisannuelle de l'Ateneo Center for Social Policy in Public Affairs (ACSP/PA). Cet important article donne de précieuses indications sur les comportements politiques des Philippins.

pines traversaient une phase de développement considérable qui aurait pu faire de l'archipel une autre Thaïlande ou une autre Corée. Rien n'a été mis en œuvre pour faciliter cette transition vers un État moderne, alors que la bureaucratie quadruplait pendant ces vingt années[2]. Lorsque la désintégration est trop avancée, et que les citoyens ont perdu leurs droits essentiels, vient un moment de sursaut où les autres modes d'intégration reprennent le dessus et interrogent tout un chacun. A cette occasion, le facteur religieux entre en jeu, s'il existe dans le pays : il sert alors d'aiguillon, de parrain, de catalyseur. Les exemples en sont multiples, y compris hors de la sphère chrétienne : on le voit en Algérie, comme on l'a vu en Iran depuis le début des années quatre-vingt.

Il reste qu'il faut un événement pour que tout ceci se mette à bouger et produise des effets. La révolution de février 1986 est un modèle du genre, très parlant sur le rôle du religieux dans une période de crise politique majeure. Le religieux sera le catalyseur dans une situation paroxysmique. Pour le comprendre, il faut revenir aux événements eux-mêmes.

## Chronologie d'une révolution

L'histoire de cette révolution commence le plus régulièrement du monde par l'élection de Ferdinand Marcos en 1965. Le régime commence à prendre une figure autoritaire par l'imposition de la loi martiale en 1971, décrétée contre la guérilla qui menace l'ordre public dans plusieurs parties du pays. A l'époque, l'Église ne dit rien. Ce silence s'explique. La guérilla qui menaçait l'ordre public et la sécurité nationale représentait aussi une menace potentielle pour l'Église et les valeurs qu'elle défendait, la pratique de la foi et la liberté religieuse. Les exemples chinois et vietnamien, dictatures redoutables dont les religieux furent les premières victimes, faisaient craindre le pire.

---

2. Il y avait 415 103 fonctionnaires en 1964. Ils sont 1 310 789 en 1984, selon *Governement and Politics of the Philippines*, édité par Raul P. de Guzman et Mila A. Reforma, Oxford University Press, 1988, p. 187.

Comment ne pas penser que la loi martiale, sans être une bonne solution, permettait d'éviter un drame immense ?

En 1972, un certain Ninoy Aquino, jeune sénateur de la République, opposant au régime, est mis en prison, comme tant d'autres ; il y restera 2700 jours avant d'être autorisé à l'exil aux États-Unis en 1979 pour une intervention médicale. Pendant ces sept années d'isolement dans la prison, le sénateur a vécu une transformation profonde, religieuse et politique, qui fera de lui un homme déterminé. Un même processus de retournement de mentalité va affecter l'Église des Philippines dans son ensemble. Les diocèses, les prêtres, les radios locales chrétiennes sont à leur tour victimes de tracasseries, puis de véritables persécutions par la police et l'armée du régime Marcos. En effet, tout au long de ces années, de nombreux chrétiens se sont engagés de manière très directe et très active dans la lutte pour la justice et le respect des droits de l'homme, parfois dans des groupes très proches de la gauche radicale, très proche de la nébuleuse marxiste, tels la Task Force Detainees (Organisation de défense des prisonniers) ou le NASSA (National Secretariat of Social Action, chargé de l'action sociale pour les évêques philippins). L'évolution va gagner toute l'Église jusqu'à la conférence des évêques qui, à partir de 1977, a attiré l'attention sur la situation politique et sociale inadmissible dans le pays. Le cardinal Sin, archevêque de Manille, commençait à demander le départ du Président. Utilisant la relation existant entre la gauche radicale et certains groupes d'Églises, F. Marcos ne va pas hésiter à continuer à frapper de tous les côtés. Les évêques se trouveront mis dans une position très difficile. Ils veulent dénoncer les exactions de l'armée, mais ils refusent en même temps de soutenir les mouvements proches de la guérilla. Cette ligne de crête sera néanmoins suivie jusqu'au bout, notamment par des hommes comme Mgr Claver, évêque de Bukidnon, dont l'engagement pour la démocratie et la justice était très clair, tout aussi clair que le refus de compromission avec la gauche radicale. A la fin des années soixante-dix, le choix de toute l'Église contre Marcos était fait. Elle le paya d'ailleurs lourdement par de nombreux assassinats, dont celui d'un jésuite, le P. Alingal, le 13 avril 1981. Il fallut attendre la chute de F. Marcos pour que la clarification soit faite entre les partisans du changement par la violence et ceux qui voulaient un changement démocratique.

Entre 1971 et 1983, le régime de Ferdinand Marcos perd donc toute sa crédibilité. Cette longue période révèle toutes ses manipulations politiques et financières, après avoir montré que la remise en ordre de la loi martiale devenait un régime permanent de dictature. Pour asseoir sa légitimité, F. Marcos a décidé d'opérer un début de démocratisation. Le sénateur Aquino en profite pour décider de rentrer. Il sera assassiné en août 1983 au bas de l'avion qui le ramène au pays. Certaine que le régime a lui-même organisé cet assassinat, l'opinion publique se détache totalement du Président, qui a définitivement perdu toute crédibilité.

La fin du régime Marcos se produit en deux étapes : la première, les élections de février 1986 ; la seconde, la révolution d'EDSA[3].

Après une lente décomposition politique et dans une atmosphère de corruption généralisée[4] et de fin de règne, le président Marcos, dans un espoir ultime de rester en place, décide d'organiser des élections pour le 7 février 1986 : il y cherche une nouvelle légitimité, car il espère l'emporter, sûr de pouvoir arranger la consultation électorale à son profit comme il l'avait déjà fait dans le passé. Fin 1985, alors qu'elle se rend compte qu'elle est la seule alternative crédible à F. Marcos, Mme Corazon Aquino, veuve du sénateur Aquino, se lance dans la campagne électorale[5].

---

3. EDSA : Epifanio de los Santos Avenue. Sur cette immense avenue qui sépare deux camps militaires, s'est déroulé l'essentiel de la révolution. Le sigle Edsa, qui n'était qu'une manière brève de signaler une grande voie de circulation, est devenu tout un symbole. On parle maintenant de l'esprit d'Edsa, c'est-à-dire de l'esprit qui a motivé et animé la révolution de février 1986.

4. On lira avec intérêt le récit de toutes les corruptions du régime Marcos et de ses *cronies* dans le livre très informé de Ricardo Manapat, *Some are smarter than others, The history of Marcos' crony capitalism*, Aletheia Publication, New York, 1991, 615 pages.

5. Diverses biographies ont été écrites sur Corazon Aquino. On utilisera ici l'une des premières biographies qui traite plus de l'histoire de la famille et des événements de la révolution de février 1986 que des six années de l'administration Aquino que personne à l'époque n'osait garantir : *Cory, Profile of a President*, par Isabel T. Crisostomo, J. Kriz publish., Quezon City, 1986, 322 p.

L'Église se trouve alors devant un difficile dilemme : faut-il boycotter les élections parce qu'elles risquent d'être manipulées ou au contraire faut-il jouer le jeu et s'engager ? Discussion importante, les éléments les plus à gauche étant en faveur du boycott, comme l'était d'ailleurs, la gauche procommuniste. La Conférence épiscopale opte finalement pour la participation au vote ; mais elle ne se contente pas d'appeler à voter. Elle met sur pied un réseau de surveillance des élections, la NAMFREL, association des citoyens pour une élection libre. Ainsi paroisses, écoles, radios locales, séminaires, tout le réseau d'Église est réquisitionné pour l'information de la population et surtout la surveillance du processus électoral. Le 7 février, 150 000 personnes sont sur le pied de guerre, présentes sur tous les lieux de vote, avec comme but le respect du vote démocratique.

L'intervention de l'Église est donc manifeste, mais le motif est clair : que les citoyens soient respectés dans leur droit politique le plus fondamental, celui de choisir qui sera leur président. La Conférence épiscopale a justifié cette option dans une lettre pastorale, lue dans toutes les paroisses le 2 février 1986, cinq jours avant l'élection : « Il faut obéir à Dieu plutôt qu'aux hommes[6]. »

Comme on pouvait s'y attendre, et selon les observations des nombreux correspondants de NAMFREL sur place, les élections ont été massivement truquées. La tricherie fut révélée au public par le départ de trente jeunes filles de l'organisme officiel de compte des voix, Comelec, qui démissionnèrent et quittèrent la salle de décompte publiquement et devant les caméras de télévision pour protester contre les manipulations en cours. Elles se réfugièrent dans un couvent sous la haute protection du Cardinal. Là encore, le politique, le social, le religieux sont constamment présents, imbriqués totalement.

Mais l'Église devait s'engager plus directement encore. Une nouvelle discussion, chaude et difficile, eut lieu au

---

6. Ce document est publié dans la revue *Pulso*, vol. 1, n° 4 / 1986, p. 327 à 331. On trouvera dans le même numéro de nombreuses analyses particulièrement précieuses pour comprendre les raisons de l'intervention de l'Église, notamment plusieurs études de Mgr Claver, qui fut une des têtes pensantes de l'ensemble du processus.

sein de la Conférence épiscopale : devant cette fraude, faut-il intervenir et dénoncer ces tentatives de manipulation ? Le nonce apostolique, ami des Marcos ne le souhaite pas. Mais beaucoup d'évêques sont prêts à le faire. Mme Marcos contacte directement plusieurs évêques et se déplace à deux heures du matin chez le président de la Conférence épiscopale pour que les évêques bloquent cette procédure dont elle sait qu'elle risque d'être catastrophique pour eux, étant donné la crédibilité de la hiérarchie catholique. Finalement les évêques publient cette lettre le 14 février en soulignant que les résultats des élections sont en train d'être faussés et que le gouvernement de Marcos se mettait dans l'illégalité.

Quelques jours après, les résultats sont publiés : le décompte officiel donne Marcos vainqueur, l'autre décompte, celui de NAMFREL, donne Mme Aquino gagnante.

Le débat entre M. Marcos et Mme Aquino pouvait durer longtemps, chacun campant sur les positions que son propre décompte des voix lui donnait. Chacun avait des atouts qui lui étaient propres, M. Marcos ayant pour lui l'armée, Mme Aquino l'Église. L'autorité légitime pouvait encore rester dans les mains de M. Marcos si les militaires lui restaient fidèles. Or les doutes et les états d'âmes commençaient à gagner quelques-uns des plus hauts gradés et le président en exercice se préparait à mettre de l'ordre dans son armée pour s'en assurer.

Mais il allait être devancé, de quelques heures semble-t-il, puisqu'une sécession s'organisait le 22 février au matin. Juan Ponce Enrile, ministre de la Défense et Fidel Ramos, chef d'état-major adjoint des armées, se déclarent en rébellion dans un camp à l'intérieur de Manille, sur EDSA. Ils y furent bientôt entourés par l'armée régulière. C'est alors que Juan Ponce Enrile appela le cardinal Sin pour lui demander de mobiliser la population de Manille. Et c'est en ce jour que se produisit un phénomène qui reste unique dans les annales de l'Église : par l'intermédiaire de la radio catholique locale, Radio Veritas, le cardinal Sin appelle la population à venir soutenir et protéger les militaires en rébellion, et réussit à mobiliser des centaines de milliers d'habitants de Manille en quelques heures.

L'Église montre alors ce que l'on peut appeler sa force sociale et sa force idéologique : la première consiste en sa capacité de mobiliser deux millions de personnes sans grand moyen de rassemblement ni de propagande, simplement une invitation lancée par une radio locale ; sa force idéologique est manifeste dans cette capacité de les mobiliser pour une action extrêmement dangereuse, puisqu'il ne s'agissait de rien moins que d'arrêter des chars pour qu'ils n'entrent pas en lutte avec d'autres chars. Des témoins ont raconté à l'auteur de ces lignes leur angoisse lorsqu'ils entendirent des hélicoptères s'approcher : était-ce le début des hostilités entre les deux camps ? C'étaient en fait des transfuges qui rejoignaient les rebelles. Cette force religieuse leur permet de dépasser la peur, la crainte d'être victime, la peur de la mort. Ceux qui étaient là risquaient effectivement leur vie au nom de valeurs fondamentales dans lesquelles ils croyaient et pour lesquelles il valait la peine de donner sa vie : la liberté, la conduite de leur destin, leur dignité de peuple et leur avenir.

Pendant quatre jours, cette foule s'est interposée entre les rebelles et les loyalistes pourtant bien supérieurs en nombre. Et personne n'osait bouger. La situation était extrêmement fragile. Une étincelle aurait transformé EDSA en boucherie. Et pourtant rien ne s'est passé en quatre jours. D'où l'interprétation locale : c'est un miracle. Sur le moment, on pouvait le penser. Miracle de l'absence de violence. Miracle d'un dénouement finalement très rapide, puisque M. Marcos est parti de lui-même le 25 février dans l'après-midi, laissant le champ libre à Mme Aquino.

Cette action symbolique, cette charge de pouvoir de l'action non-violente dans cet environnement religieux a été appelé *people power*[7] : cette expression contient tous les ingrédients de ce miracle de EDSA. C'est l'anti-Tiananmen dans le sens où l'acte de courage moral est pris dans un ensemble de valeurs que tout le monde partage, des deux côtés des chars. Les soldats juchés sur leurs machines comme les manifestants présents sur le macadam avaient la même foi, la même culture, le même désir de

---

7. L'expression *people power* est employée aujourd'hui pour désigner cette force populaire de février 1986 qui fut capable, par l'action non-violente, de changer un régime politique.

paix, le même sens des relations humaines, le même orgueil national. Ils parlaient la même langue et appartenaient au même monde, voire aux mêmes familles. Un mot, un geste, une cigarette échangée, un sourire partagé, une fleur offerte renouaient le lien que l'uniforme et la fonction avaient un instant brisé. Plus encore, que pouvait faire un soldat devant un chapelet offert en cadeau ou devant une statue de la Vierge portée par un homme ou une femme, qui lui rappelait ce qui était le plus sacré ? Le *people power* englobait tous les participants, manifestants ou soldats, dans un même esprit qui les dépassait.

Cet événement central n'est pas le fruit du hasard. Il est préparé et se déroule dans un cadre de réflexion. Il est le fruit d'une stratégie qui s'est développée à deux niveaux, et d'abord dans les états-majors de l'Église. Rien n'a été improvisé dans l'action de l'Église. C'est un événement paroxysmique bien accompagné. Pendant toute la crise qui a suivi les élections, le cardinal Sin réunissait dans son bureau tous les matins pendant deux heures un conseil d'une douzaine de personnes, évêques, religieux, prêtres, laïcs pour discuter de la stratégie à adopter. Les débats ont été chauds, mais le Cardinal agissait avec un sens politique remarquable après avoir entendu tous les points de vue.

Le deuxième niveau est celui de la population. Deux actions ont été menées : d'abord une préparation des esprits à l'action par le moyen de l'organisation NAMFREL. La population attendait une occasion d'agir. Ensuite, l'éducation à l'action non-violente[8] s'est révélée stratégiquement efficace : contact personnel avec les soldats, participation des femmes, prière devant les soldats, etc. Les chrétiens se sont coulés dans cette stratégie : un jeune prêtre célébrait sa première messe sur les barricades, les chars étaient entourés de religieuses qui disaient

---

8. L'action non-violente avait fait l'objet de nombreuses sessions de formation parmi les catholiques, après une visite de Jean Goss aux Philippines. Le père José Blanco a diffusé ce message sur tout le pays. Des études avaient d'ailleurs été menées dès avant la révolution de février 1986 pour approfondir cette pensée et l'appliquer dans le contexte local. On citera par exemple le numéro de la revue *Pulso*, vol. 1, n° 2, daté de 1985, intitulé *Violence ou non-violence*. Le plus significatif des essais de ce numéro de revue reste celui de Mgr Francisco Claver, « Non-violence, le commandement de la foi ? », p. 149 à 161.

leur chapelet ou qui portaient des statues de la Vierge[9]. On touchait là un fond culturel et religieux commun à tous les belligérants, y compris au dictateur menacé, c'est la particularité du cas philippin. Le *people power* n'est donc pas le résultat de l'affrontement de deux ennemis, mais celui de deux interprétations à la fidélité à l'esprit philippin : cette recherche renvoyait les adversaires à leur fond commun, religieux et national. Marcos lui-même, tout voleur qu'il fût, était un homme croyant à sa manière. Il lui était difficile d'aller contre des éléments aussi fondamentaux de la vie de la population.

Il fit donc son choix. Toute sa vie l'orientait à prendre les moyens pour rester une fois de plus au pouvoir. Il aurait ainsi suivi son chef d'état-major des armées, le général Ver, probablement l'instigateur du meurtre de Ninoy Aquino, et qui était une brute prête à tous les coups de main pour sauver sa tête et celle de son patron. Mais le vent avait tourné. Le peuple tout entier était contre lui, soutenu par l'Église. Et les Américains souhaitaient se décharger de ce fardeau philippin alors que, après l'ère Carter, les droits de l'homme devenaient un des facteurs de leur politique étrangère, et en tout cas une réalité dans la conscience américaine. Car la question n'est pas de savoir pourquoi le président Reagan avait décidé de « lâcher » Marcos en cette fin février 1986, mais pourquoi il l'avait soutenu aussi longtemps. Amitié personnelle réelle, intérêt stratégique, peur du vide politique : tout invitait les États-Unis à retenir M. Marcos aussi longtemps que possible. Mais, en ces jours de février 1986, les risques de massacre sont trop grands, le régime est trop corrompu, l'avenir de Marcos est fermé (d'autant que sa santé était très fragile en raison d'une maladie grave des reins dont les États-Unis étaient informés). De plus, l'alternative Aquino se précise puisqu'une grande partie de la population l'a suivie pour les élections. L'alternance devient nécessaire en même temps que possible.

---

9. Un gros ouvrage de 320 pages illustrées de photos raconte cette histoire : *The greatest Democracy ever told, People Power, an eyewitness history*, édité par Monina Allarey Mercado, et publié par The James Reuter Foundation, Manila, 1986.

## Une révolution politique

Pour entrer dans une meilleure compréhension du rôle de l'Église, il faut aussi faire intervenir le facteur nationaliste[10]. Si EDSA représente la réconciliation de la nation avec elle-même, catholiques y compris, il est utile de remonter à la fin du XIX<sup>e</sup> siècle pour voir les prémices de cette réconciliation. Dès 1870, des prêtres s'engagent pour la libération du joug espagnol et trois d'entre eux, qui resteront comme un symbole pour la nation, Mariano Gomez, Jose Burgos et Jacinto Zamora, seront exécutés[11]. Les trois noms de ces prêtres rassemblés dans le mot *Gomburza* devient le mot de passe du mouvement indépendantiste clandestin. Autant dire que l'Église est associée totalement au mouvement d'indépendance qui est autant politique que culturel. La foi n'a jamais été identifiée avec l'esprit colonial. Au contraire, elle a été le creuset des premiers mouvements de libération.

Les événements de 1986 manifestent la continuité de cette tradition : la foi n'a jamais été identifiée avec Marcos, malgré ses proclamations de fidélité à la foi catholique, et malgré la lenteur des évêques à prendre leur distance par rapport à lui. Enfermée longtemps dans une problématique strictement anticommuniste comme la majorité des militaires et de la classe dirigeante, l'Église a petit à petit réalisé que la gestion de M. Marcos posait des questions graves aux droits de l'homme. Comme on l'a vu, elle s'est progressivement détachée de M. Marcos.

EDSA est donc une fondation : c'est un acte fondateur pour les Philippines comme la Révolution française le fut pour la France. Bien sûr, il n'a pas provoqué les mêmes bouleversements politiques et sociaux. Mais, symboliquement, il marque une nouvelle naissance pour le pays, celle

---

10. Voir « Philippine ideologies and national development », in *Government and Politics of the Philippines, op. cit.* chap. 2, pp. 18 à 73. Comme beaucoup de ces études de sciences politiques, ce chapitre oublie presque totalement la dimension religieuse des Philippines, alors qu'elle a été constitutive de l'identité nationale.
11. On trouvera de nombreuses informations et réflexions sur ce thème dans le remarquable ouvrage de John N. Schumacher, *Revolutionary Clergy, The Filipino Clergy and the Nationalist Movement*, 1850-1903, Ateneo de Manila Press, Quezon City, Manila, 1981, 298 pages.

de l'indépendance véritable. Les Philippins y ont risqué leur vie. Même s'il fut mené par la classe moyenne, élargie par le haut et par le bas, et dans lequel la gauche a été complètement absente, ainsi que les ruraux pour des raisons que l'on comprend, ce fut un événement fondateur national : il est la source de la liberté, de la fierté d'avoir chassé le tyran pro-américain, la source de la nation retrouvée enfin sans protecteur, donnée à elle-même par elle-même. Cet événement fondateur a les profondeurs du risque qui a été encouru, le risque de la mort.

Dans le contexte religieux des Philippines, la révolution de 1986 serait à classer parmi les expériences spirituelles collectives. L'important ici n'est pas l'analyse qu'en ont faite les journalistes occidentaux qui n'ont pas saisi ce fondement religieux[12], mais la manière dont les personnes ont vécu sur place cet événement. Si Mme Aquino insiste sur sa foi pour dire que ce fut la motivation essentielle de son action, cela correspond à une réalité.

Corazon Aquino est le symbole de cette résistance : la veuve, la croyante, l'honnête, celle qui n'a pas cherché le pouvoir offre une alternative d'autant plus crédible qu'elle a l'appui direct des évêques. Son charisme prolongera cette expérience. Elle sera le centre de la stabilité alors que sept tentatives de coup d'État vont menacer cette fragile et nouvelle démocratie. A chaque coup d'État, l'Église redira que la Présidente représente la seule légalité acceptable, ramenant ainsi la population à cette expérience fondamentale d'EDSA.

Si la révolution de 1986 est religieuse par sa participation, par ses moyens, elle ne l'est pas dans sa finalité qui est politique. Elle ne peut être comparée à la Révolution française qui était d'essence religieuse selon F. Furet[13], c'est-à-dire mythique, mystérieuse, symbolique, parce qu'elle prenait l'homme dans son abstraction. Elle n'est pas non plus une révolution à l'iranienne, dont la visée est religieuse et idéologique pour y établir un régime théocra-

---

12. Bien des journaux français notamment ont ironisé sur la « Madone en sucre » en parlant de Mme Aquino. C'est évidemment ne rien comprendre au fondement symbolique et culturel de cet événement majeur du *people power.*
13. *Penser la révolution française*, Paris, Gallimard, 1978.

tique. La révolution philippine de 1986 n'a pas de visée religieuse. Il n'y a aucune espèce de tentation de l'Église d'établir un régime religieux, ou un régime sous tutelle de l'Église. En ce sens, l'Église philippine a parfaitement intégré la laïcité et la séparation de la sphère de compétence entre l'État et l'Église. La révolution de 1986 vise une seule finalité, la démocratie et les droits de l'homme, le départ de M. Marcos. Elle n'était religieuse que dans ses motivations, pas dans ses conséquences politiques. Elle correspondait bien à la culture d'un peuple, dont la religion fait partie. Nulle part la société civile n'est aussi pétrie de spiritualité et de catholicisme[14]. Nulle part une révolution n'a été aussi soutenue par l'Église. Les termes étaient clairs, l'occasion trop évidente.

L'expression religieuse est relative à un temps et à une circonstance. Elle n'est pas calculée, de manière machiavélique. C'est parce qu'il y a danger extrême et que les chrétiens voulaient et la paix et la démocratie qu'ils se sont mobilisés. L'action des catholiques relève d'une série de circonstances accidentelles où les décisions furent beaucoup plus pragmatiques qu'idéologiques. Et c'est pour cela qu'ils ont parlé de miracle. A temps de crise, réponse de crise.

Cette crise est aussi un moment de passage car cette révolution est la destruction symbolique de l'autorité du président Marcos. Jusque-là, par des votes plus ou moins arrangés, par l'action d'un parti paravent, le KBL, M. Marcos gardait tous les attributs de la légitimité et tenait de là son autorité, et pas seulement de la force ou de son argent. Or cette légitimité s'écroule quand les évêques dénoncent les manipulations qui ont eu lieu dans le décompte des votes et quand le cardinal Sin appelle à se rendre sur EDSA. L'autorité de l'Église est supérieure à toutes les autorités terrestres et vient détruire celle de Marcos. Une légitimité en remplace une autre. Sachant qu'il sera dépassé par ces paroles des autorités religieuses, M. Marcos fera tout pour éviter que les évêques ne

---

14. On citera en exemple de cette culture spirituelle les quatre colonnes du Parti Lakas de l'actuel Président Ramos : 1. Maka-Diyos (*pro-God*), 2. Maka-Tao (*pro-people*), 3. Maka-Bonso (*pro-country*), 4. Maka-Kalikasan (*pro-nature*).

publient leur lettre sur l'élection, y compris en demandant à Imelda d'appeler les évêques qu'elle connaît au milieu de la nuit pour les dissuader de procéder à cette publication.

## Sécularisation et transition

Quelques années plus tard, lors des élections de 1992, cette spécificité d'une action politique par des moyens religieux apparaît encore. Les menaces de fraude électorale ont motivé le même type de réaction et d'action : toutes les paroisses, les écoles, les séminaires se sont mobilisés pour surveiller l'élection. La pureté démocratique, le respect des droits de l'expression libre du vote ont mobilisé les catholiques en grand nombre et ont été déterminants pour faire de ce vote un vote net et sans contestation.

Le problème politique se trouve au-delà : il n'existe pas de relais politique pour l'action quotidienne d'un parti inspiré par le christianisme. Les catholiques philippins n'ont pas encore intégré les mécanismes de la constitution de partis politiques démocratiques. Ils pensent encore pouvoir manipuler le système, tel le coup de pouce donné par le cardinal Sin au candidat Ramon Mitra, parce que Ramon Mitra aurait été le plus sensible à des influences de l'Église. Cette politique de l'influence et du favoritisme ne fonctionne plus. L'Église et les chrétiens laïcs ont du mal à comprendre le mécanisme de la gestion du politique, alors qu'ils ont bien compris le mécanisme de la révolution politique.

Si le cardinal Sin et les catholiques en général n'ont plus le même impact, ce n'est pas que la société philippine soit moins religieuse, c'est qu'elle a franchi une étape dans l'application des droits de l'homme. La démocratie est rétablie, certes de manière limitée, mais au moins formellement : les élections sont libres, la presse est libre et le processus démocratique semble assuré. Les valeurs essentielles du droit des personnes sont assurées. Le caractère prophétique de la dénonciation de l'Église n'a plus lieu de s'exercer sur la pratique du droit. L'Église prend du recul et laisse la politique s'exercer indépendamment. En ce sens, il existe une différence radicale entre les régimes Marcos et Aquino : une liberté existe désormais qui était bafouée et refusée. Dire, comme le font des intellectuels d'origine marxiste, comme Renato Constantino[15], que « le gouvernement de Mme Aquino a été la poursuite du régime Marcos sur un registre en apparence plus démocratique », c'est montrer qu'on ne fait aucun crédit de la démocratie. C'est ignorer tout ce qu'a apporté la fin de la dictature : la liberté de la presse, la liberté d'association, la renaissance de tous les mouvements démocratiques de base ; c'est refuser la reconstruction sociale et politique du pays par la base. Certes, l'ère Aquino n'a pas changé la société philippine dans ses fondements sociaux. Qui croirait que ceci fût jamais possible ? Mais elle a mis le pays sur la voie démocratique du changement, la seule qui puisse tenir.

Dans ce nouveau contexte qu'elle a contribué à construire, l'Église reste pourtant vigilante, car elle veut que non seulement le droit, mais aussi la justice soient respectés. Mais il est beaucoup plus difficile de mobiliser les individus sur la justice que sur les droits de l'homme. Les évêques sont pourtant intervenus à de nombreuses reprises à propos de la réforme agraire, demandant à Mme Aquino une action plus décisive sur ce thème, parce qu'il leur semblait que la Présidente était beaucoup trop timorée et trop lente sur ce point.

La plus grande difficulté pour l'Église, c'est d'accepter de ne plus avoir de levier d'action directe sur la politique. Les catholiques n'ont pas encore tiré toutes les conséquences du pluralisme et de la laïcité, car ils ont du mal à comprendre cette laïcité. Pourtant ce passage d'une révolution à base religieuse vers une politique séculière a été fait par Mme Aquino. Le paradoxe est frappant de voir la Présidente, croyante, religieuse, être celle qui fait la transition entre le miracle politique d'EDSA et l'État séculier de la politique qui permet une transition démocratique d'une administration à une autre. Mme Aquino arrive au pouvoir poussée par le miracle, elle le rend à son successeur dans un processus démocratique séculier et politiquement parfaitement au point.

---

15. Voir son interview dans *Le Monde* du 8 février 1994, p. 2.

Quels sont aujourd'hui les fondements de la démocratie aux Philippines ? Alors que les élans d'EDSA sont déjà loin, le pays revient ainsi à la question de toute démocratie. C'est dans le dialogue et la confrontation de toutes les opinions que s'élabore une vie en commun, pourvu que chacun puisse être entendu. Si le cardinal Sin a été repris pendant quelques mois par les vieux démons de la recherche d'une influence de l'Église, il a dû reprendre sa place, comme une des voix du pays qui peuvent s'exprimer sur la scène nationale sans prétendre imposer ni ses candidats ni ses idées. Le pays est donc entré dans cette ère de la démocratie laïque où la religion n'est plus le fondement de l'action politique et de la cohésion sociale. Sous la houlette du président Ramos, il a su trouver une maturité politique que le président Marcos avait toujours empêchée.

# Les équivoques
# du catholicisme polonais
# dans la lutte contre
# le pouvoir communiste

*Patrick Michel*

Il n'y a pas eu et il n'y a pas, sur le plan proprement religieux, de « modèle polonais ». Si l'expérience polonaise peut être appréhendée comme « modèle », c'est au titre d'une instrumentalisation politique du religieux. En revanche, le cas polonais permet de *dé-construire* bien des modèles, notamment celui, dominant, de l'autonomie respective des champs religieux et politique.

L'effondrement du communisme permet d'aborder les années 1945-1989 comme un tout cohérent. Le parti pris retenu ici a été d'organiser l'analyse des fonctions du religieux en matière d'articulation d'une résistance civile dans la Pologne communiste autour d'un essai de mise en évidence des équivoques « nécessaires » sur lesquelles fonctionnait ce dispositif.

## Le religieux comme catégorie politique

Trois remarques s'imposent d'emblée dans cette perspective. La première porte sur la responsabilité même du système de type soviétique dans la définition du rôle du religieux : c'est en faisant de Dieu la seule catégorie qu'il se refusait à intégrer idéologiquement que le régime a

érigé le religieux en véhicule privilégié de la mise en cause de sa propre légitimité. La triple fonction potentielle de vecteur d'une désaliénation (au niveau des individus), d'une détotalisation (au niveau de la société) et d'une désoviétisation (au niveau de la nation) que le catholicisme a pu être appelé à remplir en dérive directement. Encore faudrait-il ajouter que cette potentialité était structurellement en tension forte avec les contraintes enserrant les choix stratégiques que l'Église était conduite à faire[1].

En second lieu, les analyses qui ont pu être développées, ici ou là, sur le « renouveau religieux » qu'aurait connu la Pologne — ou, à une échelle plus large, dont la situation polonaise constituerait un élément central — apparaissent par trop réductrices pour ne pouvoir être soupçonnées de servir à d'autres fins qu'à la seule description d'une articulation particulière du politique et du religieux. Jean-Paul II n'a, dans la même veine, pas « vaincu le communisme »... Tout au plus le religieux a-t-il servi, globalement, de cristallisateur à des évolutions qui ne participaient de lui qu'à la marge et qui l'instrumentalisaient. La suite — c'est-à-dire les recompositions qui s'opèrent après 1989 — en atteste assez.

Il faudrait cependant déterminer pourquoi le religieux est apparu comme une instance supérieure aux autres en termes de capacité de mobilisation. Encore que cette explication ne puisse pas être présentée comme exclusive, le rôle spécifique du pouvoir de type communiste et la nature du projet qui le portait sont naturellement encore à souligner dans le cas de la Pologne contemporaine.

Dans la situation polonaise, que le pouvoir attaque l'Église, qu'il cherche à la compromettre ou qu'il s'efforce au compromis, il ne faisait que l'aider à gagner en influence. Particulièrement significative est, à cet égard, la réaction des ouvriers grévistes de la côte Balte en août 1980 après la diffusion officielle du discours du cardinal

---

1. Dans cette perspective, maints malentendus auraient pu être évités, dans les interprétations qui ont été données du mouvement Solidarité, si l'on avait en permanence gardé à l'esprit que le pouvoir avait confisqué l'ensemble des symboles auxquels les ouvriers pouvaient avoir recours. Seuls les symboles et catégories religieux demeuraient donc disponibles.

Wyszynski à Czestochowa. Très conscient des grands équilibres géopolitiques européens, et convaincu que la revendication d'un syndicat indépendant risquait d'entraîner le pays vers une évolution imprévisible, où pouvaient être remis en cause tous les acquis patiemment accumulés, le Primat avait appelé à la « modération ». Le pouvoir, enchanté de ce discours, objectivement démobilisateur pour le mouvement en cours, s'était empressé de lui donner une large audience. Le résultat fut simplement que les ouvriers se refusèrent à croire que le cardinal avait pu s'exprimer ainsi, mettant au compte de la censure les propos entendus...

En fait, la seule solution aurait été pour le pouvoir de prétendre intégrer la religion, et c'était — on l'a dit — la seule démarche qu'il s'interdisait idéologiquement à lui-même. La place nouvelle de l'Église et des évêques, débarrassés grâce au pouvoir communiste des hypothèques multiples qui grevaient leur capacité d'influence sur la société, traduisait, outre l'habileté du cardinal Wyszynski, primat de 1948 à 1981, la situation de blocage où se trouvait le pays, coincé entre la réalité d'une société plurielle et la fiction moniste officielle.

Enfin, le stéréotype « Polonais = catholique » est précisément un stéréotype, dont l'intérêt ne réside pas tant dans le contenu propre que dans les ré-opérationnalisations politiques successives qu'il a subies. La configuration nouvelle de la Pologne d'après-guerre, où les catholiques constituent la presque totalité de la population, permettra d'accréditer ce stéréotype et autorisera, lorsque les conditions en seront réunies, son redéploiement politique dans le sens d'une mise en cause de la légitimité du système officiel.

### Une désacralisation du politique

C'est sur la base de ces trois remarques qu'il est possible de faire intervenir ici doublement le religieux comme catégorie politique. D'abord en tant qu'affirmation de l'irréductibilité absolue de l'individuel au collectif, c'est-à-dire comme facteur décisif de remise en cause potentielle d'un ordre politique et social vécu comme injuste, absurde ou simplement insatisfaisant ; ensuite en tant qu'affirmation d'une continuité, *adossée à une tradition*, et s'y enracinant, c'est-à-dire comme élément déterminant d'une stabilité de la sphère officielle.

Encore ce schéma pourrait-il être nuancé et précisé, selon les valeurs que prétendait endosser et défendre le pouvoir : se réclamait-il du mouvement ? Le renvoi à une tradition changeait dès lors de sens, se muait en une critique radicale, devenait objectivement déstabilisateur. La délégitimation de l'État par l'Église en système de type soviétique a ainsi d'abord été un processus de restauration d'une continuité, dont la religion serait simultanément le signe et le moyen : il s'agissait là sinon de nier les ruptures, au moins d'en relativiser l'importance au sein d'un processus historique global. Il s'agissait en un mot de se prévaloir d'une position an-historique pour prétendre à la maîtrise du temps historique. Et l'Église y est parvenue d'autant plus aisément que la distorsion est apparue nettement entre la prétention de l'État à s'arroger une position de monopole dans le champ social et son incapacité à donner satisfaction aux besoins exprimés par les acteurs et les groupes présents dans ce même champ.

Ce rôle fondamental joué par ce troisième acteur qu'est l'État dans la définition donnée par une société de la place affectée et reconnue à l'Église met en évidence la faible capacité d'autodéfinition dont jouit l'Église en la matière, et l'équivoque sur laquelle fonctionne toute cette interrelation. Que les « gestionnaires du sacré » s'appliquent en effet à organiser et à instrumentaliser à leurs fins paniques individuelles et paniques collectives ne change rien au fait que l'attestation ou la non-attestation d'un ordre n'épuise jamais totalement le questionnement par l'individu de la sphère du sens. Aucun système, aucun pouvoir, aucune Église n'est jamais parvenu à ritualiser totalement, et de façon parfaitement satisfaisante, ce qui fait sens, sur un mode majeur, pour l'individu. La gestion, dont le religieux s'arroge le statut d'opérateur privilégié, d'une relation au temps combinant aussi harmonieusement que possible le mouvement et la continuité, s'opère donc au prix d'un très grand nombre de malentendus.

Conscients ou inconscients, ces malentendus sont, tout compte fait, nécessaires. Le langage religieux a pour caractéristique sa très grande polysémie : plus qu'un autre, il est capable de dire ce qu'il ne dit pas. Plus le besoin d'éclaircir ces malentendus sera grand, et plus l'influence de l'Église, en tant qu'institution gestionnaire du lien et de l'autonomie, et dépositaire autoproclamée de la légitimité religieuse, sera faible. Plus le besoin d'entretenir ces malentendus apparaîtra urgent, que la raison en soit simplement tactique ou qu'une telle attitude résulte d'une combinaison plus complexe de facteurs, et plus l'influence de l'Église sur la société sera grande. C'est ainsi que s'explique, pour une large part, la constitution en Pologne, à partir de 1976, d'une plate-forme oppositionnelle commune à l'Église et aux intellectuels laïcs, sur le thème de la « défense des droits de l'homme ».

Le problème n'est donc pas, en Pologne, de prendre la mesure d'un supposé « renouveau religieux », d'un « ré-enchantement du monde », à travers lequel se serait jouée une part décisive de la mise en place d'une résistance civile au régime de type soviétique. Il serait bien plutôt d'expliquer l'exigence ressentie, et gérée grâce au religieux, d'une désacralisation ou, plus précisément, d'un différé du politique.

Cela n'est du reste guère nouveau, dans une partie du continent où l'appartenance à la nation ressortait plus d'un *destin*, selon la formule d'Adam Mickiewicz, que de l'exercice de droits civiques. L'idée, fort répandue à l'Est, selon laquelle la seule lutte politique à mener dans un système de type soviétique était la défense des droits de l'homme peut apparaître comme un renvoi à cette tradition. Analysant le XIXᵉ siècle polonais, Norman Davies pouvait d'ailleurs noter : « Ce que le patriote romantique et le catholique pieux avaient en commun, c'était bien sûr la foi dans le primat de la spiritualité (...). Ceux qui étaient plus patriotes et moins catholiques réclamaient de l'action ; leurs frères et sœurs, peut-être plus catholiques et moins patriotes, prêchaient la modération. Mais tous acceptaient sans discussion l'idée que la clef de l'avenir du pays comme le but de leur vie se trouvaient dans l'exercice de la maîtrise spirituelle[2]. » A l'époque contemporaine, certains catholiques s'inquiéteront de la confusion, entrete-

---

2. Norman Davies, *Histoire de la Pologne*, Fayard, Paris, 1986, p. 305.

nue il est vrai par le pouvoir lui-même, entre politique et religion. Jerzy Mirewicz, par exemple, s'élèvera contre la sacralisation de la patrie et la temporalisation de l'Église, voyant dans ce double processus le cœur du drame du catholicisme polonais[3]. Le redéploiement du religieux, très au-delà du champ qui lui était traditionnellement affecté et reconnu, s'explique sans peine. Le projet dont Jean-Paul II s'est fait, dès son élection en 1978 et son premier voyage en Pologne en 1979, le héraut était politique parce que utopique, au sens fort du terme, c'est-à-dire proposant une alternative globale, dont la puissance d'attraction reposait tant sur le signe que constituent les origines de Karol Wojtyla que sur l'évolution même des sociétés du Centre-Est européen. Il est clair, comme le notait Michel de Certeau, que « la religion fournit une symbolisation globale de leur malaise à des hommes dispersés, d'autant plus séparés entre eux que leurs références communes sont brisées et qu'à la pression d'une culture étrangère ils ont réagi sans ordre, sans recours communs, sans moyens de compenser l'anomie et l'effritement. Qu'il soit égalitaire, eschatologique ou révolutionnaire, un emploi nouveau de la religion concerne la totalité de l'expérience humaine. Le langage religieux ouvre à un désarroi (souvent resté nocturne) une issue et comme un jour qui éclaire la nature du problème vécu : il s'agit du tout[4]. »

Il serait trop long de retracer ici l'historique d'une évolution qui, en construisant l'Église et le religieux en espace incontournable de questionnement de la légitimité du système, a fait du catholicisme polonais l'opérateur socioculturel central de la scène publique. Je décris par ailleurs les trois formes de relation entre pouvoir, société et Église à travers lesquelles s'est coulée cette évolution : persécution, compromis et conflictualisation[5]. On se bornera donc

---

3. Voir Jerzy Mirewicz, « Jean-Paul II dans le drame du catholicisme polonais », dans *Les Quatre Fleuves « Pologne et Russie »*, n° 13, Beauchesne, Paris, 1981, pp. 23-28.
4. Michel de Certeau, *L'Absent de l'histoire*, Repères-Mame, Paris, 1973, p. 140.
5. Voir le chapitre 2 de mon ouvrage *Politique et religion — La grande mutation*, Albin-Michel, Paris, 1994.

ici simplement à rappeler qu'avec ses quatorze mille églises, le catholicisme disputait à l'État communiste une part de l'espace national et ancrait la Pologne dans une latinité renvoyant à certaines valeurs alors considérées comme fondamentales pour la nation. Les conflits entre l'État et l'Église à propos des processions religieuses, qui ne devaient pas, aux termes de la réglementation en vigueur, se dérouler sur un espace autre que l'espace d'Église, témoignaient bien de l'enjeu : l'église, la chapelle ou l'oratoire, et jusqu'à la plus simple croix, signaient une appartenance et revendiquaient la maîtrise d'un lieu. Ainsi, les images de N.-D. de Czestochowa et les portraits de Jean-Paul II avaient-ils, aux grilles des chantiers navals de Gdansk, une signification multiple : témoignages du rôle essentiel de l'Église dans la gestation de ce qui allait devenir Solidarité, et de la prise de conscience qui s'était effectuée autour du premier voyage du pape, en 1979, ils plaçaient les ouvriers et leur mouvement sous le patronage de l'histoire. La référence au pape, dont un sondage réalisé fin 1980 montrait qu'il symbolisait le mieux la Pologne contemporaine, pour 73 % des personnes interrogées[6], renvoyait en fait, jusqu'au baptême de Mieszko en 966, en passant par les guerres suédoises du XVIIe siècle, le « Déluge » (*Potop*), et les Partages, à l'affirmation d'une identité nationale dont les caractéristiques ne coïncidaient évidemment pas avec les valeurs prônées par les autorités.

## La période Solidarité : une laïcisation progressive de la société

Avant l'apparition de Solidarité, l'Église assumait, entre autres, deux tâches majeures : tenant d'une certaine légitimité nationale, elle se posait en gardienne des intérêts fondamentaux de la nation ; forte de son prestige et de son puissant enracinement populaire, seule institution légale à pouvoir disposer d'une infrastructure et de moyens d'expression non dirigés par l'État, elle constituait

---

6. A titre de comparaison, le secrétaire général du P.Z.P.R. [Parti ouvrier unifié polonais] n'était cité que par 4 % des enquêtés...

le seul lieu autonome que le pouvoir ne pouvait prétendre récupérer. Plus, c'est elle qui accueillait dans les colonnes de ses journaux des opposants laïcs, leur fournissant une tribune, c'est elle qui prêtait des locaux pour y tenir des séances de l'Université volante, aidant ainsi la société dans sa quête de sa propre histoire. C'est elle, enfin, plus globalement, qui participait à la reconstitution d'une géographie sociale que le pouvoir s'était employé à éparpiller, du mieux qu'il pouvait.

Solidarité, fort de ses dix millions de membres, n'avait certes pas besoin d'être protégé et se défiait de toute tutelle. Assumant la défense des intérêts de la société entière, insistant sur le caractère moral de son action, il relayait l'Église dans sa remise en cause du pouvoir, la privant de ce monopole, la cantonnant dans un rôle de conseiller, et allant même jusqu'à lui contester le droit de jouer un rôle politique propre, en mettant l'accent sur sa vocation spirituelle. La période légale du syndicat libre a donc vu une laïcisation relative de la société polonaise. Des facteurs endogènes (la disparition du chef charismatique, le cardinal Wyszynski, en 1981 et l'engagement de très nombreux jeunes prêtres aux côtés de leurs paroissiens) s'ajoutent au facteur exogène que constitue l'émergence de Solidarité pour expliquer ce processus.

### Après le coup de force de 1981 : les ambiguïtés de l'Église officielle

Cette évolution a été brutalement interrompue le 13 décembre 1981, l'Église retrouvant de ce fait la position centrale qu'elle occupait avant août 1980. Dès le matin du coup de force, en effet, c'est dans les églises que les Polonais sont spontanément venus trouver refuge, obtenir ou donner des informations. C'est l'Église qui s'est chargée d'organiser et de répartir l'aide aux familles des internés. Mais, si cet aspect de l'action de l'Église fut unanimement salué, l'attitude assez complexe de l'épiscopat a parfois soulevé plus que des réserves. En accordant une priorité absolue au maintien de la paix civile, fût-ce au prix d'une acceptation même implicite du processus de normalisation, l'épiscopat prenait le risque de couper l'Église des

Polonais, de creuser un fossé entre la hiérarchie et un clergé de base plus radical, de s'enfermer, enfin, dans une logique de collaboration à la hongroise. Immédiatement après l'instauration de l'état de guerre, le chef de l'Église polonaise, Mgr Glemp, appelait à éviter toute confrontation brutale entre la société et le pouvoir : « Peu importe que l'on puisse accuser l'Église d'être lâche, de temporiser, d'atténuer des attitudes radicales : peu importe. L'Église doit défendre toute vie humaine et donc, dans l'état de guerre, elle lancera un appel, partout où cela sera possible, en faveur de la paix, de la cessation des violences, pour conjurer des luttes fratricides, si on devait en arriver jusque-là. Il n'est pas de valeur plus grande que la vie humaine[7] !» Beaucoup, en Pologne, prirent cette déclaration pour la simple justification d'une capitulation, ce qui explique les critiques dont le cardinal Glemp a pu faire l'objet, qu'elles émanent du clergé lui-même[8] ou de la société. En 1984 avait ainsi circulé une lettre ouverte, publiée clandestinement à Varsovie, et signée du pseudonyme de « Père Olaf », qui reprochait au primat sa trop grande « soumission » au régime et le priait de ne pas s'engager « dans la voie du patriarche Pimène[9] ». La politique de paix sociale « à tout prix » du chef de l'Église polonaise était d'autant plus mal comprise que la société distinguait mal quels en étaient les avantages en retour. Il est sûr que, comme le lui reprochait d'ailleurs *Wola*, une publication clandestine, le primat « privilégiait les intérêts de la seule Église en tant qu'institution », au détriment « des intérêts et des aspirations de la nation tout entière[10] ». Pourtant, de son point de vue, nul doute que les deux s'identifiaient. De décembre 1981 à juin 1983, tous les efforts de l'épiscopat n'ont ainsi tendu qu'à rendre possible le voyage du pape dans son pays natal. Cette priorité absolue exigeait de mener à l'égard des autorités une politique d'apaisement. Ce choix explique l'apparition d'un décalage relatif entre une hiérarchie soucieuse de la survie

---

7. Homélie du 13 décembre 1981.
8. *Le Monde*, 20 mars 1984.
9. *Le Monde*, 17-18 août 1986.
10. *Le Monde*, 18-19 mars 1984.

de l'institution, et donc attentive au maintien des grands équilibres, et des prêtres proches des préoccupations concrètes de la population, qui adoptaient un ton plus radical. L'assassinat du père Popieluszko, en octobre 1984, a doublement contribué à révéler ce décalage et à l'atténuer, en contraignant la hiérarchie et l'Église dans son ensemble à une relative radicalisation.

Grâce à l'articulation entre sentiment national et catholicisme, aux puissantes structures ecclésiastiques, à la place spécifique des prêtres au sein de la société, au rapprochement, dans les années soixante-dix, de l'opposition laïque et de l'Église, celle-ci demeurait en tout état de cause le véhicule privilégié de la foi et de l'expression religieuse, et la seule structure légale autour de laquelle pouvaient s'articuler, après le 13 décembre 1981, les initiatives issues de la société. Elle fournissait à cette dernière les symboles et le discours qui lui permettaient d'exprimer son refus de la normalisation. Plus, elle constituait un rempart contre celle-ci, notamment sur le plan culturel, en abritant expositions, soirées littéraires, concerts et pièces de théâtre. Elle agissait aussi comme intermédiaire, permettant au pouvoir de sauver la face en n'étant pas contraint de négocier avec un syndicat dissous, des opposants proscrits ou des institutions étrangères inacceptables pour les pays frères.

Nul doute, comme s'en félicitait le cardinal Wyszynski, lors de son sermon de Noël en 1977, qu'en Pologne « le sort des catholiques [ait été] plus enviable que ceux d'autres pays où les églises sont fermées ». C'est à l'évidence à sa seule puissance que l'Église polonaise doit d'avoir contraint le pouvoir à composer avec elle, même s'il est clair qu'il existait, au sein de l'appareil d'État, une fraction non négligeable de « durs » pour qui l'existence même de l'Église était insupportable. La rançon de cette puissance, ou son ambiguïté, tenait à la responsabilité que l'Église devait assumer. Opérateur central de la scène polonaise, l'institution ecclésiale était à ce titre un enjeu permanent entre la société, qui avait bien du mal à concevoir qu'elle puisse nourrir des objectifs ne s'identifiant pas complètement avec les siens, et le pouvoir, qui, faute de la réduire, rêvait de l'instrumentaliser à son profit.

## L'Église dans le processus de résistance

Au terme de ce bref rappel, il importe de souligner que l'évolution de la relation entretenue par la société polonaise avec l'Église en est authentiquement une, c'est-à-dire que la centralité de l'Église dans le dispositif de résistance civile mis en place en Pologne a une histoire. Elle a fait l'objet d'une lente construction entre 1945 et 1975, période triplement marquée par la libération du cardinal Wyszynski en 1956, vue comme symbole du nouveau cours polonais, par la *Lettre aux évêques allemands* de 1965, où l'Église s'affirme détentrice du sens de l'histoire, et donc de la légitimité nationale, et par la répression qui s'abat sur chacune des trois composantes de ce que sera Solidarité, et qui vont, pour faire bref, séparément au conflit avec le pouvoir : 1966 : l'Église, 1968 : les intellectuels, 1970 : les ouvriers. Elle a connu son apogée, dans les années 1976-1980, seules années où vaudra pleinement la formule « primat (= épiscopat = Église = société = nation) *versus* État-Parti ». Elle tend enfin, en 1980-1981, avec l'apparition de Solidarité, et ensuite, même si le coup de force du 13 décembre 1981 semble lui redonner une certaine validité, à s'affaiblir[11].

De ce point de vue, les débats auxquels a donné lieu le premier congrès de Solidarité en 1981 quant à la question de la place de la messe (dans le programme ou hors-programme) étaient loin d'être purement théoriques. Il s'agissait de décider de la nature même du mouvement et d'affirmer, au-delà du fait que la majorité de ses membres étaient catholiques, son indépendance à l'égard de l'Église.

## L'Église polonaise à l'épreuve du pluralisme

Face à la fiction unanimiste qui tendait à fonder, en Pologne, la légitimité du système politique officiel s'est

---

11. Les premières critiques ouvertes contre le primat Glemp dans la presse clandestine datent de 1982, année où le cardinal caressait l'idée de fonder, avec l'accord de l'équipe Jaruzelski, une démocratie chrétienne. Il en avait été dissuadé par son entourage. Il faudra cependant le choc de l'assassinat du père Popieluszko, en 1984, pour que l'Église dans son ensemble adopte une position plus nette face au pouvoir.

construite en fait, et comme en écho, la contre-fiction d'une société tout entière regroupée derrière son Église. A la disparition de la première correspond logiquement aujourd'hui la fin de la seconde. Le retour au réel que constitue la pluralisation du paysage politique met en évidence l'existence d'une ambiguïté, qui conditionnait le fonctionnement même du dispositif de résistance sociale : en opposant sa propre conception de la totalité à celle que prétendait imposer le système officiel, l'Église défendait en dernière instance, qu'elle en ait été consciente ou pas, le relatif. Par sa seule présence, elle attestait en effet le caractère authentiquement pluraliste de la société. Les diverses composantes de cette dernière utilisaient emblématiquement l'Église, ses discours et ses valeurs, comme autant d'instruments de mise en cause de la légitimité du régime et donc de passage au politique. Cela entraînait-il pour autant une adhésion globale à ces valeurs, et aux normes qui en découlent ? A l'évidence, non. Ce constat pourrait être longuement nuancé par la prise en compte de maints itinéraires individuels, mais, au niveau collectif, la massivité du recours à un religieux instrumentalisé, tant sur le plan symbolique que sur le plan politique, permet de le fonder. Il est d'ailleurs étayé par les observations des acteurs eux-mêmes, et notamment de certains membres de la hiérarchie. La Pologne a ainsi produit ce type sociologique original du « non-croyant pratiquant », utilisant le religieux à des fins explicitement affichées comme non religieuses[12].

La défense des droits de l'homme est ici un excellent analyseur. L'Église en a fait, vers le milieu des années soixante-dix, le cœur même de son engagement sociopolitique, ce qui a entre autres permis la constitution, sur une plate-forme commune, du « triptyque » ouvriers-Église-intellectuels, à l'origine de Solidarité et, partant, de l'actuelle configuration politique du pays. Mais l'existence même de cette priorité qu'était la mise en cause du système officiel permettait de faire l'économie d'une définition plus précise du contenu affecté par chacun des constituants du

---

12. Pour l'ensemble de cette problématique, voir mon ouvrage, *La société retrouvée — Politique et religion dans l'Europe soviétisée*, Fayard, Paris, 1988, 347 p.

« front antitotalitaire » au concept de droits de l'homme. Peu importait, en effet, que la défense des droits religieux de l'homme fût utilisée comme bannière : dans une société où le pouvoir se légitimait, en dernière instance, par un projet totalitaire (et même si maintes transactions ont dû être passées entre ce projet et une pratique tenant compte du réel), le droit à la liberté religieuse passait pour représenter symboliquement toutes les libertés[13]. La société renonçait-elle par là même à affirmer son droit simultané à ne pas croire ? Tout simplement, dans la conjoncture d'alors, il n'y avait aucune urgence à défendre ce droit. Les enquêtes sociologiques réalisées en Pologne dans les années quatre-vingt montraient toutes que les Polonais articulaient très majoritairement deux affirmations apparemment contradictoires : ils souhaitaient que l'Église ait un rôle important sur le terrain politique ; ils déploraient parallèlement qu'elle ait un comportement trop politicien[14]. Le paradoxe n'est ici que superficiel : symbole, oui, y compris et peut-être surtout dans le champ sociopolitique ; mais pas acteur engagé travaillant à modeler ce champ dans le sens de ses intérêts propres.

### Redéfinir la place de l'Église dans la modernité

Troisième équivoque, après celle de l'unanimisme d'une société tout entière regroupée derrière son Église et celle d'un accord supposé sur la définition du contenu des droits de l'homme : la relation à la modernité. Le régime de type soviétique a permis à l'Église polonaise de faire l'économie de la définition d'un rapport à la modernité, auquel étaient confrontées les Églises occidentales, en prétendant confisquer cette modernité et rejeter appartenance et pratique religieuses dans le seul registre d'un archaïsme supposé s'effacer avec l'approfondissement du passage à la société socialiste. La société s'est quant à elle saisie de cet

---

13. Voir à ce sujet l'ouvrage d'Adam Michnik, *L'Église et la gauche — Le dialogue polonais*, Le Seuil, Paris, 1977.
14. Voir notamment les enquêtes réalisées annuellement par l'Institut de sociologie de l'Université de Varsovie, *Polacy 80, Polacy 81*, etc.

« archaïsme » pour en faire un élément majeur d'une modernité réelle opposée à la modernité fictive dont se prévalait le système[15].

L'Église s'est appliquée à aider la société polonaise à accoucher d'une modernité politique où elle doit aujourd'hui trouver sa place. Tous les indicateurs montrent que cette recherche lui est difficile. Elle suppose en effet d'abandonner toute prétention à occuper une centralité qui fut, presque par la force des choses, la sienne pendant les années de résistance. « Vivre dans le pluralisme — pour reprendre une formule d'Adam Michnik — c'est savoir se limiter, c'est savoir qu'on habite avec d'autres et rendre cette cohabitation vivable[16]. » Mais se limiter contraint à quitter le terrain de la totalité pour entrer dans celui du relatif. Or l'Église polonaise semble avoir quelque peine à s'y résoudre. Ainsi, lors du débat sur l'introduction du catéchisme à l'école, le primat Glemp s'élevait contre ceux qui à la « nation » préféraient la « société ». La référence à cette totalité que constitue la nation vise à tenter de faire l'économie du pluriel, fût-ce en maniant l'exclusive nationaliste et la prétendue norme morale, au risque de toutes les dérives[17]. Outre qu'elle

---

15. On peut illustrer cette analyse en rappelant que le cardinal Wyszynski n'avait pas été compris lorsqu'il avait plaidé, à Vatican II, pour le port de la soutane par les prêtres. Cette attitude, critiquée à l'Ouest pour son archaïsme, avait en fait en Pologne un sens tout à fait explicite. La seule existence de prêtres en soutane dans les rues attestait la pluralité de la société polonaise et révélait donc l'aspect illusoire de l'unanimisme dont se réclamait le régime.

16. Adam Michnik, *La deuxième révolution*, La Découverte, Paris, 1990, p. 64.

17. Le sénateur Kaczynski, leader du Centrum, parti créé sur les décombres de Solidarité pour promouvoir la candidature de Lech Walesa à la présidence de la République, affirmait ainsi, à l'issue du débat au Sénat sur la loi interdisant et punissant l'avortement : « Tous les bons Polonais sont contre l'avortement. Ceux qui sont pour constituent la mauvaise part de la nation. » Cette instrumentalisation politique de l'équation « Polonais = catholique » renvoie à certains excès de la campagne électorale, où le premier ministre Mazowiecki s'est trouvé jouer objectivement le rôle du juif fonctionnel. On a ainsi pu voir s'étaler jusque dans les églises des affiches demandant, de façon évidemment perverse : « Ne soyez pas antisémite ! Votez Mazowiecki. » Walesa a lui même largement contribué à cette situation en se réclamant sans cesse de son « identité polonaise » ou en affirmant qu'il se refusait à attaquer l'entourage de Mazowiecki par crainte de se voir traité d'antisémite.

exprime la nostalgie, très répandue dans la société, d'une époque où l'adversaire était clairement identifiable, cette référence témoigne de la difficulté de passer d'un système de discours clos à un système ouvert, de l'utopie mobilisatrice à la gestion d'un réel polymorphe et éclaté. Le discours éthique, hier discours libérateur et formidablement opératoire, devient, avec la « pluralisation » de la société, un discours d'exclusion fondé sur des catégories perverties. En ne protestant pas contre l'utilisation faite du catholicisme comme critère constitutif d'une identité polonaise bricolée à des fins politiciennes, l'Église vise sans doute à réaffirmer le caractère central de sa position sur la scène polonaise. Campant sur le prestige mérité que lui vaut son rôle face au pouvoir communiste, elle semble s'appliquer à compenser par un accroissement de son poids institutionnel la diminution de son influence sociale, d'ores et déjà constatable. Mais, en intervenant directement dans le champ politique pluraliste qui est celui de la Pologne actuelle, l'Église prend le risque majeur de devenir un instrument aux mains de groupes politiques, dont le discrédit éventuel rejaillirait immédiatement sur elle.

La transition actuelle se caractérise, en ce qui concerne les redéploiements du religieux, fondamentalement par deux tendances : levée des « équivoques nécessaires » sur lesquelles s'étaient édifiés les recours sociaux au religieux et ré-instrumentalisation politique du religieux. L'hypothèse d'un rapide effondrement des positions de l'Église polonaise dans les quelques années à venir doit être, dans ce contexte, sérieusement prise en compte. Cela étant, la « transition » que traverse ce pays renvoie à un mouvement plus large : l'effondrement de la polarité Est-Ouest, qui structurait notre univers contemporain, débouche sur un incontournable travail de redéfinition des repères, tant individuels que collectifs. L'urgence visible dans laquelle s'accomplit ce travail à l'Est ne saurait dissimuler que le besoin s'en fait tout aussi impérieusement sentir à l'Ouest. En ce sens, les redéploiements en cours en Pologne questionnent également nos propres catégories et contraignent à les discuter.

# RÉSISTANCE
# ET DROITS DE L'HOMME

La notion de « droits de l'homme » est souvent au cœur des mouvements de résistance civile. Il n'est donc pas étonnant qu'elle s'inscrive en partie dans le prolongement des études précédentes sur le facteur religieux. Analysant un exemple spectaculaire de grève de la faim en 1978 dans ce qui était l'un des régimes les plus répressifs de l'Amérique du Sud, la dictature du général Banzer en Bolivie, Jean-Pierre Lavaud montre l'importance du rôle de l'Église dans la propagation du thème des droits de l'homme avant, pendant et après cette lutte. Mais la question des droits de l'homme peut aussi être posée par des acteurs non confessionnels, tels ceux qui ont participé au combat de la Charte 77 dans la Tchécoslovaquie communiste, l'une des formes les plus célèbres de dissidence, dont Miroslav Novak fait ici l'analyse rétrospective.

En tant que normes dites universelles, les droits de l'homme peuvent être utilisés comme rempart possible à l'arbitraire de l'État. Il s'agit alors moins de l'usage juridique de ces droits que de leur exploitation sociale et politique sur la scène nationale. Dans cette perspective, deux traditions peuvent être invoquées, jugées inséparables par la Déclaration universelle des droits de l'homme du 10 décembre 1948. Les juristes internationaux distinguent classiquement :
 – une première génération de droits de l'homme, celle des grandes libertés libérales proclamées aux États-Unis

en 1776, puis en France en 1789, qui sont des droits attribués à la personne ou « droits de... » (pensée, opinion, manifestation, religion, etc.) ;

– une deuxième génération de droits de l'homme, développée surtout au XXᵉ siècle par les États communistes, celle des « droits-créances » que le citoyen possède sur l'État et la société : les « droits à... » (sécurité, travail, santé, éducation, loisirs, etc.). Dans leur lutte contre la dictature bolivienne, les organisations des droits de l'homme se sont appuyées sur ces deux traditions. En revanche, les textes de la Charte 77 ont surtout exigé l'application de la première catégorie de droits relatifs aux libertés individuelles, ne cessant de rappeler à l'État tchécoslovaque les engagements qu'il avait contractés en ce domaine dans le cadre de la convention d'Helsinki de 1975.

L'invocation des droits de l'homme repose pour ainsi dire sur un double discours. Celui-ci ne paraît pas dirigé contre l'État, puisqu'il revient à reconnaître son pouvoir en lui demandant d'exercer ses responsabilités. Mais comme, dans les faits, cet État ne garantit pas les droits des individus et, plus encore, les bafoue, alors le combat pour les droits de l'homme revient à mettre fondamentalement en question la légitimité de ce pouvoir.

Cette manière de résister sur la scène nationale en se référant à des textes internationaux (ratifiés par les États contre lesquels agit cette résistance), c'est-à-dire de l'intérieur par l'extérieur, cherche ainsi à ouvrir une brèche, à susciter une ouverture. La volonté de créer un espace oppositionnel *nouveau* donne au combat pour les droits de l'homme une dimension innovatrice qui se traduit par la constitution d'associations *ad hoc*. C'est pourquoi les deux textes traitent de l'aspect « organisationnel » de ces luttes : comme s'il s'agissait par là de rendre plus concret un thème relativement abstrait, ou qui se situerait en dehors des confrontations politiques classiques. Car le discours des droits de l'homme tend à brouiller les clivages politiques traditionnels. Dans les pays de l'Est, la référence aux droits de l'homme constitua une rupture avec le clivage communisme-capitalisme et de même, en Amérique du Sud, entre les partisans de la sécurité nationale et leurs ennemis « marxistes ».

Mais ces rapprochements ne doivent pas masquer de profondes différences, à commencer par la taille des associations porteuses de la revendication des droits de l'homme. En Tchécoslovaquie, la Charte 77 est constituée d'un groupe très minoritaire, qui ne se définit même pas comme une organisation. Le contraste est grand avec la Bolivie où parviennent à se développer des structures émanant des Églises, telles que la commission Justice et paix et l'Assemblée permanente des droits de l'homme. Le même constat vaut pour leurs contacts internationaux : la Charte 77 a des relations plus que réduites avec les Comités Helsinki, eux-mêmes très minoritaires, créés dans d'autres pays de l'Est, alors qu'en Amérique du Sud les membres des organisations des droits de l'homme bénéficient d'une relative liberté de circulation et de réunion. La nature des luttes est également différente : en Bolivie, le mouvement des droits de l'homme possède une assise sociale, ce qui va notamment se traduire par l'événement que constitue cette grève de la faim des femmes de mineurs. En Tchécoslovaquie, la Charte 77 est avant tout la revendication éthique et juridique d'une citoyenneté politique par des intellectuels.

N'est-ce pas une autre manière de retrouver de nouveau la distinction entre autoritarisme et totalitarisme ? En Tchécoslovaquie, l'État a bien pour but d'étouffer toute tentative d'association indépendante au sein de la société civile, tandis qu'en Bolivie le pouvoir, si répressif soit-il, ne se caractérise pourtant pas par cette volonté de contrôler la totalité du corps social. La dictature militaire conserve en outre des références constitutionnelles qui sont, comme le souligne Jean-Pierre Lavaud, « le défaut de la cuirasse ». Les militaires au pouvoir sont traversés par un courant constitutionnaliste, qui envisage le retour à un gouvernement civil à travers un processus électoral. Ce projet, même s'il est formel, introduit un jeu, et donc une évolution possible de la scène politique bolivienne. Une telle perspective, en revanche, n'a aucun sens en Tchécoslovaquie, où le temps paraît immobile parce que la politique y semble figée.

Les deux textes montrent en outre que le poids de l'environnement international est déterminant dans l'évolution des deux pays. La position des États-Unis sous la présidence de Jimmy Carter est essentielle pour forcer les militaires boliviens à accepter un calendrier électoral, situation dont l'opposition tente de tirer avantage. Entre la pression externe et l'opposition interne s'enclenche effectivement un processus interactif qui, en quelques années, est fatal aux régimes militaires boliviens. Pour la Tchécoslovaquie, la signature de la Convention d'Helsinki est également le facteur extérieur qui amorce ce début d'opposition interne que fut la Charte 77. Mais si les États-Unis avaient cautionné le mouvement des droits de l'homme en Bolivie, l'Union soviétique ne fait certainement pas de même en Tchécoslovaquie au cours de la même période. Il faut attendre l'URSS de Gorbatchev pour que les régimes les plus conservateurs d'Europe centrale soient poussés à la réforme. Les deux histoires s'inscrivent donc dans des temps différents : un temps *simultané* en Bolivie parce que l'invocation des droits de l'homme coïncide avec la pression extérieure de la puissance tutélaire américaine ; un temps *décalé* en Tchécoslovaquie parce que ce n'est que dix ans plus tard que la tutelle soviétique vient légitimer la volonté d'ouverture qui avait été posée par la Charte 77.

Ce poids apparemment décisif du contexte international relativise l'influence des luttes pour les droits de l'homme dans la chute des régimes politiques. Pourtant, c'est au nom même de leur référence à des normes supranationales que les droits de l'homme peuvent générer le conflit au sein du système dictatorial. C'est pourquoi, en dépit de leurs limites, les luttes pour les droits de l'homme contribuent à poser la question de la démocratie.

J. S.

# L'influence de la dissidence dans la décomposition du régime communiste : le cas de la Charte 77 en Tchécoslovaquie

*Miroslav Novak*

Si l'on prend en compte le fait que l'objectif de la majorité de la population des pays de l'Europe du Centre-Est était le rétablissement de la démocratie pluraliste, on peut, suivant Pierre Kende, distinguer quatre phases dans la lutte pour la démocratie :

1) *La démocratisation des méthodes de travail au sein du Parti :* on demande la possibilité de discussions plus ouvertes, des consultations sur les décisions à prendre, une procédure d'élection plus authentique, la limitation des secrets d'État, etc.

2) *La redécouverte des droits civiques :* on revendique ou on exerce la liberté de parole, on exige ou on souhaite le respect des valeurs non officielles (nation, religion, vie privée, etc.), « on joue même avec l'idée d'une justice indépendante, ne serait-ce que pour réparer les torts de l'époque stalinienne et pour faire respecter la lettre des lois existantes[1] ».

3) *La revendication de l'autonomie sociale :* dans cette étape, on rejette — au moins implicitement — le droit du

---

1. P. Kende, *Esprit* n° 7-8, 1978, p. 33.

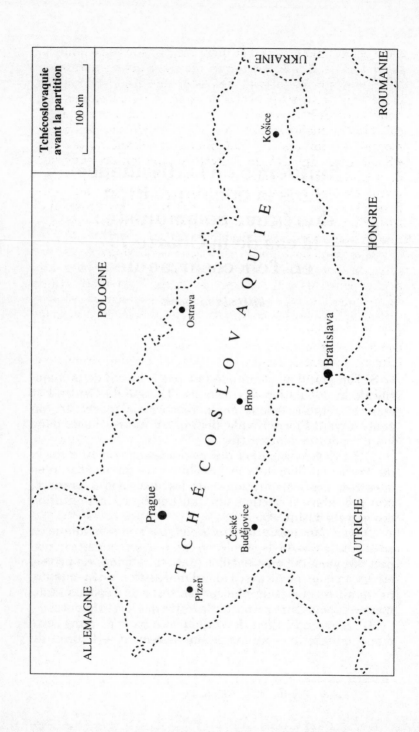

Tchécoslovaquie avant la partition

100 km

ALLEMAGNE

POLOGNE

UKRAINE

ROUMANIE

HONGRIE

AUTRICHE

TCHÉCOSLOVAQUIE

Prague

Plzeň

České Budějovice

Brno

Ostrava

Bratislava

Košice

parti communiste d'exercer un monopole sur l'ensemble de la vie sociale. Kende remarque, dans son article datant de 1978, que la Pologne avait, dès 1956, une prédilection pour l'idée des « contre-pouvoirs » légalement reconnus, en notant que c'est la seule version de l'autonomie sociale qui soit plus ou moins compatible avec le maintien de l'hégémonie communiste. Entre-temps, l'expérience de « Solidarité » apporta un nouvel exemple encore plus net de cette tendance polonaise. En Hongrie, en 1956, l'autonomie était représentée par les conseils ouvriers qui pendant plusieurs semaines (sinon des mois) formèrent une sorte de gouvernement parallèle défiant le gouvernement mis en place par les Soviétiques.

4) *La conquête du pluralisme :* ce « stade suprême » de la lutte démocratique des pays du Centre-Est européen fut acquis pour très peu de temps en Hongrie en 1956, avant l'écrasement de la révolte populaire par l'armée soviétique.

Par « dissidence » on comprend le mouvement pour la défense des droits de l'homme, typique pour les pays communistes notamment dans la période 1969-1979, et entrant essentiellement dans la deuxième étape du schéma de Kende. En Tchécoslovaquie, ce mouvement était représenté surtout par le groupe Charte 77, en Union soviétique par exemple par les Groupes Helsinki. Si le syndicat Solidarność a pu être étudié comme un « mouvement social » important, les groupes contestataires comme la Charte 77 en Tchécoslovaquie ou le Comité Sakharov et les Groupes Helsinki en Union soviétique pourraient représenter plutôt des *groupes d'intérêt* « à vocation idéologique[2] ».

Sans doute, dans les pays socialistes, non seulement les groupes de pression autorisés (régionaux, sectoriels, etc.) appartiennent pour l'essentiel au même parti unique (ou hégémonique), mais encore les groupes d'attitude contestataire ne sont pas légalisés. Ces deux faits bouleversent les règles du jeu, mais n'empêchent pas l'existence des groupes d'intérêt.

---

2. J. Meynaud, *Les groupes de pression*, Paris, PUF, 2ᵉ édition, 1965, p.13.

Dans ma thèse de doctorat en sociologie, soutenue en 1988 à l'université de Genève et dont la version mise à jour a été publiée en français en 1990 sous le titre *Du Printemps de Prague au Printemps de Moscou*[3], j'ai essayé de cerner notamment ce phénomène à l'aide des outils de la sociologie politique et la science politique occidentales. Au long de cet exposé, je puiserai évidemment beaucoup dans mon livre et, sur plusieurs points ici discutés, je me permets d'y renvoyer pour plus de détails.

## Les origines de la Charte 77

En Tchécoslovaquie, vers la fin de l'année 1976, la majorité des dissidents condamnés, au cours des vagues de procès politiques du début des années soixante-dix, se retrouvent déjà en liberté, en grande partie grâce aux pressions à la fois intérieures et étrangères (Jan Tesar, Milan Hübl, et Jiri Müller, par exemple, ou encore Antonin Rusek et Jaroslav Sabata).

La même année, le 23 mars 1976, les autorités tchécoslovaques ratifient la convention internationale sur les droits civiques et politiques, ainsi que la convention internationale sur les droits économiques, sociaux et culturels ; elles les publient le 23 octobre 1976. C'est un argument en faveur de la lutte pour les droits de l'homme, auquel s'ajoutent les exemples soviétiques et polonais (notamment le KOR, c'est-à-dire le Comité de défense des ouvriers victimes de la répression).

C'est la persécution des musiciens de *l'underground* tchèque en mars 1976 qui devient un événement central autour duquel plusieurs courants dissidents se rencontrent pour exprimer leur désaccord avec la politique officielle. Jusqu'alors, il n'y avait pratiquement aucun lien entre les jeunes musiciens *underground* et les opposants. L'intransigeance des autorités à l'égard des jeunes *rockers*

---

3. Cf. M. Novak, *Du Printemps de Prague au Printemps de Moscou. Les formes de l'opposition en Union soviétique et en Tchécoslovaquie de janvier 1968 à janvier 1990*, Genève, Georg, collection Lug, 1990, 486 pages.

a conduit au rapprochement de courants très divers au sein de la contestation, qui auparavant étaient le plus souvent dispersés et sans contacts réguliers entre eux.

A l'origine du mouvement qui prendra bientôt le nom de Charte 77, on trouve d'abord trois groupes : des personnalités du monde culturel, des musiciens *underground*, des communistes révisionnistes exclus ou ayant démissionné du parti. Ces trois courants constitutifs seront bientôt rejoints par des chrétiens (protestants et plus tard catholiques) et par un groupe de gauche révolutionnaire d'orientation trotskyste.

La Charte 77 a une double nature, celle d'un manifeste d'abord, celle ensuite d'une association de contestataires (ou d'une « initiative civique durable », comme s'exprimaient certains chartistes). Le manifeste de la Charte 77, daté du 1er janvier 1977, a été signé à l'origine par quelque 240 personnes. Ce groupe, qui a décidé de se dissoudre en 1992, ne recueille pas beaucoup de partisans déclarés ouvertement, mais il est actif et jouit du crédit de la population, qui hésite toutefois à s'engager le visage découvert dans un combat qu'elle croit longtemps perdu d'avance et sans espoir. Le nombre des signataires de la Charte 77 augmente au compte-gouttes, mais, tout de même, en 1979, il atteint un millier, pour se stabiliser plus ou moins peu après (encore au début de 1988, le nombre total des signataires n'était que d'environ 1300). C'est peu de chose par rapport au nombre d'adhérents du syndicat indépendant Solidarnosc en Pologne.

Le point de départ du manifeste est un appel au respect des droits de l'homme, qui prend appui sur la signature par le gouvernement tchécoslovaque de l'Acte final d'Helsinki, dont les conventions sur les droits civiques et politiques ainsi que sur les droits économiques et sociaux figurent à présent dans la Constitution. Le manifeste souligne ensuite le non-respect de ces droits et poursuit ainsi :

« C'est l'État qui est, bien sûr, garant du respect des droits civiques. Mais pas lui seulement : chaque citoyen a sa part de responsabilité dans l'état actuel du pays, et est donc également responsable de l'application des engagements pris. (...) C'est le sentiment de cette responsabilité, c'est la volonté de trouver des moyens d'expression plus étendus qui ont donné l'idée d'élaborer cette Charte 77 qui fut annoncée *publiquement*. La Charte 77 est une association libre, informelle et ouverte. Elle regroupe des gens de convictions, de religions, de pro-

fessions *diverses*, unis par la volonté d'œuvrer individuellement et collectivement au respect des droits de l'homme en Tchécoslovaquie et dans le monde — droits qui sont reconnus dans les différents traités internationaux contre la guerre, la violence, l'oppression sociale et intellectuelle, et notamment par les accords d'Helsinki. (...)
« La Charte 77 n'est pas une organisation. Il n'y a pas de statuts, pas d'organes permanents ni de membres adhérents. Quiconque partage ses idées et les défend y appartient de droit. *Son intention n'est pas de servir de base à une opposition politique.* (...)
« *Elle n'a pas pour objectif d'élaborer un programme de réformes politiques ou sociales.* Son unique but est de mener un *dialogue constructif avec les autorités politiques,* en attirant leur attention sur des *violations précises des droits de l'homme* et des droits civiques, en préparant une documentation à ce sujet, en proposant des solutions, en œuvrant pour que ces solutions trouvent des prolongements, en servant aussi de médiateur en cas de conflit lorsque ces droits ne sont pas respectés, etc. (...)
« Nous avons désigné, parmi les *signataires* de la Charte, Jan Patocka, Václav Havel et Jiri Hajek, comme étant nos *porte-parole.* Ces porte-parole sont autorisés à représenter la Charte 77 devant l'État, les citoyens et le monde. Leur signature authentifie les *documents* qui émanent de la Charte[4]. »

La signature de la convention internationale sur les droits civiques et politiques, tout comme celle de la convention internationale sur les droits économiques, sociaux et culturels, a rendu une nouvelle actualité aux droits de l'homme. Les dissidents tchèques ont immédiatement saisi cette occasion, sans se faire trop d'illusions sur leurs chances de succès.

### La Charte 77 entre dissidence et opposition politique

Dans son manifeste constitutif, ainsi que dans d'autres documents programmatiques, la Charte 77 déclare qu'elle n'a pas l'intention de servir de base à une opposition politique, qu'elle n'a pas pour objectif d'élaborer un programme de réformes politiques ou sociales mais qu'elle souhaite un dialogue constructif avec le pouvoir en place.

---

4. Cité d'après la traduction française intégrale, dans *Hommage à Jan Patocka ; Liberté religieuse et défense des droits de l'homme - II : en Tchécoslovaquie,* Paris, Centre d'études Istina, 1979, pp. 175-179.

Václav Benda, membre du collectif des porte-parole de la Charte et qui, pour ses convictions, a passé plusieurs années en prison, a analysé avec pénétration cet aspect du « programme » de la Charte 77. D'après lui, cette orientation a permis de rassembler des courants politiques et idéologiques fort divers et, dans le même temps, de rester pour l'essentiel dans le cadre de la légalité. Il y avait toutefois, ajoute Benda, un prix à payer pour ces succès : la Charte 77 s'est retrouvée dès le début dans une situation, pourrait-on dire, « schizophrène »: d'une part, tous pratiquement — malgré les divergences profondes d'opinions et de courants politiques — sont d'accord sur le fait que le système politique existant en Tchécoslovaquie est très mauvais. Cependant, ils font comme s'ils ne le savaient pas et comme s'ils jugeaient la reconnaissance des droits de l'homme par le pouvoir comme sérieuse et non pas seulement comme une duperie[5].

Un dissident soviétique s'exprima de la même manière : « Il existe une contradiction profonde dans la dissidence traditionnelle : alors que d'un point de vue éthique, elle condamne presque totalement le pouvoir, dans la pratique elle n'a cherché à obtenir qu'une limitation de ce pouvoir par les lois qu'il a lui-même établies[6]. »

Léonide Pliouchtch est tout aussi clair: « Si nous exigeons d'un État fondé sur l'arbitraire qu'il respecte la légalité, nous exigeons par là même une modification de son contenu, sa transformation en État fondé sur le droit, en État démocratique. Cette exigence constitue une activité politique[7]. »

Cette « schizophrénie », observée par Benda, l'historien K. Pomian tente de l'expliquer en mettant l'accent sur la distinction entre « dissidence » et « opposition politique ». Dans le mouvement ouvrier par exemple, où les revendica-

---

5. Cf. Václav Benda, « *Paralelni polis* », dans le recueil de textes *O svobode a moci*, Cologne, Index, 1980, p. 101.
6. L'interview des membres de la rédaction de l'almanach « Variantes » paraissant comme samizdat à Moscou, publiée dans *L'Alternative*, Paris, Maspero, n° 15, mars-avril 1982, p. 10.
7. L. Pliouchtch, *Dans le carnaval de l'Histoire*, Paris, Seuil, 1977, p. 284.

tions économiques se précisent d'abord et où les programmes politiques viennent ensuite, les revendications constituent la « dissidence », tandis que le parti politique représente « l'opposition ». Les revendications économiques sont méprisées par les communistes; ce sont pourtant elles qui posent le problème des droits des ouvriers et non pas celui du pouvoir dans la société globale.

« Les relations entre la dissidence et la politique sont complexes et ambiguës non parce que la première serait la forme immature de l'opposition, mais parce que telles sont les relations entre le droit et le pouvoir étatique, entre la revendication des droits et la lutte pour le pouvoir. Seuls les États totalitaires identifient les deux, et, partant, identifient aussi dissidence et opposition[8]. »

C'est toutefois notamment la situation particulière des régimes de type soviétique, surtout dans la période postréformiste, qui explique en grande partie la nature du phénomène de la dissidence dans les pays de l'Est. Car tous les dissidents n'avaient pas toujours l'intention délibérée de ne lutter que pour les droits et de refuser la lutte pour le pouvoir, pour les changements politiques révolutionnaires ou réformistes. Une fraction de ceux qui pratiquaient la dissidence dans les pays de l'Est le faisaient parce qu'ils ne pouvaient pas entrer dans l'opposition ouverte. Autrement dit, les opposants potentiels faisaient partie de la dissidence. Du point de vue politique, le programme de la dissidence est donc plutôt *négatif* que positif, *explicitement minimaliste*, mais à la fois *global* (concernant les droits de l'homme et les libertés fondamentales dans presque tous les secteurs) et *implicitement radical*, ses revendications ne pouvant pas être réalisées sans changements fondamentaux du régime politique en place, d'où son caractère « schizophrène » ; enfin les dissidents apparaissent, bien qu'ils s'en défendent, assez politisés.

Jan Patocka fournit une formulation classique de ce programme : « Le concept des droits de l'homme se ramène à la conviction que les États et la société dans son ensemble doivent se placer sous la souveraineté du sentiment

---

8. Krzystof Pomian, « La dissidence », dans *Libre*, n° 8, 1980, Paris, Payot, p. 15.

moral, en reconnaissant l'existence au-dessus d'eux de quelque chose d'absolu, de hautement sacré et d'inviolable, et qu'ils entendent mettre au service de cette conception les forces dont ils disposent pour créer et faire respecter les normes juridiques. (...) Le rapport que nous avons évoqué entre le domaine moral et le pouvoir d'État montre que la Charte 77 n'est pas un acte politique au sens étroit du mot ; elle ne prétend pas entrer en concurrence avec le pouvoir politique, ni empiéter sur aucune de ses fonctions[9]. »

Ainsi, si l'on peut convenir, avec les associations du type de la Charte 77, qu'elles ne sont pas politiques au sens de la lutte pour la prise du pouvoir d'État, il n'en reste pas moins qu'elles sont bien politiques au sens large du terme.

Par ailleurs, le fait qu'elles ne proposent pas de programme politique positif est dû à trois motifs complètement différents : 1. des considérations humanistes (leur attitude voudrait aller au-delà de la problématique purement politique) ; 2. des raisons tactiques (de sécurité) ; 3. les mobiles politiques d'une partie des communistes non conformistes, qui se contenteraient de changements « cosmétiques » du régime en place (même parmi les ex-communistes de l'opposition, ils sont dans les années 1980 minoritaires, parce que nombre d'entre eux ont politiquement évolué et se sont plus ou moins rapprochés des non-communistes). Ces raisons sont encore renforcées par la diversité des courants qui compliquerait l'élaboration d'un programme positif commun.

Quant au « dialogue constructif » avec le pouvoir communiste, il a échoué, comme l'a judicieusement expliqué l'auteur du meilleur ouvrage sur la Charte 77 :

*« Efforts by Charter 77 to be non-political, to avoid open opposition and to achieve a dialogue with the authorities, were equally unsuccessful. There was an inherent absurdity in the idea of a dialogue*

---

9. Jan Patocka, « Cim je a cim neni Charta 77 », dans *Krestané a Charta 77*, Cologne, Index, 1980, p.31 et 32. Nous avons cité la traduction française qui se trouve dans : *Cahiers de l'Est*, n° 9-10, 1977, Paris, Albatros, pp. 166-169. Il existe une autre traduction française de ce texte de Jan Patocka dans le livre *Liberté religieuse et défense des droits de l'homme - II en Tchécoslovaquie. Hommage à Jan Patocka*, Paris, Centre d'études Istina, 1977, p. 199.

*between a regime which was regarded as the epitome of illegitimacy and a movement which that regime treated as counter-revolutionary. In fact no dialogue was achieved, and attempts in this regard were eventually recognized as "illusory"[10].* »

## Les « porte-parole » et l'activité de la Charte 77

Les trois premiers porte-parole de la Charte 77 furent le philosophe Jan Patocka, le dramaturge Václav Havel et l'ancien ministre des affaires étrangères Jiri Hajek. Seul le troisième fut autrefois membre du parti communiste, les deux autres n'en avaient jamais fait partie. Avec le temps, la Charte 77 a pris l'habitude de substituer chaque année au trio des porte-parole une nouvelle équipe de trois personnes (en règle générale, au début de l'année). Il se créa plus tard aussi un « collectif des porte-parole » de la Charte 77, complété assez régulièrement notamment par les porte-parole dont le mandat était arrivé à son terme. De 1977 jusqu'en 1989, trente-cinq personnes ont exercé la charge de porte-parole de la Charte 77, certains (comme V. Benda ou J. Dienstbier) même deux fois. L'un d'entre eux est mort (Patocka), un autre a émigré (Tominova).

Rétrospectivement, si l'on considère aujourd'hui les « relèves » des porte-parole, on constate que la composante artistique, représentée en particulier par Havel et Kubisova, s'affaiblit numériquement quelque peu avec le temps. Par contre, l'arrivée de Hejdanek annoncera le commencement d'une longue série de porte-parole d'orientation chrétienne, d'abord protestants comme le laïc Hejdanek ou le jeune pasteur Milos Rejchrt, puis surtout catholiques, parmi lesquels le plus connu est un jeune laïc, Václav Benda, philosophe et mathématicien de formation. Pour ce qui est des ex-communistes, qui ne forment pas un courant homogène, ils seront fortement représentés parmi les porte-parole, ayant souvent même deux porte-parole sur trois.

Dans l'activité de la Charte 77, la part du lion est cons-

---

10. Gordon H. Skilling, *Charter 77 and Human Rights in Czechoslovakia*, Londres, George Allen & Unwin, 1981, p. 181.

tituée par les déclarations écrites. Elles sont innombrables et il n'est pas facile de les ordonner. Les deux spécialistes qui ont étudié le plus en détail la Charte 77, le professeur canadien Gordon H. Skilling et l'historien tchèque Vilém Precan, ont proposé chacun leur propre classification. De nombreux textes plus ou moins liés à la Charte 77 ont un caractère littéraire.

Dans ce matériel impressionnant, il faut citer d'abord les *Documents officiels de la Charte 77* qui sont, en règle générale, numérotés et signés par tous les porte-parole en fonction. Le caractère politique de la majorité de ces documents officiels saute tout d'abord aux yeux. La plupart des documents sont d'ailleurs destinés aux organes politiques tchécoslovaques (Président, Assemblée fédérale, premier ministre, etc.), sans oublier toutefois ce que disent les chartistes dans un de leurs documents, à savoir que leurs textes s'adressent aussi à la conscience de chaque citoyen tchécoslovaque. Du reste, ces lettres sont ouvertes, elles sont habituellement publiées dans le bulletin d'information du *samizdat* (organe de presse semi-clandestin) sur la Charte *Informace o Charte 77* (édité par P. Uhl et son épouse A. Sabatova Jr.) et sont aussi transmises aux journalistes étrangers[11].

Pour conclure ce survol de l'activité de la Charte 77, rappelons ses contacts avec les groupes ou personnalités de la dissidence dans les autres pays d'obédience soviétique et avec les politiciens occidentaux. Les rapports avec les dissidents d'autres pays de l'Est se nouent principalement par écrit, mais pas exclusivement. Il convient de mentionner les rencontres des dissidents polonais représentants du KOR (Comité d'autodéfense sociale, ancien Comité de défense des ouvriers) avec les délégués de la Charte 77 à la frontière polono-tchécoslovaque. La pre-

---

11. Le VONS, Comité de défense des personnes injustement poursuivies, fondé en avril 1978 par certains activistes de la Charte 77, mérite une mention spéciale. Le VONS ne fait pas partie de la Charte 77, mais ses initiateurs et la grande majorité de ses membres en sont signataires. Le VONS publie régulièrement ses « communiqués » numérotés ; en 1986, leur nombre dépassait déjà cinq cents. Ces communiqués sont le plus objectifs possible, ils informent sur des cas précis de persécutions, de discriminations, d'emprisonnement ou d'abus psychiatriques.

mière rencontre eut lieu en août 1978, la seconde en septembre de la même année. En octobre 1986, cent vingt-deux opposants de quatre pays du bloc soviétique — Hongrie, Pologne, Tchécoslovaquie, Allemagne de l'Est — ont signé une déclaration commune à l'occasion du trentième anniversaire de la révolte hongroise de 1956.

Les *contacts avec les hommes politiques occidentaux* méritent également d'être signalés[12]. Prenons l'exemple le plus frappant, celui du ministre des Affaires étrangères des Pays-Bas Van der Stoel qui, lors de sa visite officielle en Tchécoslovaquie, eut une brève entrevue avec le porte-parole de la Charte 77 Jan Patocka. Après cet entretien, Jan Patocka fut interrogé pendant onze heures par la police de sécurité entre les 2 et 3 mars 1977. Or, le 3 mars, il fut frappé d'une crise cardiaque et hospitalisé le même jour. Le 13 mars, Patocka mourut à l'hôpital. Au cours d'une interview accordée le 9 mars à l'hebdomadaire ouest-allemand *Die Zeit*, il souligne : « Dans de nombreux cas, il n'y a pas d'autre possibilité de se défendre contre la pression du pouvoir que par une information transmise à l'étranger. Le soutien moral est un soutien réel[13]. »

## La mutation psychologique

En janvier 1987, la Charte 77 commémorait ses dix années d'existence. Elle a édité à cette occasion plusieurs documents importants. Le document n° 2 / 1987 s'appelle « A nos concitoyens », ce qui est significatif, car jusqu'alors, la Charte 77 s'est adressée surtout aux autorités : « ...Nous ne demandons à personne d'élargir ou d'appuyer publiquement notre communauté. La Charte 77 n'est pas et ne s'est jamais considérée comme le seul espoir pour cette société. Nous appelons les citoyens à quelque chose d'autre et de plus important. A s'éveiller à leur propre liberté et à se rendre compte du contenu plein d'espoir

---

12. La Tchécoslovaquie « normalisée » entretient à l'époque peu de rapports diplomatiques avec les pays non communistes, même en comparaison des autres pays de l'Est comme la Hongrie, l'Allemagne de l'Est, la Roumanie, sans parler de la Yougoslavie.

13. *Die Zeit*, n° 14 du 25 mars 1977.

du slogan qui avait été placé dans le berceau de l'État tchécoslovaque moderne : la vérité vaincra[14] ! »

Sans mentionner explicitement le réformisme de Gorbatchev, l'appel en prend acte et s'adresse à tous les concitoyens « pour les appeler à comprendre les possibilités historiques de ce moment et pour qu'ils les utilisent au profit de nos peuples. » D'après la Charte 77, « le sens que doit avoir un tel changement est évident : il s'agit d'une plus grande démocratie ».

Ces changements ne dépendent pas seulement de ce que fera le pouvoir, mais beaucoup plus de ce que fera la société, souligne la Charte. Que faire ? « Dès demain nous pouvons tous commencer à dire la vérité. Pas seulement à la maison, mais sur les lieux de travail, lors de rencontres et de réunions diverses. » Le courage civique peut se manifester dans les milieux les plus divers. Ainsi, d'après le document de la Charte 77, il faut prendre au sérieux l'appartenance au syndicat et élire « des interprètes courageux de la volonté réelle des travailleurs ». Les syndicats « peuvent réclamer une participation réelle et indépendante aux décisions économiques et à la politique sociale. Dans des cas extrêmes, ils peuvent même appuyer leurs revendications par la grève... »

Le document n° 3/1987 de la Charte 77 s'adresse aux signataires de la Charte à l'occasion de son dixième anniversaire. « Il est connu, rappelle-t-il, que la Charte 77 n'est pas une formation politique au sens courant du terme. Néanmoins, en tant qu'acteur social, et surtout grâce aux circonstances dans lesquelles toute activité libre se transforme aussitôt et fatalement en une affaire politique, la Charte 77 est aussi devenue *de facto* une certaine force politique, et elle entre comme telle (...) dans de nombreux et vastes contextes politiques. (...) Elle agit également dans les contextes internationaux : politiciens, mouvements sociaux divers, journalistes, personnalités publiques, étrangères en général, voient aujourd'hui en elle un

---

14. Cité ici d'après le texte intégral publié dans le périodique du samizdat *Informace o Charte 77* n° 1/1987 et en utilisant — après vérification selon cette version originale — la traduction française de Mme Amber Bousouglou, parue dans *La Nouvelle Alternative* n° 5, mars 1987.

partenaire politique valable. Cela n'a rien d'étonnant : dans notre pays, la Charte 77 est la seule communauté relativement connue, qui agisse publiquement sans être dirigée par le pouvoir central[15]. Comme telle, elle est considérée de l'extérieur comme une certaine solution de rechange face au pouvoir existant[16]. » Cet aveu va bien plus loin que les précédents documents officiels de la Charte 77, qui avaient au contraire souligné sans cesse que leur « initiative civique » n'avait pas de caractère politique.

D'autres activités de la contestation ont été liées à la visite de M. Gorbatchev en Tchécoslovaquie en avril 1987. Évidemment la direction tchécoslovaque, parvenue au pouvoir par l'intervention militaire soviétique après l'écrasement du processus de libéralisation, devait accueillir les projets de Gorbatchev, ressemblant quelque peu à ceux de Dubcek durant le Printemps de Prague, sans aucun enthousiasme. En ce qui concerne la population du pays, elle demeure d'abord dans l'ensemble plutôt sceptique sur le réformisme en Union soviétique et sur ses répercussions possibles en Tchécoslovaquie, mais elle observe avec une vive curiosité ce qui arrive chez le « Grand Frère ». A l'occasion de la venue de M. Gorbatchev à Prague, la Charte 77 s'est également adressée aux dirigeants tchécoslovaques par le document n° 20/1987 du 25 mars 1987. Elle leur demande de prendre eux-mêmes l'initiative et de proposer, lors des négociations avec M. Gorbatchev, un retrait progressif de Tchécoslovaquie des troupes soviétiques et des fusées à tête nucléaire, ainsi qu'un réexamen des accords découlant du protocole de Moscou d'août 1968.

En même temps, la Charte demande de reconsidérer la politique de normalisation (« d'après août ») et d'en tirer les conséquences pour le rétablissement du respect des droits de tous les citoyens et pour le développement de la démocratie. Le document conclut : « Qui ne veut pas saisir les chances historiques offertes aujourd'hui, qui ne songe

---

15. Toutefois, le même raisonnement pourrait être appliqué à plus forte raison à l'Église catholique.
16. Cité selon le texte original intégral publié dans *Informace o Charte 77*, n° 1, 1987.

plus qu'à conserver la position qu'il occupe au pouvoir et les privilèges qui en découlent, devrait laisser sa place à d'autres[17]. »

Le 17 décembre 1987, G. Husak a finalement démissionné de sa fonction de secrétaire général du Parti communiste tchécoslovaque en gardant provisoirement le titre de Président de la République et celui de membre du présidium du parti. Mais son successeur, M. Jakes, très compromis dans les purges de la période de « normalisation » du début des années soixante-dix, n'inspire pas beaucoup de confiance. Václav Benda caractérisait alors ainsi la situation en Tchécoslovaquie : « Rien n'a radicalement changé depuis le départ de Husak. La seule chose nouvelle est la transformation de l'atmosphère générale dans le public, une sorte de mutation psychologique qui se traduit par un plus grand nombre d'activités indépendantes, souvent sans lien d'ailleurs avec la Charte 77[18]. »

Les événements contestataires de loin les plus spectaculaires de la fin de 1987 et de 1988 relèvent indéniablement de l'opposition religieuse des catholiques slovaques et tchèques. La situation de l'Église catholique en Tchécoslovaquie était alors dramatique : depuis de longues années, la plupart des diocèses sont sans évêque, et l'intransigeance du régime de Prague dans les questions d'Église contrastait non seulement avec la situation en Pologne, mais même avec celle de l'Allemagne de l'Est. La pétition de catholiques pour la liberté religieuse a recueilli en avril 1988 près de cinq cent mille signatures, ce qui est pour la Tchécoslovaquie un fait absolument sans précédent. L'archevêque de Prague, le cardinal Frantisek Tomasek (1899-1992), a non seulement signé cette pétition en trente et un points, mais il a même adressé une lettre aux croyants, datant du 4 janvier 1988, dans laquelle il souligne notamment que « la lâcheté et la peur sont indignes d'un vrai chrétien. » Les porte-parole de la Charte 77 Devaty et Janat ont rencontré le cardinal Frantisek Toma-

---

17. Le texte original a été publié dans la revue du *samizdat, Informace o Charte 77* n° 5/1987.
18. Václav Benda, « Une mutation psychologique », interview publiée dans *L'Evénement du jeudi*, n° 174 du 3 au 10 mars 1988.

sek pour lui remettre un document exprimant le soutien de cette association dissidente à la pétition des catholiques.

## La place de la Charte 77 dans les changements de 1989

En 1989, les événements se précipitent non seulement en Pologne et en Hongrie, mais peu après aussi en RDA, en Bulgarie, en Tchécoslovaquie et en Roumanie. Suivant l'exemple des catholiques, la contestation ouverte devient en Tchécoslovaquie beaucoup plus répandue qu'auparavant. Entre 1987 et 1989, de nombreux groupes indépendants apparaissent : « Société des amis des USA », « Initiative démocratique », « Initiative de défense sociale », « Mouvement pour la liberté civique », « Union chrétienne des droits de l'homme », « Comité Helsinki », « Groupe indépendant écologique », « Groupe indépendant pour la paix », « Club pour la paix John Lennon », etc.

Alors que précédemment la Tchécoslovaquie connaissait une séparation assez nette entre, d'une part, quelques groupes contestataires agissant à visage découvert comme la Charte 77 ou le VONS et, d'autre part, les structures officielles, la frontière devient vers la fin des années quatre-vingt moins rigoureuse et plus mouvante. Certaines personnalités faisant partie des institutions autorisées (notamment plusieurs artistes et journalistes) élèvent la voix pour protester contre la politique officielle.

Le manifeste contestataire *Quelques phrases* est signé par plusieurs dizaines de milliers de personnes. L'émission d'un nouveau billet de cent couronnes tchécoslovaques à l'effigie de K. Gottwald, président de la République pendant la pire période stalinienne, provoque dans le pays indignation et sarcasmes. Mais c'est le 17 novembre 1989 que tombe la dernière goutte qui fait déborder le vase: l'intervention musclée de la police, aidée par l'armée, contre la manifestation pacifique des étudiants à Prague. A la suite de ces brutalités policières, pendant plus d'une semaine, jour après jour, ont alors lieu à Prague des manifestations monstres pour la démocratie sur la place Venceslas et sur la plaine de Letna, où fut autrefois érigé un gigantesque monument à la mémoire de Staline, démoli depuis. Certains jours, le nombre des manifestants atteint un demi-million. Pratiquement tous les groupes contestataires tchèques se rassemblent pour former le Forum civique animé par Václav Havel. Le mouvement démocratique tchèque est immédiatement suivi par les Slovaques qui se regroupent dans le mouvement « Le public contre la violence ». La suite est bien connue...

Dans les pays communistes dépendant étroitement de l'URSS, le pouvoir avait pour justification au moins partielle la pression extérieure soviétique. Or, dans la seconde moitié des années quatre-vingt, le caractère des relations entre les pays membres de la « communauté socialiste » se modifie. D'une part, l'URSS laisse une marge de manœuvre sensiblement plus importante aux pays satellites. De plus, l'URSS procède à des réformes et se libéralise dans la plupart des secteurs de la vie sociale. Logiquement, un pays comme la Hongrie, où le processus de libéralisation était en cours déjà bien avant le réformisme de Gorbatchev, est non seulement renforcé dans sa ligne libérale, mais n'hésite plus à aller beaucoup plus loin qu'auparavant. Au contraire, le pouvoir communiste des pays conservateurs (ils sont alors nettement majoritaires : Tchécoslovaquie, RDA, Bulgarie) est affaibli par l'expérience de Gorbatchev. Cela n'a fait qu'apporter de l'eau au moulin des opposants qui ne craignaient plus l'intervention soviétique. Enfin, l'exemple de la Hongrie, de la Pologne et surtout de la RDA a aussi joué un rôle : non seulement comme modèle à imiter, mais également comme preuve de la tolérance soviétique.

### L'héritage de la Charte 77

La Charte 77 n'a pas joué un rôle primordial dans les changements de l'année révolutionnaire 1989. Les facteurs extérieurs (le gorbatchévisme en URSS et la façon dont on en profite dans quelques autres pays du bloc) sont beaucoup plus importants. Par ailleurs, la Charte 77 a pu tenir un certain rôle pendant les événements de 1989 seulement grâce au fait qu'elle a quelque peu adapté, depuis 1987, son activité à la situation transformée. En dépit de ces accommodations, la Charte 77 est à la fin des années 1980 dépassée dans la contestation par d'autres types d'opposition, plus radicaux et plus massifs qu'elle, notamment la contestation religieuse et celle des jeunes. Il n'en reste pas moins que dans ses nombreux documents, ce groupe contestataire a réussi à dévoiler de nombreux problèmes jusqu'ici cachés. Son impact sur l'opinion publique nationale et étrangère était indéniable. Plusieurs difficultés liées à la diversité des courants au sein de la Charte 77 ont été dans une grande mesure surmontées grâce à une reconnaissance commune des droits civiques et de leur caractère indivisible. C'est aussi cette arme que constituait la référence aux droits de l'homme qui a permis à la Charte 77 (et aux groupes dissidents analogues dans d'autres pays) à aider à combattre l'arbitraire du régime de type soviétique. Le fait que la Charte 77 a existé depuis de longues années a sensiblement contribué, dans les mois décisifs lors de la révolution de 1989 et immédiatement après, au déroulement pacifique du changement politique. On peut en outre supposer que certains résultats positifs apparaîtront seulement à long terme.

On confondait souvent en Occident les mouvements pour la défense des droits de l'homme du genre Charte 77 avec toute contestation dans le régime de type soviétique, ce qui entraînait deux idées fausses particulièrement répandues : la contestation y serait un phénomène numériquement insignifiant, et elle serait réservée aux intellectuels. En réalité, si le mouvement de défense des droits de l'homme et son instrument qu'est le *samizdat* sont plus typiques pour les intellectuels que pour les ouvriers, il ne faut jamais oublier que ce mouvement n'était qu'un petit fragment de l'opposition dans les régimes de type soviétique et qu'on ne peut pas généraliser les caractéristiques de cette forme spéciale (très minoritaire de surcroît) à l'ensemble de la contestation. Les oppositions nationale et religieuse y avaient souvent un caractère de masse. On était bien loin de la fameuse « poignée d'intellectuels ».

Le Forum civique peut être considéré en partie comme l'héritier et le successeur de la dissidence. Si, dans la première législature postrévolutionnaire (1990-1992), les anciens dissidents de la Charte 77 occupent encore une place privilégiée parmi la nouvelle élite politique, les deuxièmes élections législatives de juin 1992 en Tchécoslovaquie vont considérablement changer les choses.

La fraction maximaliste (radicale) du Forum civique, représentée par le Parti civique démocratique de V. Klaus, est sortie nettement victorieuse des élections législatives de 1992 dans les pays tchèques. L'autre fraction du Forum civique n'a même pas réussi à franchir la barre des 5 % indispensables pour entrer aux parlements: dans les pays tchèques, le Mouvement civique de M. Dienstbier n'a obtenu que 4,5 % environ. Si le parti de V. Klaus constitue la fraction majoritaire de son mouvement d'origine, il n'en reste pas moins vrai que c'est plutôt le Mouvement civique de M. Dienstbier qui est le continuateur direct du Forum civique. Ce n'est pas un hasard. Le Mouvement civique dont faisaient partie la plupart des leaders du premier jour, issus souvent des intellectuels dissidents sous le régime communiste, voulait garder plus ou moins l'esprit du mouvement originel, alors que les leaders de la fraction majoritaire de V. Klaus, composée essentiellement de nouveaux venus, pragmatiques, orientés principalement vers l'économie, répètent depuis longtemps que le temps d'un vaste mouvement antitotalitaire est bien fini.

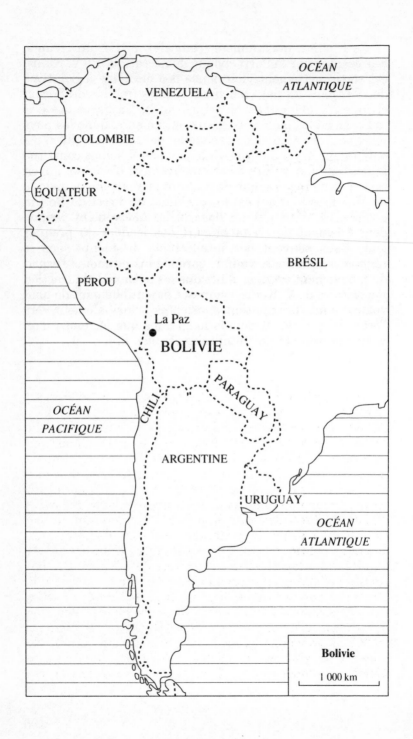

**Bolivie**

1 000 km

# Le rôle des organisations des droits de l'homme en faveur de la démocratisation en Bolivie

## La grève de la faim des femmes de mineurs boliviens (décembre 1977 - janvier 1978)

*Jean-Pierre Lavaud*

Le 28 décembre 1977, quatre femmes de mineurs boliviens du plus grand complexe minier du pays, Siglo XX - Catavi, dont les maris victimes de la répression ont été licenciés entament, accompagnées de leur quatorze enfants, une grève de la faim dans les locaux de l'archevêché de La Paz. Elles réclament au gouvernement du général Banzer une amnistie générale. Le 31 décembre, un second groupe de onze grévistes s'installe dans les locaux du journal *Presencia* dans le but déclaré de remplacer les enfants affectés par le jeûne. Il est composé de parents de détenus politiques, de représentants d'étudiants du Comité inter-facultés de la Universidad Mayor de San Andres (UMSA), d'une organisation féminine, la Union de Mujeres Bolivianas (UMBO), du Teatro Popular et enfin de l'Assemblée permanente des droits de l'homme (APDH) ; trois d'entre eux sont des religieux. Le 1er janvier 1978, un troisième groupe composé principalement de mineurs originaires de Potosi, s'installe dans l'église Maria Auxiliadora de La Paz. A partir du 3 janvier, un nouveau groupe se constitue dans la ville de Cochabamba. Le 5 janvier, deux autres démarrent à Potosi et Oruro. Et le mouvement continue. Après une semaine, il y a 61 personnes en grève ; passé deux semaines, il y en a 500 ; au bout de vingt jours elles sont environ 1200 réparties dans 28 groupes disséminés dans les grandes villes du pays et dans les mines. L'émotion est considérable et d'autres escouades s'apprêtent à rejoindre le mouvement. Des grèves d'appui sont signalées à Lima, Mexico, Paris, Genève, en Belgique, aux Pays-Bas, en Suède. Des représentants d'organisations de défense des droits de l'homme arrivent à La Paz, tandis que des télégrammes de soutien parviennent de l'ensemble du monde occidental. Après des tentatives de négociations pour faire céder les grévistes, notamment par le truchement de la hiérarchie de l'Église, le gouvernement décide d'employer la force et déloge les principaux groupes dans la nuit du 16 au 17 janvier. Puis brusquement, le 17 au soir, alors que la tension est à son comble, il consent à une amnistie sans restriction, à la réincorporation de tous les mineurs licenciés à des postes équivalents à ceux qu'ils occupaient précédemment et au même niveau de salaire qu'avant leur renvoi, et garantit enfin de toute poursuite les participants à la grève et leurs associés. Le libre exercice syndical est rétabli quelques jours plus tard, le 24 janvier.

Pour tenter de comprendre un tel événement, deux voies différentes de départ peuvent être empruntées. La première consiste à l'envisager comme un moment singulier de l'histoire sociale et politique bolivienne et à marquer ainsi une spécificité locale. La seconde à étudier ce combat comme un cas typique de la défense des droits de l'homme en Amérique latine dans les décennies 1970-1980, voire même comme un moment marquant de la chute des dictateurs latino-américains et, par conséquent, de l'avènement des démocraties.

Cette opposition en cache une seconde : soit l'analyse se concentre sur la grève elle-même, soit cette dernière est envisagée comme un moment d'un cycle de contestation, que l'on pourrait faire débuter en 1973 lorsque surgit la commission Justicia y paz qui popularise la lutte pour les droits de l'homme dans le pays. En somme, partir de l'événement qu'est la grève, en adoptant comme unité d'analyse son espace et sa durée, ou l'inclure à la fois dans un cycle plus long et un espace plus large : telle est l'alternative. Les deux démarches ne sont évidemment pas exclusives ; au contraire, elles se complètent l'une l'autre. La seconde solution permet la comparaison avec les mouvements parallèles des pays voisins. Dans cette optique, je m'intéresserai prioritairement au contexte politique d'apparition du mouvement, aux organisations qui le supportent et à leurs liens avec l'extérieur, au contenu des messages qu'elles véhiculent, et enfin aux conséquences politiques de la lutte.

## Le contexte politique national

L'analyse du contexte national de la grève fait apparaître une « structure des occasions politiques » particulière, telle que la conçoit Sydney Tarrow : « *A set of constraints and opportunities that encourage or discourage it (le mouvement social) and lead it towards certain forms rather than others*[1]. » La Bolivie des années soixante-dix se caractérise en effet par l'existence d'un régime autoritaire répressif qui, toutefois — et c'est en quelque sorte le défaut de la cuirasse — garde des références constitutionnelles et paraît sans cesse hésiter — du fait, parmi d'autres raisons, de divergences au sein du bloc gouvernant —, entre le retour à un gouvernement civil et la perpétuation de « l'exception » militaire.

Le 22 août 1971, le colonel Banzer met fin par un coup d'État au gouvernement national-populiste du général Torres. Il impose au pays une dictature qui, pour être moins redoutablement efficace que celles des pays voisins du cône Sud, tristement célèbres, n'en est pas moins brutale. Entre octobre 1971 et la fin de l'année 1977, la documentation réunie par les organisations de défense des

---

1. Cf. Sidney Tarrow, « National politics and collective action : recent theory and research in western Europe and the United States », *Annual review of sociology*, 14, 1988, p. 429. Cette notion a été d'abord avancée par P. K. Eisinger (« The conditions of protest behavior in American cities », *American political science Review*, 67 : pp. 11-28), qui fait explicitement du degré d'ouverture ou de fermeture du système politique une des conditions de l'action collective.

droits de l'homme fait état d'au moins 200 morts, de 14 750 emprisonnements, et de 19 140 exils politiques[2].

Jusqu'au 9 novembre 1974 l'armée, qui gouverne avec des alliés civils du Mouvement nationaliste révolutionnaire (MNR) et de la Phalange socialiste bolivienne (FSB), tout en déclarant appliquer la constitution de 1967 « dans la mesure où elle ne contredit pas la nature et l'esprit du gouvernement », ne s'autorise que la légalisation de la peine de mort et le droit d'emprisonner les suspects pour une durée indéterminée. Puis, s'étant débarrassé de ses alliés civils, le régime militaire édicte une série de mesures autoritaires calquées sur le modèle corporatiste chilien du général Pinochet. Tous les partis politiques sont mis en sommeil ; les responsables syndicaux sont remplacés par des coordinateurs nommés ; un service civil obligatoire est institué pour toutes les personnes majeures, ainsi tenues d'occuper des emplois désignés ; les grèves et manifestations ainsi que les réunions sont interdites — sauf à être officiellement organisées.

Aucun groupe n'est épargné par la répression, qu'il s'agisse des secteurs sociaux (mineurs, ouvriers, paysans, employés[3], journalistes[4]), ou encore des partis politiques ou des Églises. Mais pour la compréhension de la grève, je mettrai l'accent sur deux d'entre eux qui jouent un rôle central dans sa gestation et son déroulement : les mineurs et l'Église.

Passé les premiers mois de l'installation de la dictature, les syndicats de mineurs récupèrent une certaine liberté de manœuvre. Les mineurs de la base se manifestent à nouveau en 1975, dans le centre minier qui a les traditions de lutte les plus affirmées, Siglo XX - Catavi, par une grève de quinze jours pour obtenir la réouverture des stations de radio du campement. C'est un succès. Et cette victoire amène les dirigeants clandestins de la FSTMB à

---

2. Pour prendre l'exacte mesure de ce bilan, il faut se rappeler qu'en 1976 la Bolivie compte encore moins de cinq millions d'habitants.
3. Cf. Asamblea permanente de los derechos humanos de Bolivia, *La declaracion universal de los derechos humanos y la represion en Bolivia*, La Paz, ronéo, 1977.
4. *El delito de ser periodista. La libertad de prensa en Bolivia. Documento y testimonios, 1971 - 1977*, APDH, La Paz.

organiser un congrès national le 1er mai 1976. Une augmentation substantielle des salaires de base est exigée du gouvernement. Elle est assortie d'une menace de grève générale en cas de réponse négative. Le 9 juin, l'armée passe à l'offensive, tandis que les mineurs entrent en grève. Au bout du compte, malgré une résistance opiniâtre, les mines sont occupées par la troupe, les radios fermées, un millier de mineurs sont licenciés[5] (dont environ quatre cents à Siglo XX - Catavi), de nombreux dirigeants sont arrêtés et, pour certains, exilés au Chili.

Autre cible de la répression : l'Église qui, ouvrant des canaux d'expression aux contestataires, devenait la « voix des sans-voix ». Tout en se disant le porte-parole « du peuple chrétien et patriote de Bolivie », le gouvernement s'attaque avec constance au clergé progressiste. Si bien qu'entre 1971 et 1978, une centaine de prêtres et de religieux doivent abandonner le pays. Selon une liste partielle, trente-cinq édifices (temples, collèges, résidences) sont violés — certains à plusieurs reprises. Des ecclésiastiques sont contrôlés par les services de police ; des radios appartenant à l'Église sont interdites ou menacées, etc.[6]

Cependant la question du retour à un gouvernement civil élu selon des procédures démocratiques ne cesse jamais d'être évoquée aussi bien par les opposants civils et militaires au régime, que par les membres de l'équipe au pouvoir, au premier chef le président en personne. Et on peut suivre, en reprenant les déclarations de ce dernier, les hésitations et les atermoiements auxquels cette question donne lieu. Le 22 juin 1973, il annonce des élections pour 1974, puis, en novembre de cette même année, il recule l'échéance à 1975. L'année suivante, un coup d'État raté de jeunes officiers (juin 1974) demandant la moralisation de la vie publique et la convocation d'élections révèle l'existence d'un courant constitutionnaliste au sein de

5. Cf. « Domitila prend la parole : les exilés, Discours de Caracas », 1979, *Amérique latine*, n° 2, avril-juin 1980, p. 90.
6. Cf. *La Iglesia de Bolivia : Compromiso o traicion ? De Medellin à Puebla. Ensayo de analisis historico*, La Paz, ronéo, juin 1978.

l'armée[7]. Le 21 juillet 1974, le chef de l'État annonce la création d'un Comité national chargé de réformer la Constitution et la loi électorale, un ensemble de dispositions devant être soumises au référendum. Il semble ainsi répondre aux vœux des officiers rebelles. Mais, le 8 octobre, le référendum est annulé. Et le décret du 9 novembre 1974 prolonge le gouvernement militaire pour cinq ans. Finalement, c'est le 9 novembre 1977 que les forces armées annoncent la convocation à des élections qui auront lieu le 8 juillet 1978. La grève démarre donc dans un contexte politique d'ouverture électorale.

## Les organisations boliviennes de défense des droits de l'homme

Si l'on envisage la grève de la faim comme une étape de la lutte contre la dictature qui tire sa force — au moins partiellement — du combat au nom des droits de l'homme, il faut maintenant présenter les organisations qui les promeuvent dans le pays.

C'est d'abord la commission Justice et paix, créée le 8 janvier 1973, qui prend en charge les problèmes engendrés par la répression. Elle naît, à la suite du concile Vatican II (1962 - 1965), d'une campagne mondiale de l'Église lancée depuis Rome par la commission pontificale Justice et paix pour la création d'un réseau d'instances nationales. En Bolivie elle se donne pour tâche de mettre en évidence et de dénoncer les situations d'injustice et d'oppression, et bien sûr de guider, d'orienter — sur cette base — la vie nationale selon les valeurs chrétiennes. Dépendant directement de la Conférence épiscopale bolivienne, elle dispose d'une couverture officielle à la fois nationale et internationale. Sa naissance est annoncée par voie de presse — dans le quotidien *Presencia* appartenant à la hiérarchie de l'Église — et dès le lendemain des demandes de secours arrivent. Si bien que rapidement, elle se spécialise dans l'aide aux prisonniers, aux exilés et à leurs familles. Un

---

7. Ce courant militaire s'alimente à d'autres sources qu'à celle de la *Oficialidad joven*. Cf. J.-P. Lavaud, « La démocratie entrevue », *Problèmes d'Amérique latine*, déc. 1979.

des premiers cas d'assistance rendu public (le 30 janvier) est une demande d'habeas corpus pour cinq femmes détenues, aussitôt rejetée par un pouvoir judiciaire inféodé. Les deux responsables de Justicia y paz, l'ex-président de la République Luis Adolfo Siles Salinas et le père Arturo Sist, offrent alors d'être emprisonnés à la place des cinq femmes. Le résultat est inespéré : le gouvernement libère les cinq femmes et dix-neuf autres prisonniers[8]. Cette victoire lance le mouvement. La commission établit la liste des prisonniers — insistant particulièrement sur les cas des femmes, des enfants, des malades — des exilés, des disparus. Elle soumet d'autres demandes d'*habeas corpus* aux instances judiciaires — toutes refusées ; fait campagne pour l'amnistie ; rédige des rapports sur certaines phases répressives — le plus connu, *La masacre del valle* (1974), rapporte dans quelles conditions l'armée a mis fin à des barrages routiers de paysans ; s'interroge sur la démocratisation en mettant en regard la Constitution et l'application que le gouvernement en fait.

Après deux années de batailles incessantes, Justicia y paz est une organisation vigoureuse, très gênante pour le gouvernement qui, entre-temps, s'est encore raidi (cf. les décrets de novembre 1974). Une campagne est alors déclenchée contre elle. Son secrétaire du moment, le prêtre Éric de Wasseije, d'abord détenu, est exilé au Pérou en compagnie d'un autre curé le 14 mars 1975. Puis le gouvernement obtient des évêques sa mise en sommeil le 26 mars 1975. Comme le souligne à juste titre l'étude *La Iglesia de Bolivia, Compromiso o traicion*[9] ?, le fait que la commission dépende juridiquement de l'épiscopat faisait à la fois sa force et sa faiblesse. « Sa force parce qu'elle était la voix de l'Église pour le gouvernement, mais aussi sa faiblesse parce que la majorité des évêques n'était pas disposée à la soutenir si cela devait mener à un affrontement grave. »

---

8. Cf. *La Iglesia de Bolivia...*, op. cit., p. 126.
9. L'attaque contre Justice et paix fait partie d'un plan d'ensemble de l'armée appuyée par la CIA contre la frange progressiste de l'Église. Cf. Gonzalo Arroyo, « Répression de l'Église latino-américaine : les purges à main armée et la CIA », *Études*, août-septembre 1975, et « Répression contre l'Église et progression du néo-fascisme », *Études*, janvier 1977.

Il faut attendre octobre 1976 pour qu'une autre organisation, l'Asamblea permanente de derechos humanos (APDH) prenne le relais de Justice et paix. Certains de ses membres prendront part à la grève de la faim, d'autres assureront la logistique du mouvement, enfin ils représenteront les grévistes pour négocier avec le gouvernement. L'Assemblée est une ONG qui maintient des liens étroits avec l'Église catholique, mais reçoit aussi l'appui des Églises méthodiste et luthérienne[10]. Plus ouverte que Justicia y paz, et décentralisée en sous-comités départementaux voire locaux — dans les mines notamment —, elle dispose de véritables relais populaires. Quant au fond, son action ne se distingue en rien de celle de la commission antérieure. On notera cependant les demandes d'amnistie réitérées chaque année avant Noël, date rituelle de grâce, dans le pays. Celle de 1977, nationale et internationale, est particulièrement insistante[11].

On peut donc reprendre ici l'hypothèse de Guy Hermet[12] selon laquelle, en régime à « pluralisme limité », les organisations religieuses relaient « les partis impuissants dans l'accomplissement de quelques-unes de leurs fonctions ». En l'occurrence, par le truchement de Justice et paix, de l'APDH — les subtilités du changement de statut échappant à la plupart étant donné que les mêmes figures de chrétiens animent l'une et l'autre association —, elles exercent une fonction tribunitienne en « prenant la défense de catégories sociales, ethniques ou de groupes placés en marge du pouvoir », et de ceux qui sont atteints par la répression. Elles remplissent également des fonctions plus offensives « logistiques et para-

---

10. On retrouve à sa tête le prêtre Julio Tumiri et Luis Adolfo Siles Salinas.
11. En 1977, l'amnistie est notamment présentée comme un préalable à l'organisation d'élections. Il faut noter en outre que toutes les amnisties précédentes du régime ont été de fausses amnisties — au point que certains des amnistiés ont été arrêtés dans la rue afin d'être relâchés en temps voulu. A ce sujet, Cf. Manuel Morales Davila, *Los derechos humanos en Bolivia 1971 - 1977*, La Paz : Confederacion nacional de profesionales de Bolivia, 1977.
12. Guy Hermet, « Les fonctions politiques des organisations religieuses dans les régimes à pluralisme limité », *Revue française de science politique*, vol. XXIII, n° 3, juin 1973.

partisanes ». Elles fournissent en effet des ressources aux défenseurs des droits de l'homme : un statut (pour Justicia y paz), des moyens (local, accès à la presse catholique, possibilité de financement...), une protection — certes relative —, une caution morale enfin ; l'engagement de l'Église dans le combat attestant à la fois sa valeur et l'honorabilité des combattants. Toutes ressources qui donnent à l'action entreprise son poids politique.

Il ne fait pas de doute que les organisations de défense des droits de l'homme ont aussi une fonction « d'élaboration d'objectifs » et de « sélection de leaders » pour reprendre les termes de Guy Hermet. En l'occurrence, non seulement elles sélectionnent des leaders, mais encore elles parviennent à en coaliser certains sous leur bannière (ou au moins à obtenir leur appui), qui en d'autres temps, et pour d'autres luttes, se sont ignorés ou combattus. Il en va de même pour la fonction de « socialisation politique » assurée principalement par le truchement de l'APDH, dont le recrutement est plus large, à la fois géographiquement et socialement, que celui de Justice et paix, et pendant la grève de la faim. On peut aussi considérer que cette fonction s'exerce au-delà des groupes moteurs, puisque leurs actions aussi bien que leurs ouvrages sont largement diffusés dans la presse et par certaines radios, surtout en 1977.

L'hypothèse selon laquelle des « structures des occasions politiques » proches suscitent des réponses voisines est confirmée par le fait que les autres dictatures sud-américaines connaissent des réactions semblables.

### Les relais internationaux

En effet, des luttes pour les droits de l'homme, patronnées ou favorisées par l'Église, surgissent au même moment dans divers pays. C'est en 1973 qu'au Brésil, depuis l'archevêché de Sao Paulo est organisée la première semaine de défense des droits de l'homme « accompagnée de commentaires appuyés sur des fondements bibliques et émanant de plusieurs Églises[13] ». Au Brésil encore, cette

---

13. Cardinal Arns, Archevêque de Sao Paulo, dans *Amérique latine*, n° 2, avril-juin 1980, p. 43.

même année, à l'occasion du vingt-cinquième anniversaire de la Déclaration universelle des droits de l'homme, la conférence des évêques du Brésil (CNBB) approuve, lors de sa treizième assemblée générale, un ensemble de propositions concernant la participation des chrétiens brésiliens à la défense de ces droits. Aussi bien pour ce qui est de la théologie de la libération qu'en ce qui concerne l'implantation des communautés ecclésiales de base, l'épiscopat brésilien est pionnier avec ceux du Chili et du Pérou[14]. Mais la thématique de la défense des droits de l'homme proprement dite n'est spectaculairement mise en avant qu'en 1973. Et dans ce domaine la Bolivie précède le Chili puisque, à la naissance de Justice et paix, ce pays vit encore sous le gouvernement de Salvador Allende. De nombreux Boliviens y sont d'ailleurs réfugiés, si bien que lors du coup d'État de A. Pinochet, Justicia y paz envoya une délégation qui sauva la vie non seulement à des Boliviens, mais encore à d'autres Latino-Américains[15]. En bref, la parenté des situations engendre la parenté des réponses et, à l'échelle continentale, la Bolivie est engagée très tôt dans un combat qui devient commun à la fin des années soixante-dix, aussi bien dans le cône Sud qu'en Amérique centrale.

Mais en fait les « structures des opportunités politiques » voisines des pays d'Amérique latine sont elles-mêmes inscrites dans un environnement politique plus vaste qui tend à rendre encore plus opportunes les luttes qui s'y déroulent. D'abord la défense des droits de l'homme s'impose sur le marché mondial des idées à la fin des années soixante, puis les gouvernements démocratiques occidentaux en font une arme diplomatique dans les années soixante-dix — États-Unis en tête.

C'est en 1966 que l'ONU adopte successivement le Pacte international relatif aux droits économiques sociaux et culturels, puis celui relatif aux droits civils et politiques. Au sein de l'Église, certains pensent que c'est le pape Paul VI qui utilisa le premier l'expression droits de l'homme dans son allocution du Nouvel An de 1969 :

---

14. Alors que ceux d'Argentine, de Colombie, du Mexique font partie du peloton de queue.
15. Entretien personnel avec Luis Adolfo Salinas, La Paz, 1978.

« La promotion des droits de l'homme, chemin vers la paix[16]. » En URSS le Comité des droits de l'homme présidé par Andréi Sakharov, Andréi Tverdoklebov et Valeri Chalidze voit le jour en novembre 1970[17]. Mais c'est évidemment dans les années 1970 que la question devient centrale, notamment avec la Conférence d'Helsinki de 1975 sur la sécurité et la coopération en Europe dont l'Acte final établit un lien entre les relations internationales entre pays et la libre circulation des idées et des personnes.

Le gouvernement des États-Unis de Jimmy Carter, qui arrive à la Maison Blanche en novembre 1976, accentue une tendance déjà prononcée qui a déjà gagné l'opinion aux États-Unis même[18]. « Faire respecter les droits de l'homme au triple plan de la sécurité personnelle, des libertés civiles et politiques et du bien-être économique et social, n'employer que des moyens conformes aux idéaux américains, favoriser par une assistance économique et militaire la réforme pour éviter la révolution, telle était la ligne politique que le gouvernement Carter s'était fixée en Amérique latine[19]. »

Outre le fait qu'elle hâte le retour des régimes constitutionnels, cette action diplomatique donne un écho encore plus puissant à toutes les dénonciations de violation des droits, en légitimant les organisations qui les produisent et en les rendant plus pugnaces. On peut se poser la question de savoir si la politique des droits de l'homme est un simple moyen pour assurer, ou réassurer, la domination nord-américaine sur le sous-continent et au-delà, ou s'il s'agit d'un effort sérieux et rationnel en faveur d'une plus grande jus-

---

16. Bernard Plongeron, « Pourquoi l'anathème catholique aux XVIII -XIX[e] siècles », *Projet*, n° 151, 1981.

17. Antérieurement, on peut aussi noter, en 1962, la publication du livre témoignage d'Alexandre Soljenitsyne sur la vie des camps, *Une journée d'Ivan Denissovitch*, ainsi que la création d'Amnesty International en 1961 (prix Nobel de la paix en 1977).

18. Cf. à ce sujet Karl E. Birnbaum, « Les droits de l'homme dans les relations Est-Ouest », *Esprit*, n° 6, juin 1987 et Alain Rouquié, « La présidence Carter et l'Amérique latine. Parenthèse ou mutation ? », *Problèmes d'Amérique latine*, n° 60.

19. Marie-Christine Granjon, « La politique des droits de l'homme et son application », *Problèmes d'Amérique latine*, n° 60. Cf. aussi dans le même numéro l'article d'Alain Rouquié.

tice. Les deux visées ne sont pas forcément contradictoires. On peut aussi, et dans un même mouvement, se demander si ce qui est déterminant pour la suite des événements — en l'occurrence la réalisation d'élections, puis, après coup, le processus hésitant de consolidation démocratique — c'est la pression diplomatique des États-Unis, ou bien la force grandissante du courant d'opinion, à la fois interne au pays et externe à celui-ci, qui s'indigne des excès des dictatures au nom des droits de l'homme.

Quoi qu'il en soit, en Bolivie, la transition est amorcée par la visite à La Paz, en mai 1977, du secrétaire d'État adjoint pour les affaires interaméricaines, Terence Todman. Puis le 10 septembre, le général Banzer se déplace à Washington à l'occasion de la signature du traité concernant le canal de Panama. Son entrevue avec Jimmy Carter est décisive, et le 30 septembre il évoque pour la première fois la possibilité d'avancer la date des élections. Selon l'ambassadeur des États-Unis, le président Carter a en effet manifesté au général son « désir ardent de voir évoluer le régime vers des formes civiles et constitutionnelles ».

Si la parenté des acteurs et des formes de l'action collective au nom des droits de l'homme provient à la fois de « structures des opportunités politiques » comparables et d'influences et de pressions internationales communes, elle est encore renforcée par les liens que les organisations de défense des droits de l'homme tissent entre elles.

Pour ce qui est de la Bolivie, le travail vital de constitution d'un réseau démarre très tôt, puisque selon Luis Adolfo Salinas, qui dirige Justicia y paz, la commission suscite la création d'un groupe andin qui se réunit à Quito[20].

Les contacts de l'APDH avec l'extérieur sont toutefois beaucoup plus soutenus. On apprend, à la lecture du rapport d'activité 1976 / 1977, que la réunion initiale de l'Assemblée se déroule en présence du vice-président de l'assemblée sœur argentine[21]. Par la suite, la volonté de

---

20. Entretien personnel, *op. cit.* Selon Thierry Maliniak, en 1974 et 1975 Justice et paix commença à servir de modèle pour d'autres pays, *La cité*, 27 mai 1975.

21. *Primer informe de actividades y resumen historico del primer ano de existencia de la Asamblea*, nov. 76 - déc. 77, La Paz : ADPH, ronéo., décembre 1977.

l'APDH de se faire reconnaître comme ONG par l'ONU l'amène à des contacts répétés avec les associations équivalentes d'Argentine, du Paraguay, du Pérou, de Colombie, en vue de déboucher sur la création d'une Fédération latino-américaine des droits de l'homme, qui verra finalement le jour en 1978. Et de nombreux liens sont établis ou confortés lors d'un voyage de Luis Adolfo Siles Salinas aux États-Unis, au Canada et en Europe, avec le Conseil mondial des Églises, l'Union internationale des juristes, WOLA, la Cimade, Amnesty International..., ou par l'assistance à des réunions internationales diverses. Des missions viennent aussi enquêter sur place : Amnesty International, la Croix-Rouge (20 juin - 13 juillet 1975), l'OIT en juin 1976, puis trois semaines en septembre 1977, les présidents de l'Organisation internationale des juristes catholiques et de la Fédération internationale des droits de l'homme en août 1975, le secrétaire de la Confédération mondiale du travail (CMT) en octobre 1976, trois délégués de l'union nationale des mineurs britanniques en avril 1977... Tout ce réseau devient manifeste lors de la grève de la faim quand les grévistes reçoivent de très nombreux télégrammes d'appui, en même temps que le gouvernement se voit signifier de céder à leurs injonctions. Trois représentants du Washington office of Latin America (WOLA), de la Conférence épiscopale des États-Unis, ainsi que du Conseil mondial des Églises arrivent à La Paz les derniers jours de la grève et assistent à l'évacuation des lieux de grève par la police.

La ressemblance vient donc aussi du fait que ce qui marche ici est essayé ailleurs, par des « emprunts directs de modèles d'action collective, d'informations sur les conséquences, de croyances à l'égard des buts de l'action, et d'un savoir ou d'une capacité d'expertise des acteurs de l'action collective[22] ».

Enfin, on peut utiliser la notion de « structure des opportunités politiques », non plus pour typer de manière large le contexte favorable au mouvement social et politique, en faveur des droits de l'homme, mais pour préciser

---

22. Charles Tilly, « Réclamer viva voce », *Cultures et conflits*, n° 5, printemps 1992.

celui qui précède la mobilisation que constitue la grève de la faim[23].

Je ne retiendrai ici que deux traits de cette « structure » qui, bien entendu, s'inscrivent dans le cadre d'ensemble fixé précédemment. Tout d'abord, la grève survient alors qu'un calendrier électoral vient d'être fixé, et donc dans un contexte d'ouverture du jeu politique — ouverture sinon complètement suscitée, du moins encouragée par les États-Unis. Le bloc gouvernant s'en trouve fragilisé. On sait en effet depuis la célèbre analyse de Tocqueville de la Révolution française que « le mal qu'on souffrait patiemment comme inévitable semble insupportable dès qu'on conçoit l'idée de s'y soustraire[24] ». Et d'un autre côté, l'APDH élargit son audience — nationale et internationale — tandis que d'autres organisations véhiculent aussi le combat pour les droits de l'homme, qui trouve un écho de plus en plus large dans la population. Autrement dit des « opportunités » nouvelles d'action se font jour.

La grève démarre lorsque, après des mois d'une campagne soutenue en faveur d'une « réelle amnistie politique », le gouvernement, soucieux de maîtriser le processus électoral qu'il vient d'enclencher, ne décrète qu'une amnistie partielle, laissant de côté les opposants politiques gênants et une grande partie des dirigeants syndicaux des mineurs.

On ne sera dès lors pas surpris que la défense des droits de l'homme débouche dans les dictatures voisines sur des actions collectives du même type. C'est le cas du « jeûne à durée limitée » qui, du 11 au 25 août 1983, est observé en Uruguay par des membres du Servicio paz y justicia (SERPAJ) après que le gouvernement eut été affaibli par l'échec d'un référendum destiné à changer la constitution : une grève qui suscita une très vaste mobilisation et hâta la transition uruguayenne vers la démocratie[25]. En revanche,

---

23. Sur l'analyse des événements, cf. Susan Olzak, « Analysis of events in the Study of collective action », Annual review of sociology, 15, 1989.

24. Alexis de Tocqueville, L'ancien régime et la révolution, Paris, Robert Laffont, Bouquins, 1986, p. 1058.

25. Cf. J.-P. Mille, « La non-violence ramène la démocratie », Alternatives non-violentes, n° 62, déc. 1986, pp. 27-31.

au Chili, les batailles du Comité pour la paix et du Vicaria de la solidaridad n'amènent pas de mobilisations collectives de même ampleur susceptibles d'ébranler la junte au pouvoir, en raison de la solidité du bloc gouvernant[26].

## Le langage des droits de l'homme et son impact

Il est temps d'en venir maintenant au discours des droits de l'homme. Ils sont étayés par deux références juridiques. La première est celle de la Déclaration universelle de 1948. On la trouve dès le 20 janvier 1973 dans un manifeste intitulé Évangile et violence signé par quatre-vingt dix-neuf chrétiens qui, dans le contexte de « violence institutionnalisée » du pays, dénoncent jusqu'à dix-sept violations quotidiennes des droits. Plus clair encore, un document de l'APDH d'octobre 1977 intitulé « La Déclaration universelle des droits de l'homme et la répression en Bolivie » fait un bilan de l'arbitraire dictatorial en reprenant ses articles un à un : l'article III selon lequel tout individu a droit à la vie, à la liberté, à la sécurité de sa personne est suivi de la liste des personnes assassinées depuis 1971. Et ainsi de suite, article par article.

La seconde est la référence à la Constitution nationale de 1967. Elle sert de levier à des questions sur les mesures d'exception. Pourquoi de simples décrets prévalent-ils sur la Constitution ? Pourquoi le pouvoir judiciaire ne les met-il pas en cause ? Thèmes qui rejoignent d'ailleurs ceux de la Déclaration universelle dans ses articles X et XI notamment, qui précisent que toute personne a le droit d'être jugée par un tribunal indépendant. L'appui sur les règles constitutionnelles permet aussi de demander la tenue d'élections, pour lesquelles une amnistie est jugée nécessaire, ainsi que la légalisation des partis politiques (après 1974) et la neutralité de l'armée.

On peut aussi noter que sont étroitement entremêlées deux approches des droits de l'homme : la première en termes de liberté ou d'autonomie (dans l'esprit de la Déclara-

---

26. Cf. Charles Condamines, *Chili : l'Église catholique 1958-1975. Complicité ou résistance ?*, Paris, L'Harmattan, 1977.

tion de 1789), et la seconde en termes d'obligation de l'État ou de la société à l'égard de l'individu : droit au travail, à l'éducation, à la santé, etc. La situation répressive rend évidemment très présentes les demandes de libertés individuelles complétées par certaines libertés collectives, comme les libertés syndicales. Mais les revendications sociales, ou plutôt de droits sociaux, n'en sont pas moins pressantes. On les retrouve par exemple dans le document de l'APDH d'octobre 1977, au titre des articles XXIII (droit et travail) et XXVI (droit et éducation) de la Déclaration universelle. Le rapport d'activité de cette même organisation (déc. 1977) nous apprend la réalisation d'enquêtes sur les salaires des ouvriers et des mineurs, sur les coûts des transports à La Paz — d'autres doivent suivre — destinées à justifier les exigences d'augmentations de salaires. Et il est évident que le motif de l'emploi est crucial dans la revendication des femmes de mineurs. L'amnistie n'est pas une fin en soi, ou la simple récupération d'une citoyenneté pleine et entière, c'est aussi, et sans doute avant tout, le retour au travail. L'accord de fin de grève stipule d'ailleurs clairement la récupération des emplois au même grade et avec la même ancienneté. Comme le dit Domitila de Chungara dans un compte rendu de la grève : « *Queremos que haya libertad, que los presos salgan de las carceles y que los que estan sin trabajo entran a trabajar*[27]. »

L'invocation des droits de l'homme joue de trois manières différentes pour changer la situation, qu'elle serve directement à mobiliser les acteurs, ou qu'elle contribue à modifier plus en profondeur les attitudes et les comportements politiques.

Il y a d'abord ce que l'on pourrait appeler une utilisation instrumentale de ceux-ci, comme expression de l'opposition au régime dans un contexte répressif. On a vu en effet que les organisations de défense des droits de l'homme étaient les seules à disposer de ressources suffisantes à cette fin. Cette utilisation instrumentale tire sa

---

27. Citée par David Acebey, *Aqui tambien Domitila*, La Paz : S.E., 1984. A l'époque dans la mine de Siglo XX, il y a selon elle « 400 familles dans la rue parce qu'il y a 400 mineurs emprisonnés, recherchés ou exilés », *Amérique latine*, avril-juin 1980.

force du fait que les mesures d'exception sont contrebalancées par des expressions juridiques supérieures : la Charte des droits de l'homme et la Constitution nationale.

En second lieu, il y a le fait que le combat pour la défense des droits de l'homme n'est pas seulement un combat juridique. C'est aussi un combat moral, éthique, profondément lié aux valeurs chrétiennes fondamentales qui imprègnent le sous-continent. Ainsi, participer à ce combat, c'est tendre vers un idéal d'humanité. Les membres des associations des droits de l'homme sont des modèles, tout comme les grévistes de la faim. Le fait que des membres du clergé soient intimement associés au mouvement ajoute à cette dimension éthique une marque de sainteté et contribue à en accroître encore l'exemplarité.

En dernier lieu, plus profondément et moins immédiatement, la diffusion des principes fondamentaux de la Déclaration a une vertu pédagogique. Elle sert en effet à affirmer symboliquement la suprématie du droit sur tout autre principe de gouvernement. Plus précisément, elle favorise la prise de conscience de droits individuels et collectifs contractuels (libre association, droit syndical) — à moins qu'elle ne les rappelle — qu'il convient de défendre et de promouvoir. Et comme le dit Claude Lefort « à partir du moment où les droits de l'homme sont posés comme ultime référence, le droit établi est voué au questionnement (...) si efficaces soient les moyens dont dispose une classe pour exploiter à son profit et dénier aux autres les garanties du droit, ou ceux dont dispose le pouvoir pour se subordonner l'administration de la justice ou assujettir les lois aux impératifs de la domination, les moyens restent exposés à une opposition de droit[28] ». Dans des pays où sont encore si présents les contraintes hiérarchiques et les réseaux clientélistes, ces droits servent donc l'installation de la démocratie ; ils en sont même un des principes générateurs[29].

Ces quelques considérations amènent à distinguer les conséquences à court terme de la grève de la faim et les

---

28. Claude Lefort, « Droits de l'homme et politique », *Libre*, n° 7, 1980.
29. On trouvera des réflexions proches dans l'article de Gilles Bataillon, « Amérique centrale entre violence et démocratie », *Hérodote*, n° 57, avril-juin 1990.

effets plus diffus des luttes pour les droits de l'homme. Pour ce qui est de la grève, outre ses résultats immédiats et déclarés du fait de son succès (reprise du travail pour les licenciés, retour des exilés, libertés syndicales...), elle contribue à fragiliser et à déstabiliser le gouvernement militaire. Toutefois, alors qu'à la fin de cette commotion les augures prévoient sa chute, il résiste jusqu'aux élections de juillet. C'est qu'en fait aucune équipe n'est suffisamment organisée pour prendre immédiatement la relève — quatorze années de dictature plus ou moins accentuée ont bloqué la dynamique des partis politiques. C'est aussi parce que la véritable alternative consiste à appliquer la constitution et donc à se plier à la consultation électorale. Les mois qui suivent vont être fiévreusement occupés par des mobilisations qui aboutissent très vite à la tenue de réunions, de congrès, d'assemblées et à la désignation de responsables, si bien qu'à terme les élections de 1978 sont beaucoup plus ouvertes que prévu, et donc difficilement contrôlables par leur promoteurs[30]. Autrement dit, la lutte pour les droits de l'homme et la grève de la faim ont pour conséquence la plus évidente d'ouvrir largement la compétition pour l'accès au gouvernement, de telle sorte que, malgré des fraudes massives, le candidat officiel, le général Pereda, perd ces élections.

Il est beaucoup plus délicat d'estimer la part des luttes pour les droits de l'homme dans un processus de démocratisation particulièrement long et tortueux, puisque entre 1980 et 1982, le pays connaît une alternance de gouvernements militaires et civils, et que ce n'est qu'après le repli de l'armée, usée et divisée, en 1982, qu'un gouvernement élu peut enfin s'installer durablement. Cependant, il faut souligner qu'aussi bien l'APDH que la hiérarchie de l'Église ont joué à nouveau un rôle déterminant après le coup d'État du général Garcia Meza (juillet 1980) par la dénonciation des violations, l'aide aux victimes, le soutien

---

30. Cette profusion d'activités militantes s'accomplit dans un contexte de grande liberté d'expression : journaux, revues et radios, libérés de la censure, donnent un large écho à tout ce processus. Déjà pendant la grève du 28 décembre 1977 au 18 janvier 1978, selon P. Croissant, à La Paz, le nombre des radios passe de 12 à 22. « Bolivie 1978 : la grève de la faim contre la dictature », *Alternatives non violentes*, n° 39, décembre 1980.

aux syndicats en grève, ou la participation aux négociations avec le gouvernement.

Il est donc possible de considérer que les luttes menées au nom des droits de l'homme ont constitué un rempart à l'arbitraire des régimes militaires et qu'elles ont contribué à ouvrir la voie à la démocratie. Mais il reste que l'analyse de cette transition requiert, pour le moins, une étude minutieuse des affrontements entre les agents politiques en présence, et de l'évolution de leurs représentations, ce qui dépasserait le cadre de cette contribution.

# RÉSISTANCE
# ET COMMUNICATION

Dans les pays où l'État exerce un contrôle absolu sur les moyens de communication, l'accès à l'information provenant de médias étrangers est une condition importante de développement de la résistance civile. C'est en effet un mode essentiel de contournement de la censure et donc de constitution d'un espace public critique de la sphère du pouvoir. Cet espace public, créé de l'extérieur par des médias audiovisuels (radio et télévision), peut favoriser et amplifier le développement d'une résistance intérieure. Ainsi, le rôle de la radiodiffusion internationale en faveur de l'ouverture des sociétés est-européennes pendant la guerre froide et la détente a été souligné et en partie analysé[1]. En revanche, l'action contemporaine des médias occidentaux vers la Chine ou l'Afrique est moins connue. Les contributions de Jacques Andrieu sur les événements de la place Tiananmen et de Théophile Vittin sur la transition démocratique au Bénin sont donc d'un grand intérêt.

---

1. Voir notamment Kenneth Short (Ed.), *Western Broadcasting over the Iron curtain*, New York, St. Martins Press, 1986.
   Jacques Semelin, « Communication et résistance : les radios occidentales comme vecteur d'ouverture à l'Est », *Réseaux*, n° 53, mai-juin 1992, pp. 9-24.

L'étude de Théophile Vittin, qui s'inscrit dans la lignée des travaux d'André-Jean Tudesq[2], illustre l'importance que les médias occidentaux peuvent jouer dans l'évolution politique de pays africains. L'écoute des radios extérieures (surtout de langue française) était notamment une pratique courante sous le régime marxiste-léniniste du président Mathieu Kérékou, que l'on fût ou non dans l'opposition. A la faveur de la crise économique qui secoua le pays à partir de 1987, les médias occidentaux furent impliqués dans le processus qui aboutit à la chute du régime en décembre 1990. Ils encouragèrent l'accession au pouvoir de Nicéphore Soglo, reprenant les déclarations des opposants et contestataires. Les médias extérieurs auraient ainsi joué un rôle cristallisateur de la crise, ce qui a accéléré son dénouement.

Est-ce à dire que leur influence s'est achevée avec l'avènement de ce pouvoir d'inspiration démocratique ? Non, parce qu'ils exercent toujours une fonction de référence, demeurant à la fois « craints et courtisés, écoutés et critiqués ». Théophile Vittin montre également le jeu subtil de leur utilisation par le nouveau pouvoir, pour se donner une image démocratique auprès des Occidentaux et communiquer avec sa propre population. De cette analyse se dégage l'ambivalence fondamentale envers les médias occidentaux, qui reflète probablement le rapport à l'ancien colonisateur, simultanément rejeté et pris comme modèle.

Pour sa part, Jacques Andrieu aborde également cette relation à l'Ouest, mais pour développer un tout autre point de vue. Il met en cause la myopie des Occidentaux qui se sont illusionnés sur la nature du régime chinois. Sa thèse est d'affirmer que cette perception erronée a conditionné le mode de fonctionnement des médias occidentaux durant les événements de 1989. Méconnaissant la nature totalitaire du régime, les journalistes ont fait preuve d'une grave irresponsabilité à l'égard des étudiants protestataires ; non seulement parce qu'ils les ont filmés à visage découvert (il s'agit d'une faute professionnelle), mais aussi parce qu'ils ne se sont pas rendu compte que leur présence faisait pren-

2. André-Jean Tudesq, *La radio en Afrique Noire*, Éd. Pedone, 1983 et *L'Afrique noire et ses télévisions*, Éd. Anthropos, 1992.

dre à la crise une pente dangereuse. Devant l'Occident qui les regardait à travers ses caméras de télévision, les contestataires ont été incités à faire des actions spectaculaires (du type de l'érection de la « déesse Démocratie »), que le régime ne pouvait interpréter que comme une pure provocation. Autrement dit, la médiatisation aurait infléchi le cours de la crise en un sens qui rendait inéluctable le massacre du 4 juin.

Les deux études portent donc un jugement très différent sur les médias, encore que certains rapprochements soient possibles. Ainsi, Jacques Andrieu va dans le sens de Théophile Vittin lorsqu'il mentionne le rôle positif des radios occidentales émettant en chinois auprès des étudiants. Et Théophile Vittin remarque, comme Jacques Andrieu, le décalage entre la représentation que se fait l'Occident du Bénin et les réalités du pays. Néanmoins, les deux textes reposent sur des fondements théoriques différents. Pour Théophile Vittin, la réceptivité de la société envers les médias extérieurs conditionne leur influence sur la scène politique intérieure. C'est le sens de sa conclusion : « Le processus de la crise politique interne était venu à maturation. Les médias étrangers n'ont fait qu'accompagner le mouvement et utiliser à profit le contexte international. » Son approche donne ainsi le primat au sociologique sur le médiatique.

En revanche, Jacques Andrieu estime que les médias font plus qu'accompagner l'événement : ils contribuent à le construire, parce qu'ils ont la capacité d'induire l'action. De ce fait, il sous-entend le primat du médiatique sur le sociologique. « Oui, écrit-il, les médias ont été acteurs des événements par leur voyeurisme. » Ils obéissent à une logique perverse qui est celle du spectaculaire, de l'image forte, capable de susciter l'émotion et donc de faire de l'audience. C'est en ce sens que les étudiants chinois ont été « sacrifiés au dieu Image ».

Par-delà leurs approches différentes, ces deux textes saisissent deux aspects fondamentaux des rapports entre communication et résistance. Le premier analyse les effets sociaux et politiques des médias occidentaux qui peuvent être reçus au Sud (ou à l'Est), le second la manière dont les médias de l'Ouest (pas les mêmes que précédemment) internationalisent l'événement résistant. Ce faisant,

Théophile Vittin et Jacques Andrieu tentent de penser les relations enchevêtrées entre les acteurs politiques, les médias et l'opinion publique internationale.

Leurs textes suggèrent d'ailleurs que les cas de résistance civile qui sont apparus aux quatre coins du monde durant cette fameuse année 1989 ont pu s'emboîter les uns dans les autres à travers leur couverture médiatique. Ainsi, Jacques Andrieu invite les historiens à dire si la répression chinoise a servi par la suite de contre-modèle en Europe de l'Est au moment des grandes manifestations dans l'ex-RDA et en Tchécoslovaquie. Théophile Vittin nous dit que les nouvelles venant de ces révolutions est-européennes ont contribué à leur tour à radicaliser l'opposition béninoise, qui évolua alors de la revendication économique à la revendication politique. La chute de Ceausescu en Roumanie semble d'ailleurs avoir eu un impact important sur l'imaginaire collectif, non seulement au Bénin, mais dans d'autres pays de l'Afrique noire, en particulier lors des émeutes au Gabon en janvier 1990.

On voit l'intérêt de l'analyse des interactions entre communication et résistance à travers la double approche de l'internationalisation médiatique d'un événement et celle de son interprétation dans un autre contexte national et culturel. Penser ce rapport entre globalisation et localisation est aujourd'hui l'une des nouvelles tendances des sciences de la communication, et doit également constituer un enjeu de la science politique contemporaine[3].

J. S.

---

3. Pour approfondir ces regards croisés sur l'Afrique et la Chine du point de vue d'une réflexion sur le totalitarisme et la démocratie, on consultera les textes de Jean-François Bayard et de Jean-Luc Domenach présentés au colloque du CERI (1984, déjà cité), ainsi que leurs ouvrages respectifs et, notamment : J.-F. Bayard, *L'État en Afrique*, Paris, Éd. Fayard, 1989 ; en collaboration : *La politique par le bas en Afrique Noire. Contributions à une politique de la démocratie*, Paris, Éd. Karthala, 1992 ; J.-L. Domenach, *Chine. L'archipel oublié*, Paris, Éd. Fayard, 1992.

# Les médias externes comme facteur du renforcement de l'opposition interne au Bénin (1987-1992)

*Théophile E. Vittin*

L'Afrique noire a connu de nombreuses crises politiques depuis l'indépendance des États, entraînant souvent l'arrivée au pouvoir de militaires aux allures révolutionnaires, engendrant des régimes plus autoritaires. Depuis quelques années, les dirigeants africains sont de plus en plus accusés d'autoritarisme et de corruption : s'il existe des causes internes (les revendications des cadres subalternes, notamment des jeunes officiers, et surtout la croissance du nombre des étudiants), les causes extérieures jouent un rôle prépondérant : exemple de l'évolution des pays de l'Est, mais aussi de pays musulmans, intervention de la Banque mondiale et pression des pays occidentaux investisseurs, augmentation du nombre de cadres influencés par des idées libérales empruntées aux Occidentaux, même si elles sont parfois utilisées contre eux. C'est à cette dernière cause que se rattache la relation entre médias et crise.

Les images importées d'Occident et diffusées par les télévisions africaines, les émissions radiodiffusées et les journaux en provenance de l'extérieur ont contribué à l'ébranlement des régimes en place. Dans la zone francophone, terre d'élection de l'influence française en Afrique,

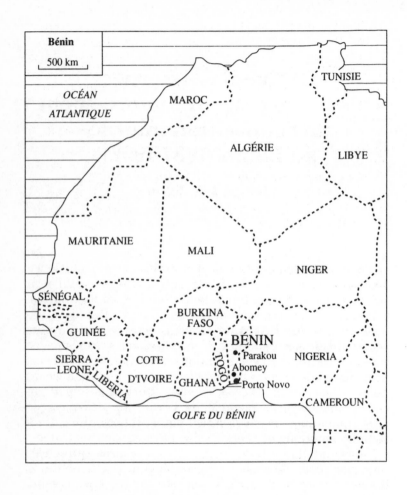

le Sénégal a connu une évolution antérieure vers le multipartisme avec l'existence d'une presse d'opposition. Le Bénin est toutefois le premier à avoir connu un changement de dirigeants et de système politique par une solution démocratique, sans violence.

Le Bénin (ancien Dahomey) est un petit pays de 4,5 millions d'habitants. Ce pays pauvre dont le revenu par tête d'habitant est de 380 dollars, a connu de 1960 — année de l'indépendance — à 1972 une instabilité caractérielle qui lui valut l'appellation d'« enfant malade de l'Afrique ». De 1972 à 1989, le Bénin, devenu marxiste-léniniste en 1974 avec un parti omnipotent, le Parti de la Révolution Populaire du Bénin (PRPB), fut dirigé par le général Mathieu Kérékou et connut une relative stabilité. Toutefois, les dirigeants béninois durent faire face, à partir de 1987, à une crise économique aiguë et furent contraints d'initier des réformes économiques à travers un Programme d'ajustement structurel (PAS) adopté avec l'appui du Fonds monétaire international et de la Banque mondiale. Les années 1988 et 1989 furent des années de turbulences au cours desquelles la dégradation de la situation politique et sociale, induite par l'impécuniosité de l'État et des difficultés de régulation politique, était devenue intense.

La vulnérabilité de la population face à la crise économique et aux mesures d'austérité du PAS (gel des recrutements, licenciements, liquidation des entreprises publiques, restrictions budgétaires...) et l'incapacité de l'État à payer les bourses et salaires (les salariés ayant connu jusqu'à sept mois d'arriérés) avaient généré un mécontentement général. Cette exaspération suscita une spirale contestataire, faite de grèves et d'émeutes, avec en toile de fond une crise de légitimité du pouvoir en place et une critique acerbe de sa gabegie et de son incurie qui avaient pris des dimensions inégalées. La crise était dès lors devenue totale.

Le pourrissement d'une telle situation, les pressions des bailleurs de fonds et la radicalisation de la contestation ont contraint le président Kérékou à renoncer le 7 décembre 1989 au marxisme-léninisme, et à tenir du 19 au 28 février 1990 une Conférence nationale. De cette Conférence sont nées deux institutions : un gouvernement de transition dirigé par Nicéphore Soglo et un Haut Conseil de la République (organe législatif) qui ont cohabité avec le président Kérékou jusqu'aux élections présidentielles des 10 et 24 mars 1991 ayant abouti à l'investiture, le 4 avril 1991, du nouveau président élu, Nicéphore Soglo. Depuis cette date prévaut au Bénin un régime présidentiel assorti d'un multipartisme intégral, du respect des libertés et des droits de l'homme ; la nouvelle ère politique ainsi inaugurée étant dénommée « Renouveau démocratique[1] ».

Depuis lors, le Bénin sert de « modèle de la transition démocratique » en Afrique noire. Toutefois, en raison des difficultés de l'ajustement économique, des remous sociaux et d'un difficile apprentissage de la démocratie, morosité et désenchantement ont gagné le « Renouveau démocratique béninois » qui se trouve aujourd'hui dans une difficile phase de consolidation.

Le cas du Bénin illustre bien les interactions entre crise, médias étrangers et changements politiques en Afrique noire, interactions qui se poursuivent avec d'autres modalités, postérieurement aux changements nés de la démocratisation au Bénin. Aussi, retracer les modalités et l'impact des actions des médias étrangers, en l'occurrence des radios internationales, durant la crise politique béninoise et après l'avènement d'un régime démocratiquement élu, permet d'analyser et d'interpréter le rôle de ces médias étrangers dans la résistance civile et le renforcement des oppositions au pouvoir politique dans ce pays.

### La réception des médias étrangers avant la crise

Au Bénin, les médias étrangers ont toujours eu des effets induits sur l'ordre politique interne. Entre 1972 et 1989, l'autoritarisme et le contrôle de l'information se sont conjugués avec la dépendance technique et financière pour

---

1. Pour une analyse plus détaillée de l'évolution politique béninoise, voir Th. E. Vittin, « Du système Kérékou au Renouveau démocratique », dans J. F. Medart, dir., *États d'Afrique*, Paris, Karthala, 1991, pp. 93-115, ainsi que J.-J. Raynal, « Le Renouveau démocratique béninois : modèle ou mirage ? » *Afrique contemporaine*, n° 160, 4ᵉ trim. 1991, pp. 13-35.

engendrer une écoute assidue des radios internationales et une prédilection pour les journaux étrangers ou spécialisés sur l'Afrique, dont certains numéros faisaient l'objet de saisies. D'où une « surréaction » vis-à-vis des médias étrangers, qui se voient conférer une image de liberté et de vérité, perception nourrie par la censure, l'autocensure et le discrédit des médias nationaux et, corrélativement, la recherche d'informations plus complètes, plus crédibles, ou mieux commentées, notamment en ce qui concerne le Bénin et l'Afrique[2]. Le contournement des médias nationaux par la presse, la télévision et les radios étrangères, surtout occidentales, a conféré à celles-ci une mission traditionnelle de contre-pouvoir avec instauration d'une sorte de « marché noir » de l'information, alimenté à la fois par les médias étrangers, la rumeur, le bouche-à-oreille et la circulation des tracts. Le recours aux médias extérieurs est donc devenu un mode de parasitage de l'ordre politique interne, de revanche sur le pouvoir politique qui jusqu'alors avait des velléités d'embrigadement[3].

Du fait de la relative marginalisation de la télévision (faiblesse du pouvoir d'achat, problèmes de raccordement au réseau électrique), de l'analphabétisme, de l'absence d'habitude de lecture fréquente de journaux, c'est par le biais de la radio que s'exerce essentiellement la pénétration des médias étrangers, radios étrangères qui obéissent également à des velléités d'influence : la parole, en franchissant les frontières, exerce une fonction diplomatique. Le tableau ci-après permet de se rendre compte de l'ampleur du phénomène de l'écoute des radios internationales.

---

2. Voir Th. E. Vittin, « L'écoute des radios étrangères en Afrique noire », *Mondes en développement*, tome 19, n° 73, 1991, pp. 45-56.
3. Les médias nationaux se sont cantonnés jusqu'en 1989 dans la transmission des mots d'ordre et de la propagande du Parti, la sensibilisation au socialisme et l'éducation révolutionnaire. Obligation était faite de diffuser les bulletins d'informations de la radio nationale dans les lieux publics et les débits de boisson. Ce sont les radios internationales — qui concurrencent depuis longtemps la radio nationale — qui révélaient quotidiennement les informations tues au plan national.

## Écoute régulière des stations de radio à Cotonou[4]

|                                      | Pourcentage |
| ------------------------------------ | ----------- |
| Radio en général                     | 91,1        |
| Radio Cotonou                        | 87,1        |
| Ensemble des radios internationales  | 68,4        |
| Africa n° 1                          | 61,5        |
| Radio France International           | 42,0        |
| Voice of America                     | 20,4        |
| British Broadcasting Corporation     | 10,3        |
| Deutsche Welle                       | 6,1         |
| ELWA[5]                              | 6,2         |
| Radio Moscou                         | 2,5         |
| Radio Pays-Bas                       | 3,5         |

En raison de la faible valorisation stratégique du Bénin, les majors de la radiodiffusion internationale (États-Unis, ex-URSS, Grande-Bretagne, Chine) lui manifestent peu d'intérêt. RFI et la station franco-gabonaise Africa n° 1, stations francophones qui se sont spécialisées sur l'Afrique, y exercent une influence prépondérante avec des volumes horaires importants.

Le public des radios étrangères et plus globalement des médias étrangers reste toutefois circonscrit à l'élite urbaine ; le déterminisme linguistique (francophonie), la terminologie des médias, le coût d'acquisition d'un poste à ondes courtes, l'ouverture d'esprit nécessaire à la démar-

---

4. Ce tableau ne reprend que les principales stations écoutées. Source : SECODIP (Société d'Études de la Consommation, Distribution et Publicité), nov. 1989.
5. Station religieuse basée au Libéria.

che même de s'informer font que ce sont les personnes jeunes, instruites et habitant en ville qui constituent le public des médias étrangers. Ainsi, ce sont les élèves, étudiants, fonctionnaires, cadres, membres des professions libérales et commerçants qui lisent les journaux étrangers, regardent les émissions étrangères sur cassettes vidéo ou grâce aux antennes paraboliques pour les émissions diffusées par satellites. Ce public constitue les leaders d'opinion, la minorité agissante. Les médias étrangers engendrent un phénomène d'attraction-répulsion. Ils sont à la fois craints et courtisés, écoutés et soupçonnés[6], disposent d'un capital de sympathie tout en faisant l'objet de suspicion. Toujours est-il qu'ils ont un impact important. Étant même devenues une donnée de la vie sociopolitique béninoise, les radios internationales peuvent servir à l'occasion d'instrument de communication politique.

Quelques chiffres permettent de mesurer l'impact des télévisions et des journaux étrangers. A la télévision du Bénin, sur les trois premières semaines de juillet 1992, environ 60 heures de programmes de Canal France International ont été utilisées, dont 10 heures d'actualité quotidienne, 9 heures de documentaires, 5 heures de magazines et 23 heures de films ou téléfilms ; ce qui représentait près de 50 % de la programmation nationale. Ces chiffres marquent une progression par rapport à juillet 1990 où, en 23 jours, 43 heures de programmes de CFI avaient été diffusées sur les 110 heures de la chaîne, dont 5 heures d'information, 4 heures 30 de magazines, 1 heure 30 de documen-taires, 12 heures 30 de films ou séries.

A l'impact de la télévision s'ajoute celui de la presse écrite. Selon le sondage Secodip effectué à Cotonou en novembre 1989, 30,9 % des 15 ans et plus lisaient *Jeune Afrique,* les hommes surtout (44,2 %), les jeunes (37,3 % des 15-19 ans, 31,7 % des 20-29 ans). C'était aussi le cas des lecteurs de *Paris-Match* (lu par 16,3 % des personnes interrogées), de *L'Express* (7,8 %) ou de *Jeune Afrique économie,* davantage lu par les 30-44 ans (14,9 %). *Le Point* était lu par 8 % (cadres supérieurs et professions libérales

---

6. L'auditeur procède souvent à une duplication de l'écoute en opérant une confrontation des diverses versions.

surtout). S'y ajoutent les journaux sportifs, *France football* (8,6 %) et le *Onze mondial.*

L'influence des médias occidentaux au Bénin a revêtu des modalités différenciées. Jusqu'en 1988, elle a permis de contourner les médias nationaux gouvernementaux, d'autant plus fortement que ceux-ci sont alignés sur le modèle soviétique déjà en pleine décadence. Entre 1988 et 1990, à la faveur de la crise politique, le rôle des médias étrangers s'est accentué. Mais l'on assiste progressivement à une diminution de l'attrait des médias occidentaux, notamment avec l'éclosion de journaux indépendants. L'évolution politique jusqu'à l'arrivée de Soglo au pouvoir par des voies légales trouve dans les médias occidentaux un encouragement ; ils contribuent à la promotion d'un modèle béninois d'évolution démocratique en Afrique. Après quelques mois du nouveau gouvernement, dès la fin de 1991, la crise économique persistant, s'aggravant même avec une plus grande liberté d'expression, les nouveaux journaux remettent en question leur fiabilité par leurs polémiques et leurs accusations réciproques, les médias occidentaux sont à nouveau un recours et parfois un arbitre. L'impact traditionnel des médias étrangers connaît dès lors des mutations.

*Les médias étrangers dans la crise béninoise*

Compte tenu de la prééminence de la radio au sein du paysage médiatique béninois, ce sont les émissions des radios internationales, en l'occurrence RFI, qui ont eu le plus d'incidences sur la scène politique béninoise, même si les journaux et les images télévisées provenant de l'étranger ont également contribué au renforcement de la résistance au pouvoir en place.

Les nouvelles diffusées par *les radios* internationales (RFI, Africa n° 1, BBC, VOA, Deutsche Welle) ont été amplifiées par les habitudes antérieures d'écoute et la situation de crise. Ces stations ont en effet rendu compte à partir de 1987 de la situation économique dégradée du Bénin, des violations des droits de l'homme, des scandales politico-financiers, etc. A partir de 1988, elles ont relaté et amplifié au jour le jour les événements survenus dans le pays, donnant écho aux déclarations et prises de position des opposants et des contestataires. Tables rondes, comptes rendus d'envoyés spéciaux, interviews d'opposants exilés ou clandestins ou d'hommes de la rue sensibilisaient l'opinion publique béninoise et l'opinion internationale. Cela permettait de subvertir le monopole étatique de l'information et d'instaurer *de facto* un pluralisme d'expression.

Ainsi, le 18 août 1988, le chargé d'affaires de l'ambassade de France à Cotonou était convoqué par le président Kérékou aux fins d'obtention d'explications au sujet des informations diffusées la veille par RFI, qui avait repris et largement commenté les accusations d'Amnesty International sur les violations des droits de l'homme au Bénin. La radio et la télévision béninoises avaient alors consacré plus de la moitié de leurs développements à des contre-attaques critiquant « la campagne de désinformation de RFI » et justifiant les arrestations et tortures opérées par le régime par la « nécessité de mesures de sécurité permettant de consolider les acquis du pouvoir révolutionnaire ». Même si les autorités béninoises déclarèrent officiellement qu'elles ne se sentaient nullement concernées par les allégations de la radio française, la médiatisation de ces accusations mit le vent en poupe au Parti communiste du Dahomey (PCD), parti clandestin d'obédience albanaise ayant orchestré la contestation, de même qu'elle apportait de l'eau au moulin des étudiants et chômeurs protestataires et des travailleurs grévistes.

Au plus fort de la crise politique, le soir du 11 décembre 1989, lorsque Mathieu Kérékou marcha dans les rues de Cotonou, bravant une foule en colère, l'envoyé spécial de RFI, Robert Minangoy, le suivit dans sa randonnée qui se termina par une fusillade, et sollicita sur le vif les commentaires de l'ex-chef d'État béninois. Son reportage passa en direct, dans le journal parlé de RFI, informant des milliers de Béninois de cette péripétie — et ce avant les médias nationaux, encourageant ainsi les manifestants.

Par ailleurs, *les images* de la chute des pays d'Europe de l'Est fournies par CFI ou reçues grâce aux antennes paraboliques ou aux cassettes vidéo, ont encouragé les contestataires à la fin de l'année 1989. Non seulement elles ont généré une inflation des émeutes, mais elles ont aussi véhiculé un courant d'idées (libéralisme, démocratie). Les manifestants n'exigeaient plus simplement le départ de Mathieu Kérékou, mais revendiquaient en plus l'instauration d'un État de droit et d'une démocratie multipartiste. D'où une forte politisation et une radicalisation des demandes.

Bien auparavant, le 8 février 1989, le magazine *Résistances* de la deuxième chaîne de télévision française avait diffusé, dans une série exceptionnelle sur les droits de l'homme dans le monde, un reportage sur le Bénin après dix-sept années de marxisme-léninisme. Ce reportage comportait de nombreuses interviews : interviews de fonctionnaires impayés, de commerçants mécontents, du directeur du journal *La Gazette du Golfe* qui défiait le pouvoir à l'époque, ainsi que l'interview d'un prisonnier politique sympathisant du PCD qui venait d'être libéré, et qui décrivit dans le détail les tortures qu'il avait subies. Cette émission[7] fit connaître à l'extérieur la situation réelle du Bénin et fit prendre conscience à l'opposition jusque-là clandestine et relativement contrôlée, de l'audience qu'elle pouvait avoir au-delà des frontières.

Les *journaux*, enfin, et les agences de presse étrangers avaient également contribué à la résistance au pouvoir. Après que le correspondant de l'AFP eut été expulsé en 1985 pour avoir publié des informations ayant déplu aux autorités en place, en 1988, des numéros du *Canard enchaîné* et du *Point* dénonçaient un contrat d'enfouissement de déchets nucléaires au centre du pays signé par les autorités de Cotonou, ce qui ajouta à la colère de la population déjà lassée des difficultés financières. Bien que ces journaux aient été saisis (tout comme des numéros de *Jeune Afrique* et d'*Africa international* entre 1987 et 1990), ils circulaient sous le manteau sous forme de tracts, discréditant et délégitimant le régime.

Le journal *Le Monde*, la presse et les lettres confidentielles spécialisées sur l'Afrique avaient procédé à la rela-

---

7. Enregistrée sur cassette par des Béninois vivant en France, cette émission a été confiée à des voyageurs se rendant au Bénin et était disponible dès le surlendemain dans le pays où elle fut copiée, distribuée, visualisée et commentée.

tion et à l'analyse des événements, faisant des comparaisons avec d'autres pays est-européens ou africains, ce qui donnait un écho à la contestation[8]. La couverture des événements survenus au Bénin par le nouveau correspondant de l'AFP qui jouissait d'une entière autonomie, a influé sur l'évolution de la situation politique. Les dépêches de l'AFP étaient reprises par les médias du monde entier. Au plus fort de la crise politique entre la fin de 1989 et le début de 1990, le correspondant de l'AFP envoya jusqu'à quarante dépêches par mois.

## Le temps de la démocratisation

Avec l'avènement d'un nouveau pouvoir élu et une dynamisation de l'information au plan interne qui suscitaient une éclosion de la presse privée et l'émergence d'un début de pluralisme à la radio et à la télévision, l'impact des médias étrangers, quoique réduit, n'a pas complètement disparu. Il faut dire que l'état de dépendance dans lequel se trouvent les médias électroniques vis-à-vis de l'étranger, la persistance de la crise économique et des malaises sociaux, l'internationalisation de l'information et de la communication... contribuent à cet état de choses.

Dans la bataille de l'opinion que se livrent le pouvoir politique, l'opposition, les syndicats et les journaux privés, les médias extérieurs jouent désormais un rôle de recours, d'arbitrage, de référence, de caution. De récents événements attestent d'ailleurs la pérennité de l'impact des médias extérieurs malgré les mutations du cadre sociopolitique interne.

Ainsi, la revue de presse hebdomadaire bénino-togolaise effectuée le 12 août 1992 par le correspondant béni-

---

8. Au deuxième semestre 1989, avec la multiplication des « clubs de réflexion », tables rondes et autres meetings initiés par l'opposition exilée à Abidjan, Lagos et surtout Paris, des documents polycopiés étaient expédiés aux journaux occidentaux (notamment francais) qui en assuraient une large diffusion. Les leaders du PCD, par exemple, multipliaient les interviews aux journaux occidentaux et africains, ce qui ravivait le mécontentement des populations, augmentait l'impact du mot d'ordre d'insurrection armée lancé par ce parti et explique l'ampleur des marches, échauffourées et soulèvements de la mi-décembre 1989.

nois de RFI à Cotonou, Jean-Luc Akplogan, et diffusée sur les antennes de cette station, a suscité une protestation officielle du gouvernement béninois. Ladite revue de presse citait les propos du leader du parti d'opposition Notre Cause Commune (NCC), Albert Tévoédjre, qui fustigeait dans les colonnes du mensuel de NCC, *Bâtisseurs d'avenir*, la légèreté financière de l'administration Soglo, et déclarait que « les fonds secrets galopent ». Était également citée dans cette revue de presse l'interview donnée au journal *L'Observateur* en date du 28 juillet 1992 par le marabout ex-ministre d'État et homme de confiance de Mathieu Kérékou, Mohamed Cissé, dont le procès était en cours. Ce dernier alléguait dans cette interview que N. Soglo avait eu recours à ses services par le passé afin de devenir ministre des Finances de Mathieu Kérékou.

Dans une lettre adressée le jour même à RFI, le Ministre porte-parole du gouvernement faisait état « d'un certain dégoût des fidèles auditeurs de RFI » et accusait la revue de presse incriminée « de se faire la caisse de résonance du journal béninois *L'Observateur*, déjà condamné en première instance à six mois de prison ferme et à un million de francs d'amende pour diffamation envers le Chef de l'État, et de se faire l'écho des insinuations tendancieuses d'un chef de parti qui n'avait pas hésité, à la veille du second tour des élections présidentielles de mars 1991, à pactiser avec le candidat de la continuité de l'ordre dictatorial ». Cette « vive protestation contre la reprise mécanique et tendancieuse par RFI de contre-vérités flagrantes qui auraient dû éveiller davantage ses réflexes professionnels et son sens critique[9] » fut diffusée durant plusieurs jours à la radio et à la télévision dans dix-huit langues nationales[10]. Ceci suscita un tollé et une guerre des communiqués à la radio et à la télévision béninoises assortis d'injures, la presse privée dénonçant « l'action zélatrice, infirme parce que dénuée d'analyses du porte-

---

9. Voir le texte entier du communiqué de protestation dans le n° 538 du journal gouvernemental *La Nation* en date du 13 août 1992.

10. Les autorités béninoises rappelèrent à cette occasion à RFI que les accords aux termes desquels RFI diffuse ses programmes sur Cotonou et sa banlieue depuis décembre 1991 en modulation de fréquence pourraient éventuellement être réexaminés.

parole du gouvernement à l'endroit de RFI », ou « le cafouillage du gouvernement[11] ».

Lorsque l'on sait que l'interview de Mohamed Cissé avait déjà été citée dans une revue de presse locale diffusée par la radio nationale béninoise le 2 août 1992 et que le numéro de *Bâtisseurs d'avenir* incriminé était disponible depuis le début du mois d'août 1992, sans que ces publications n'aient donné lieu à un droit de réponse, démenti, ou réaction officielle de la part du gouvernement, on comprend que les médias extérieurs continuent à avoir un impact important. Dans ce cas d'espèce, l'audience de RFI qui, grâce à la rediffusion en modulation de fréquence[12], a un meilleur confort d'écoute et concurrence la radio nationale, a décuplé l'impact de l'information perçue comme une mauvaise publicité faite au plan international à l'administration Soglo.

Autre illustration de cette influence, le 4 août 1992, un ancien responsable de la garde présidentielle de Mathieu Kérékou, le capitaine Tawès, évadé de la prison de Cotonou, organisa une mutinerie dans une garnison militaire à Natitingou au nord du pays. Alors que les autorités de Cotonou auraient voulu taire ou minimiser l'événement, RFI procéda en direct dans son journal parlé à l'interview du capitaine Tawès, retranché dans le camp Kaba, depuis Paris. Ce scoop fut mal accueilli par les autorités béninoises qui accusèrent RFI « d'avoir donné de l'écho à la mutinerie et permis au capitaine Tawès de faire passer ses mots d'ordre ». Les exemples pourraient être multipliés.

Il faut dire que ce sont les velléités de contrôle des médias électroniques par le pouvoir politique, la crédibilité des médias étrangers, la poursuite de la crise économique et du malaise social et la volonté du nouveau régime de

---

11. Voir *La Gazette du Golfe*, n° 43 du 31 août au 6 septembre 1992 ; *Tam-Tam Express*, n° 96 du 17 au 30 août 1992 ; *Bâtisseurs d'avenir*, septembre 1992, p. 10 et 11.
12. Dans le cadre d'un accord signé avec les autorités béninoises, RFI émet depuis décembre 1991 en modulation de fréquence sur Cotonou et sa banlieue (rayon de deux cents kilomètres). La station FM 90, créée à cet effet, retransmet les programmes de RFI acheminés par satellite depuis Paris.

soigner à tout prix son image de marque[13], qui concourent à une telle situation. Eu égard à la nécessité pour N. Soglo d'acquérir des soutiens extérieurs pour conforter sa position sur une scène politique interne[14] passablement éclatée[15], l'enjeu devient la sauvegarde de son rôle de *gate keeper*. Les médias étrangers sont alors devenus des vecteurs de l'expression des formations politiques, de communication politique.

Il est compréhensible, dans ces conditions, que N. Soglo ait lui-même initié une offensive de charme en direction des médias étrangers vis-à-vis desquels il n'est pas avare d'interviews. Ainsi, lors de la journée Afrique sur Antenne 2 le 15 juin 1992, le nouveau chef de l'État béninois avait dans une longue interview décrit la situation du Bénin, et expliqué sa politique, ce qui lui permettait de séduire et de convaincre les bailleurs de fonds et les pays partenaires, désormais pointilleux quant à la *governance*. Ce faisant, N. Soglo œuvrait à l'obtention de « primes à la démocratie », ce qui *in fine* devrait l'aider à améliorer la situation économique et sociale du pays, ainsi que sa propre prééminence et sa popularité sur l'échiquier politique béninois.

De même, le passage remarqué et apprécié de N. Soglo à l'émission *La Marche du siècle* consacrée à l'Afrique sur la deuxième chaîne française de télévision le 9 septembre 1992 — émission rediffusée le lendemain à la télévision béninoise et sur les antennes de RFI —, fut l'occasion pour

---

13. Il s'agit pour l'administration Soglo de consolider à tout prix l'expérience de démocratisation en cours et surtout de « vendre à l'extérieur le Renouveau démocratique béninois » qui sert de modèle en Afrique. L'image du pays ne doit donc être ternie à aucun prix.
14. Paradoxalement, le succès et le prestige de N. Soglo sur la scène internationale sont aux antipodes de sa situation politique et de son image à l'intérieur du Bénin. L'idolâtrie de la plupart des médias étrangers (nettement perceptible par exemple dans l'article du journal *Le Monde* en date du 9 juin 1990 intitulé « Rencontre avec un dirigeant du troisième type ») tranche avec l'image du chef de l'État qui se dégage à la lecture des journaux béninois ou encore du sondage publié par le journal béninois *La Gazette du Golfe* dans son numéro 88-89 du 1er au 31 janvier 1992 (p. 23-28).
15. L'on dénombrait en 1992 au Bénin 37 partis dont 13 sont représentés à l'Assemblée nationale. Aucun de ces partis n'y dispose de la majorité.

le président béninois d'exprimer ses points de vue et de combattre l'« afropessimisme ». Cette émission lui permit à nouveau d'expliquer sa politique, de lancer des messages subtils en direction du microcosme politique béninois, de donner son avis sur le procès de Mohamed Cissé alors en cours, etc. Les médias béninois devaient reprendre ses avis, les saluer ou les critiquer, les journaux citant de longs extraits ou commentant sa prestation[16].

## Un effet cristallisateur

Bien que n'ayant pas un rôle de propagande subversive, comme Radio Free Europe et Radio Liberty jadis en Europe de l'Est[17], les radios internationales n'en ont pas moins mis à profit les habitudes antérieures d'écoute pour aider à une cristallisation de la contestation, renforçant ainsi l'opposition au régime de Mathieu Kérékou. En butte à de sérieuses difficultés et contrôlant de moins en moins la situation, ce régime n'avait plus toute latitude de présenter sa version des faits, ni de recourir à une répression efficace alors même qu'il avait besoin de soutiens financiers extérieurs.

La crise aura donné à l'opposition et à la société civile l'opportunité d'utiliser les médias étrangers qui, par ricochet, contribueront à la dynamique même de la crise. Les médias étrangers amplifièrent la résistance au pouvoir auprès de contestataires essentiellement jeunes, assez ouverts sur le monde extérieur et séduits par les idées libérales et démocratiques. L'action des médias étrangers est venue se greffer sur un imaginaire collectif spécifique, une mutation de la situation politique interne et une certaine prédisposition à l'indocilité qui ont constitué le fer-

---

16. Voir par exemple G. Adissoda, « L'afropessimisme : une vision à combattre », *La Nation* du 22 septembre 1992 ; M. Chabi, « L'Afrique en question », *La Gazette du Golfe* du 21 au 27 septembre 1992 ; C. Midofi, « Nicéphore Soglo, invité de la Marche du siècle », *Bâtisseurs d'avenir*, octobre 1992, p. 15.

17. Il n'y a point de brouillage et la détention d'un poste à ondes courtes n'est ni interdite ni punie, comme c'est le cas en Chine et en Corée du Nord.

ment d'une cristallisation de l'opposition. Les médias étrangers ont donc facilité et aidé l'alternance politique.

En effet, la suspicion traditionnelle à l'encontre de la chose politique, perçue comme terre d'élection de la langue de bois et de la rétention de l'information, a conforté l'action des médias étrangers. S'y ajoute une surestimation des vertus supposées du quatrième pouvoir. En vertu d'une telle représentation, les médias « libres » sont en général perçus au Bénin comme garants de la démocratie et rivaux du politique. L'idée reste enracinée que les médias d'État sont les instruments par lesquels l'État affirme son autorité. Or, cet État étant en proie à la délégitimation, plus on subvertit le monopole étatique de l'information, plus on tourne la censure du pouvoir politique dont on s'émancipe et qu'on défie. Dès lors, il y a poursuite d'une certaine vérité définie par « qui dit quoi », ce qui exacerbe le recours aux radios internationales, surtout en période de crise où l'information rapidement fournie et commentée est une « denrée convoitée ».

Parallèlement, au plan interne, s'opérait une émancipation des médias d'État. On a assisté à partir de 1988 à une explosion de la presse privée. Celle-ci dénonçait l'incurie et la gabegie du régime de Mathieu Kérékou, se faisant le porte-parole des laissés-pour-compte et des démunis. La presse d'État, la radio et la télévision nationales s'étaient muées en outils de revendication de la société civile, optant pour la dissidence et adoptant un nouveau ton avec une verve journalistique qui a culminé avec la Conférence nationale et ne s'est pas démentie depuis [18]. Cette configuration interne s'est trouvée en synergie avec l'action des médias étrangers. Le « temps mondial » a également contribué à une telle synergie, de sorte qu'un concours de circonstances inédit a décuplé l'impact des médias étrangers.

---

18. Pour toutes ces mutations, voir Th. E. Vittin, « Crise, renouveau démocratique et mutation du paysage médiatique au Bénin », *Afrique 2000, revue africaine de politique internationale*, n° 9, mai 1992, pp. 37-58.

## La mondialisation de l'information

La crise politique béninoise a coïncidé, dans sa phase paroxystique, avec la chute des pays de l'Est. Or, le Bénin étant officiellement marxiste léniniste jusqu'au 7 décembre 1989, il y avait perte d'efficience de cette idéologie en tant que ressource instrumentale de légitimation et de contrôle politique. La fin de la guerre froide qui s'annonçait, l'incapacité pour le régime de Cotonou de procéder à quelque censure que ce soit, d'user de pressions ou de protestations auprès des pays occidentaux ou encore de recourir à une quelconque diplomatie de chantage comme au bon vieux temps de la compétition Est-Ouest, où l'Afrique était un continent convoité, ont ruiné les marges de manoeuvre du président Kérékou. Dans le même temps, les médias étrangers pouvaient donner libre cours à leurs actions et s'ouvrir sans restriction aux opposants. Le régime béninois était dès lors débordé par la dynamique des médias, tant locaux qu'étrangers, et contraint à une ouverture et à une prise compte de l'opinion internationale. Tout cela explique la démonopolisation de la vie politique béninoise et la concrétisation de l'ouverture politique.

Dans le contexte international du dernier trimestre de l'année 1989, la mise en perspective par les médias du cas béninois avec l'évolution en Europe de l'Est a été génératrice d'une contrainte extérieure inhabituelle et imprévue. Elle était d'autant plus difficile à desserrer pour les dirigeants béninois que ceux-ci avaient cruellement besoin de l'aide occidentale, aide qu'une publicité internationale défavorable faite par les médias étrangers pouvait dissuader [19].

Force est de constater que les revendications des contestataires avaient au départ un caractère essentiellement alimentaire : préoccupation de survie, paiement des salaires, etc. Les opposants réclamaient des réformes, une meilleure gestion et la poursuite des corrompus. A cela, Mathieu Kérékou tentait de répondre par la cooptation

---

19. On voit là les prémices de la « conditionnalité démocratique » qui sera officiellement érigée en principe de coopération par la France — jusque-là soupçonnée de collusion avec les régimes francophones africains — lors du sommet de La Baule en juin 1990.

d'opposants, une timide ouverture politique, l'amnistie des prisonniers politiques, des condamnés et des exilés en août 1989, etc.

La politisation des demandes, notamment la revendication d'un État de droit, d'une démocratie pluraliste et de l'instauration de l'économie de marché, s'expliquent par une prise de conscience déclenchée par le rapprochement qui se faisait par le biais des images et des informations données par les médias étrangers sur les événements survenus dans les pays d'Europe de l'Est. Les médias étrangers, ne serait-ce qu'en rapportant l'évolution de l'Europe de l'Est, ont contribué à l'accélération du sabordage de l'ancien parti unique et à la déliquescence du régime de Kérékou, mouvement qu'ils ont accentué en offrant une audience croissante à l'opposition.

Enfin, la fin tragique de Nicolas Ceausescu, diffusée par la télévision nationale, a eu des effets importants sur l'imaginaire des opposants et des protestataires, en produisant l'inférence ci-après : « Si Ceausescu peut être destitué de la sorte, nul doute qu'on peut en faire de même au Bénin. »

Il est significatif que les autres événements de la seconde moitié de l'année 1989 en Europe de l'Est (fuite des Hongrois et des Allemands de l'Est, en juin, puis grandes manifestations d'octobre-novembre, et enfin chute du mur de Berlin le 9 novembre) n'aient pas eu autant d'impact que l'exécution de Ceausescu. C'est qu'en définitive il y avait au Bénin, au regard du hiatus croissant entre la rhétorique marxiste-léniniste du régime de Cotonou et son pragmatisme, un consensus sur le fait que ce qui prévalait, c'était la « comédie du socialisme ». D'où le rapprochement plus accusé avec la chute de Ceausescu, que les médias étrangers, surtout les télévisions occidentales, ont contribué à faire éclore, désacralisant par là même le pouvoir de l'époque.

Ainsi, il est clair que les effets de la mondialisation de la communication (cf. le « village global » de Mac Luhan), qui font qu'un événement a un impact presque instantané partout ailleurs dans le monde grâce aux médias, ont joué à fond.

Au Bénin, la réception des médias occidentaux a aidé à conforter les revendications et à fortifier la liberté d'expression au plan interne, tout comme elle a contribué à ruiner le monopole étatique de l'information et la légitimité des gouvernants. Il s'en est suivi un surcroît de contestation, des pressions des bailleurs de fonds, des États partenaires, des organisations caritatives et de défense des droits de l'homme : toutes choses ayant généré une contrainte externe difficile à desserrer, ce qui accula le régime de Mathieu Kérékou au compromis.

Il ne faut toutefois pas surestimer le rôle des médias étrangers dans la crise politique béninoise et l'avènement de la démocratie dans ce pays. Le processus de la crise politique interne était venu à maturation. Les médias étrangers n'ont fait qu'accompagner le mouvement et utiliser à leur profit le contexte international. Même après la démocratisation, les médias étrangers restent à la fois un enjeu et une donnée du jeu politique interne : ceux-ci peuvent aussi bien légitimer le pouvoir politique — en général soutien au processus de démocratisation — que renforcer l'indocilité ou encore promouvoir l'opposition[20]. Cette instrumentalisation des médias étrangers par les forces politiques internes développe — ou dérive de — la disqualification des médias béninois et de l'extraversion politique et économique de ce pays, ce qui opère son insertion dans l'univers global de l'information et de la communication.

---

20. Cette tendance est plus nette dans les pays comme le Togo, le Libéria, la Somalie, l'Angola, le Tchad, le Soudan ou le Cameroun, dans lesquels la situation politique est loin d'être bien décantée.

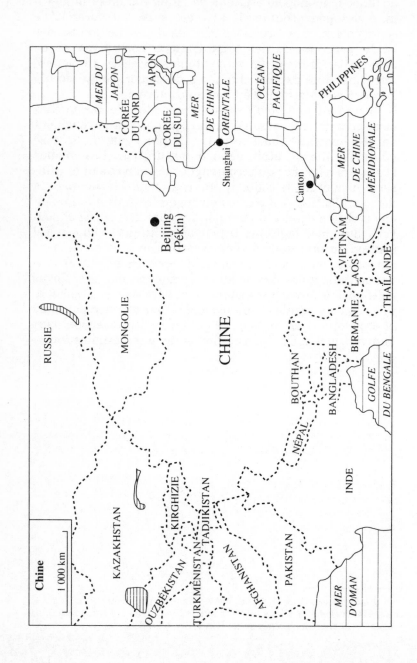

Chine
1 000 km

RUSSIE

MER DU JAPON

CORÉE DU NORD

JAPON

CORÉE DU SUD

MER DE CHINE ORIENTALE

OCÉAN PACIFIQUE

PHILIPPINES

MER DE CHINE MÉRIDIONALE

Shanghai

Canton

Beijing (Pékin)

MONGOLIE

CHINE

VIETNAM

LAOS

BIRMANIE

THAÏLANDE

BOUTHAN

BANGLADESH

GOLFE DU BENGALE

NÉPAL

INDE

KAZAKHSTAN

KIRGHIZIE

TADJIKISTAN

OUZBÉKISTAN

TURKMÉNISTAN

AFGHANISTAN

PAKISTAN

MER D'OMAN

# Les médias sur la place Tiananmen : acteurs ou voyeurs ?

*Jacques Andrieu*

## L'aveuglement occidental

L'opacité de la Chine aux médias occidentaux est un phénomène dont les racines sont très anciennes. En 1958, Mao lançait le Grand Bond en avant, un mouvement dont l'ambition était d'amener la Chine, en l'espace de quelques années, au niveau de production des grands pays industrialisés. Embrigadée au sein des communes populaires, la paysannerie se voyait contrainte à couler de l'acier, des millions de tonnes d'un métal qui allait s'avérer parfaitement inutilisable, et elle était sommée de mettre en œuvre les recettes miracles, mises au point par le Comité permanent du Bureau politique, qui devaient prétendument lui permettre de doubler les rendements agricoles en une seule année[1]. Le prix à payer pour cet utopisme communiste allait se révéler très élevé, puisqu'il entraîna une famine qui, de 1959 à 1961, devait coûter la vie à quelque vingt à trente millions d'individus, auxquels il faut ajouter un déficit de naissances de trente autres millions[2]. Il n'est pas

---

1. Voir, par exemple, la monographie de J.-L. Domenach, *Aux Origines du Grand Bond en avant*, EHESS & Presses de la FNSP, Paris, 1982.
2. Voir Penny Kane, *Famine in China, 1959-1961 : Demographic and Social Implications*, St Martin Press, New York, 1988. Des sources chi-

besoin de se livrer à de macabres comparaisons pour arriver à la conclusion qu'il s'agit de la famine la plus meurtrière jamais enregistrée dans les annales de l'histoire de l'humanité. En outre, facteur aggravant et là aussi unique, cette famine n'a pas été provoquée par des catastrophes naturelles ni par des désordres politiques, comme ce fut le cas, tout récemment, en Somalie : elle fut la conséquence de l'obstination des dirigeants du pays à vouloir mettre en œuvre les lubies utopiques qui avaient alors leur faveur.

Ces millions de morts de faim, avec tout le cortège de souffrances et de tragédies qui les accompagnèrent, comme la résurgence, bien attestée, de l'anthropophagie, constituaient un sensationnel qui eût dû alimenter nos bulletins d'information et tenir le monde entier en haleine. Pourtant, il n'en fut rien : à une époque où les ondes hertziennes avaient commencé de rebondir d'un bout à l'autre de la planète, personne, en dehors de la Chine, ne sut rien des horreurs dont elle avait été le théâtre. Pour cela, il fallut attendre le début des années 1980. Par exemple, ce n'est que le 10 avril 1984 que *Le Monde* informait ses lecteurs de l'existence, en Chine, d'un trou démographique équivalent, en gros, à l'effet de la Seconde Guerre mondiale et qu'il l'imputait aux politiques suicidaires poursuivies pendant la période du Grand Bond en avant.

S'il en alla de la sorte, ce fut, bien entendu, parce que l'appareil de propagande du PCC avait réussi à rendre invisibles au reste du globe terrestre les 600 millions d'individus que la Chine comptait alors. Mais tout processus de transmission d'un signal suppose un émetteur et des récepteurs. Et en l'occurrence, ceux-ci, nous autres les Occidentaux en général, nous n'avons pas simplement été dans une position d'ignorance ou de désinformation. Tout d'abord, nous n'avons pas vu parce que, jusqu'à un certain point, nous n'avons pas voulu voir. Par exemple, nous n'avons pas voulu voir ces colonnes de réfugiés faméliques qui cherchèrent alors refuge à Hong Kong et qui, eux,

noises récentes (par exemple, la revue de Shanghai, *Shehui*, avril-mai 1993) incitent à réviser à la hausse l'estimation du surcroît de décès pour la période 1959-1961 : elles le situent, en effet, dans une fourchette de 40 à 43 millions de morts.

étaient bien visibles, puisque, en l'espace de six semaines de 1962, on en enregistra plus de 100 000 dans la colonie britannique. Ensuite et surtout, pendant plus de vingt ans, un point de vue sur le Grand Bond en avant prévalut : une expérience originale et globalement positive avait été tentée, pendant cette période, en Chine. C'est l'époque — les gens âgés de plus de quarante ans aujourd'hui s'en souviennent sans doute encore — où tout le monde, des esprits partisans aux experts les moins suspects de pharisaïsme maoïsant, était d'accord: les communes populaires étaient l'avenir du tiers-monde et la mobilisation des énergies à la façon du Grand Bond, le moyen de le tirer de la léthargie du sous-développement[3].

Rétrospectivement, c'est-à-dire, pour le chercheur qui se penche sur cette période, cet unanimisme dans l'enthousiasme a de quoi laisser perplexe, car il est hors de proportion avec l'attitude alors observée par les autorités chinoises. Certes, fidèles à l'*omerta* communiste, elles se cantonnaient dans la fiction d'un Grand Bond qui aurait été un succès sur toute la ligne. Mais il n'était pas trop difficile de lire, entre les lignes, que le bilan devait en avoir été plus que mitigé. Ainsi, dans les années 1960 et 1970, devenait-il rituel, à Pékin, de faire état des « trois années de calamités naturelles » qui l'avaient quelque peu assombri. Mieux, en 1961, Mao déclarait au maréchal Montgomery, qui s'en faisait aussitôt l'écho dans la presse anglaise[4] que, en 1960, la production de céréales de la Chine était tombée à 150 millions de tonnes et que les prévisions pour l'année en cours la donnaient à 160 millions de tonnes, contre les 195 millions de l'année 1958. Autrement dit, Mao reconnaissait, presque sans fard, qu'il y avait famine. Mais cette prudence, cette réserve des autorités chinoises à l'égard de leur propre création, force est

3. Il faut faire une exception pour quelques esprits clairvoyants, par exemple, Claude Cadart « La Chine et le reste du monde », dans *l'Univers politique, 1968 : Relations internationales*, Paris, Éditions Richelieu, 1969 ; Lucien Bianco, « La page blanche », *Politique aujourd'hui*, mai-juin 1970 et Simon Leys, *Les habits neufs du Président Mao*, Paris, Champ Libre, 1971, qui méritent bien sûr un hommage tout particulier.
4. Voir le *Sunday Times* du 15 octobre 1961.

de constater qu'elles ne furent guère partagées par l'Occident. Ainsi, un ministre du général de Gaulle comme André Malraux ne peut pas, raisonnablement, être soupçonné de « gauchisme » : pourtant, lors de l'entrevue que Mao Tsé-toung lui accorda en août 1965, il n'hésita pas à demander, sans aucune précaution de langage, s'il n'entrait pas dans les intentions de son illustre interlocuteur de donner un nouveau coup de fouet à la production agricole, en poussant encore plus loin la collectivisation des campagnes[5].

Un autre cas de perception gravement erronée de la Chine est celui de la Révolution culturelle, qui s'est étendue de 1966 à 1969. Aujourd'hui, les langues se sont déliées en Chine, si bien que l'on connaît à peu près l'ampleur de la catastrophe à laquelle elle a correspondu. Pour ce qui est des services de propagande du PCC, ils ont reconnu, après la mort de Mao, qu'elle avait fait la bagatelle de 100 millions de victimes[6]. Quant aux Chinois de la rue qui lui ont survécu, le vocabulaire qu'ils emploient pour en parler l'apparente, au choix, à une apocalypse, à une fin des temps, ou à un chaos des origines. Pourtant, là aussi, ce qui s'est passé en Chine durant cette période est passé complètement inaperçu de l'Occident. Comme si les cadavres affreusement mutilés que la rivière des Perles charriait alors jusqu'à Hong Kong n'en disaient pas au moins autant sur la Révolution culturelle que ce qui s'en disait à Pékin, dans les publications de l'une ou l'autre des factions occupées à s'entretuer allégrement. Au lieu de cela, les pharisiens maoïstes discouraient à longueur de

---

5. André Malraux, *Le Miroir des limbes. Antimémoires*, Gallimard, Paris, 1972. La relation que Malraux a donnée de son entrevue avec Mao est hautement fantaisiste. Mais la collation avec les minutes, tant chinoises que françaises, de celle-ci confirme qu'il a bel et bien tenu ce propos.
6. Le chiffre est officiel, tout comme l'est celui de 940 000 personnes impliquées dans une seule « affaire », pendant la Révolution culturelle, celle dite de la « clique des 61 renégats » : voir « Problems Concerning the Purge of K'ang Sheng : Hu Yaobang's Speech at the Central Party School », *Issues and Studies*, vol. 16, n° 6, juin 1980, pp. 74-100. Je les donne à titre purement indicatif, car ils ont été rendus publics à une époque où Pékin avait jeté l'anathème sur toute cette période. Mais il n'empêche, même exagérés, ils demeurent significatifs du traumatisme que la Révolution culturelle a été pour les Chinois.

pages du *Monde* de l'idée communiste que la Garde Rouge de Mao Zedong aurait été en train de sauver de son pervertissement par la bureaucratie, comme cela s'était, selon eux, produit en Union soviétique. Les autres, eux, nous assuraient que la Chine s'était éveillée ou était sur le point de le faire.

Dans le théâtre d'ombres que l'information sur la Chine a été durant toutes les années Mao, l'affaire Lin Biao occupe une place à part, parce qu'elle concentre en elle tous les ingrédients du biais systématique dont la diffusion de l'actualité était alors entachée. Le 13 septembre 1971, le maréchal Lin Biao, le « successeur désigné » par Mao à l'issue de la Révolution culturelle, disparaissait dans des circonstances qui n'ont jamais été entièrement élucidées. Rétrospectivement, l'événement n'apparaît que comme une violente révolution de palais ne présentant guère qu'un intérêt historiographique. Mais ce n'était pas le cas à l'époque : pour ou contre, toute la gent pensante occidentale trottait très menu, ayant accepté, comme allant de soi, l'idée que les 800 millions de Chinois contemporains vivaient dans *Utopyland*. Seule cette circonstance permet de comprendre pourquoi, pendant six mois, jusqu'en mars 1972, le correspondant du *Monde* à Pékin allait déployer des trésors d'imagination bien-pensante pour démentir les informations en provenance de Hong Kong et de Taïwan qui donnaient le Maréchal comme un homme mort, pour l'unique raison que, quel qu'ait été le mobile réel de leur divulgation, il n'était assurément pas de nature utopique. Et une ironie de la petite histoire (mais rien ne prouve qu'elle soit moins significative que la grande) allait faire que le dernier démenti de cette sorte paraissait la veille du communiqué officiel de Pékin confirmant lesdites informations[7]...

---

7. Sur cette « affaire », les vues professées par Lucien Bianco, dans *Esprit*, novembre 1972, sont très éclairantes.

## Une succession d'événements médiatiques

En apparence, rien ne semble davantage se situer aux antipodes de la phase obscurantiste de l'information sur la Chine que celle dans laquelle la « couverture » médiatique des événements de la place Tiananmen, au printemps 1989, s'est trouvée insérée. En effet, à la fin des années 1970, suivant de près celle de son père fondateur, le maoïsme occidental était frappé de mort subite et il était enterré à la sauvette. En conséquence, du jour au lendemain, la Chine cessait d'être *Utopyland* et elle rejoignait l'immense cortège des pays où il ne fait pas bon vivre. Elle n'allait pas y rester longtemps. C'est que, après le retour au pouvoir de Deng Xiaoping, en 1978-1979, la Chine s'ouvrait sur les capitaux occidentaux et entreprenait une vaste réforme économique. Rétrospectivement, à nouveau, il s'agissait, pour le régime de Pékin, d'essayer, tout bonnement, de sauver les meubles et, ainsi, de se sauver lui-même. En somme, c'était l'homologue, sur un plan économique, de la tentative que la *perestroïka* soviétique allait être, quelques années plus tard sur un plan politique. Pourtant, comme pour se disculper de son coupable aveuglement pendant la phase maoïste du régime chinois, l'opinion publique occidentale se mettait, sans transition, à se bercer de la flatteuse illusion que Pékin était en train de prendre la « voie capitaliste ». Cette illusion explique, par exemple que, fait sans précédent, Deng Xiaoping ait pu être à deux reprises, en 1979 et en 1984, sacré « homme de l'année » par le *Times*. Le même régime, conduit pour l'essentiel par les mêmes hommes, était responsable des atrocités et des aberrations de la phase précédente, qu'aucune chapelle politique ou intellectuelle ne songeait plus alors à nier. Par quel processus avait bien pu s'opérer sa conversion aux idées du libéralisme, c'est là une question que personne, dans le monde de l'information, ne s'aventura cependant à poser ouvertement.

Cette illusion sur la nature du pouvoir à Pékin est le contexte dans lequel les événements de la place Tiananmen, au printemps 1989, ont été perçus par l'Occident. A cause d'elle, en effet, un consensus s'est fait spontanément jour parmi les journalistes de la presse mondiale: Deng Xiaoping était un père tranquille, pas un père fouettard et, quelle que soit l'issue de la crise, il était impensable qu'elle passât par un bain de sang. Sans l'existence de ce consensus, les centaines de manifestants chinois interviewés ou simplement montrés par les télévisions du monde entier seraient-ils apparus à visage découvert sur nos écrans? Une curieuse coïncidence a voulu que le jour du massacre de la place Tiananmen, le 4 juin 1989, l'imam Khomeini se soit éteint. En conséquence, ce qui est bien naturel, de nombreux opposants iraniens étaient sollicités de donner leur opinion. Mais, ce qui est également naturel, leurs traits étaient déformés par un brouillage permettant de leur garantir l'anonymat. Si les protestataires chinois n'ont pas eu droit à ce traitement, c'est bien que, dans les rédactions des journaux télévisés, on était persuadé que leur sécurité n'était pas en danger. Le problème ici posé n'est pas que de déontologie abstraite: il est en effet de notoriété publique, à Pékin, que la police chinoise s'est servie des images diffusées par les télévisions occidentales afin de procéder à des arrestations après que le sang eut coulé à flots sur la Place. A cette fin, elle dispose de services audiovisuels spéciaux, dont l'existence était connue longtemps avant le tragique dénouement du 4 juin[8]. Aussi cela permet-il d'apporter un premier élément de réponse à la question qui figure dans le titre de ce chapitre : oui, de ce point de vue, les médias occidentaux ont été un des acteurs des événements du printemps 1989 à Pékin, et ils l'ont été par leur voyeurisme.

Mais acteurs, ils l'ont été à plus d'un titre. Un de ceux-ci est indéniablement positif, en tout cas au sens où l'homme de la rue peut l'entendre, parce qu'ils ont largement contribué à tenir les Chinois informés sur ce qui se passait dans leur pays. Par exemple, pendant toute la durée des événements, chaque jour, à dix-huit heures

---

8. A cet égard, il existe même une photo de presse qui a fait le tour de la terre : elle montre des cameramen en uniforme de la police chinoise en train de filmer, juchés sur une jeep, la manifestation du 1er janvier 1987, sur la place Tiananmen (voir, par exemple, Wojtek Zafanolli, « Chine, un coup d'arrêt conservateur », in *Encyclopedia Universalis*, 1988, p. 127, où elle est reproduite). Même Han Suyin (*Paris Match*, 22 juin 1989, p. 77) en est d'accord : « Des "taupes" se mêlaient aux contestataires et filmaient les étudiants. »

(heure locale), le bulletin d'information de la BBC était religieusement écouté à travers toute la Chine. Nul doute que les radios étrangères ont ainsi accéléré la propagation de l'agitation estudiantine à l'ensemble de cet immense pays. Dans le même ordre d'idées, c'est par la BBC et *Voice of America* que, le 20 mai, beaucoup de Pékinois apprirent que des troupes faisaient mouvement vers le centre de la capitale: ce fut là, très certainement, un des facteurs de la mobilisation populaire qui permit de faire échec à la première tentative d'investissement militaire de cette dernière (il n'y en eut plus d'autres avant le 2 juin[9]).

La médiatisation, à l'échelle de la planète, de l'occupation de la place Tiananmen n'a pas seulement permis une amplification sans précédent d'un mouvement qui, autrement, serait resté circonscrit aux grandes universités du pays, comme cela avait été le cas en décembre 1986 et janvier 1987. Plus fondamentalement, il n'est pas exagéré de dire qu'elle a infléchi le cours des choses dans un sens qui rendait inéluctable le massacre du 4 juin. C'est que cette occupation sans précédent a été comme structurée par un ensemble d'événements médiatiques qui se sont enchaînés dans le temps, transformant la Place en une gigantesque scène de théâtre et l'action des étudiants, en un spectacle retransmis en mondovision. Tout d'abord, c'est un événement médiatique par excellence qui a mis le feu aux poudres : le décès, le 15 avril, de Hu Yaobang, l'ancien secrétaire général du Parti destitué en janvier 1987, à la suite, précisément, de cette première vague d'agitation estudiantine. Hu avait été disgracié, non pas purgé, et le régime s'apprêtait à rendre hommage à sa mémoire, mais de façon mitigée. Toute l'intelligence de la contestation étudiante en ses débuts aura consisté à retourner contre le pouvoir chinois le sens du décorum et la symbolique apprêtée par lesquelles il met en scène sa propre légitimité. Dans ce but, dès le 16 avril, les étudiants entreprenaient une première occupation du lieu qui a été spécialement conçu par le régime afin d'accueillir l'accomplissement des immuables rites par lesquels, à intervalles réguliers, il illustre sa représentativité populaire. Ce lieu, c'est, bien

---

9. Voir, par exemple, *The Guardian Weekly*, 4 juin 1989.

entendu, la place Tiananmen. Qu'il ne s'agît pour les étudiants, en cette phase initiale du mouvement, que d'une habile manipulation des codes symboliques du pouvoir communiste, c'est ce que prouve le fait que, alors, ils se contentaient d'exiger que Hu Yaobang fût officiellement sacré « grand marxiste » et que des funérailles nationales lui fussent faites, dans le Palais du peuple au style gréco-stalinien qui borde la Place sur son côté ouest. Le 22 avril, ils avaient pleinement gain de cause. Les brèves échauffourées autour de Zhongnanhai (le Kremlin de Pékin) mises à part, l'événement, jusqu'alors, ne revêtait un caractère médiatique que pour un public exclusivement chinois.

Il en alla de même, pour l'essentiel, pendant la seconde phase du mouvement. Celle-ci fut comme portée par un autre événement médiatique officiel, qui était la commémoration du soixante-dixième anniversaire du mouvement du 4 mai 1919, que l'historiographie du régime donne comme le véritable acte de naissance du communisme chinois. Comme ce mouvement avait consisté en un cortège d'étudiants qui avaient convergé, déjà, sur la place Tiananmen et qui avaient été dispersés à coups de matraques par le seigneur de la guerre de l'époque, leurs lointains descendants de 1989 ne pouvaient manquer d'exploiter le parallèle afin de poursuivre leur mobilisation en toute impunité. Les faits devaient leur donner raison: en dépit d'un éditorial (le 26 avril) au ton hargneux, qui traduisait surtout l'exaspération croissante des caciques du régime, ceux-ci firent contre mauvaise fortune bon cœur et ils se gardèrent de toute intervention inopportune. Car, au soir du 4 mai, les étudiants auraient dû, normalement, retourner à leurs chères études, et la Chine rentrer dans l'ordre précaire que lui assure le système communiste. Des voix, effectivement, s'élevèrent dans leurs rangs pour les appeler à cesser leur action[10].

Mais, en ce soir du 4 mai, un troisième événement médiatique se profilait à l'horizon. C'était la visite que Mikhaïl Gorbatchev devait effectuer en Chine, à partir du 15 mai, afin de clore officiellement les trente années de

---

10. Par exemple, celle de Wuer Kaixi, voir *Libération, Spécial Chine*, juin 1989, p. 39.

brouille et de rivalité entre les deux grands pôles du communisme international. L'aubaine était trop bonne pour ne pas être saisie par un mouvement qui s'était une première fois survécu à lui-même grâce à une échéance de même nature, sans compter que ce nouvel événement allait avoir, lui, un retentissement mondial. Le régime — et Deng Xiaoping en premier lieu — tenait trop à cette réconciliation historique pour risquer de la ternir par une répression policière. La perspective des solennités devant accompagner le passage à Pékin du numéro un soviétique assurait donc une nouvelle immunité à la poursuite de l'occupation pacifique de la Place. L'agitation estudiantine bénéficia ainsi d'un second sursis de deux semaines. Pendant cette période, l'impunité dont il semblait jouir permit au mouvement de gagner en extension. Elle entraîna également une modification de ses formes. Jusque-là, il s'était inscrit dans un cadre politique et culturel purement chinois et, par conséquent, il s'était adressé à un public qui était, pour l'essentiel, chinois. Aussi, durant ses deux premières phases, c'est-à-dire jusqu'au 4 mai, les formes de la protestation des étudiants s'étaient-elles très largement inspirées de la tradition chinoise et confucéenne en cette matière. Ces formes peuvent être regroupées en deux grandes rubriques. La première est celle du « sacrifice héroïque ». Par exemple, sont à ranger dans cette catégorie les innombrables « testaments » bourrés de stéréotypes patriotiques que les étudiants rédigeaient avec leur sang, sans se rendre compte qu'ils allaient devoir le verser tout de bon. La seconde grande rubrique de la tradition où les étudiants puisèrent est celle du « pétitionnement ». Ainsi, immémorial usage, le 22 avril, des étudiants d'allure pourtant très occidentale (en « jeans » et cheveux mi-longs) allèrent-ils déposer leur « pétition » au Palais du peuple, en la tenant au-dessus de leurs têtes baissées et en gravissant à genoux les imposantes marches blanches de cet édifice, tout comme l'aurait fait autrefois le « mandarin intègre » voulant introduire une requête en faveur de ses administrés. Et l'objet de la « pétition » des étudiants c'était, redisons-le, d'exiger que les qualités de « grand marxiste » du défunt Hu Yaobang fussent officiellement reconnues[11]...

Mais le troisième événement médiatique sous l'ombrelle protectrice duquel, à partir du 4 mai, les étudiants placèrent leur action avait un caractère différent des deux premiers: il était de caractère international, et son public allait être celui des télévisions du monde entier. Pour mobiliser son attention, il importait donc de recourir à l'arsenal occidental des rituels de la protestation. C'est ce qui fut accompli, en grande partie, grâce à la spectaculaire grève de la faim de plusieurs milliers d'étudiants qui, à partir du 13 mai, plantèrent leurs tentes au centre de cette place édifiée par le régime communiste afin de faire rayonner symboliquement son pouvoir sur toute l'étendue de la Chine[12]. Véritable trait de génie, cette action jouait sur les deux tableaux en lesquels l'opinion publique peut être grossièrement divisée: directement déchiffrable par les Occidentaux, elle ressortissait, pour les Chinois, à la catégorie mentale du « sacrifice héroïque[13] ».

Pourtant, ce n'était pas tout que d'avoir réussi à attirer sur soi le regard de l'homme de la rue occidental. Encore fallait-il parler à son imaginaire, conformément aux codes et aux thèmes qui dominaient son univers intellectuel, en cette fin des années 1980. De ce point de vue, il faut

---

11. Sur les racines proprement chinoises des formes de la contestation, voir Lucian W. Pye, « Tiananmen and Chinese Political Culture : the Escalation of Conflict », dans George Hicks ed., *The Broken Mirror : China after Tian'anmen*, Longman, Harlow (Essex), 1990, pp. 162-179.

12. Dans sa communication aux « Ateliers d'Art de Cergy » à Cergy Pontoise, le 4 septembre 1990, Philippe Jonathan a donné une analyse très documentée des visées symboliques poursuivies par les urbanistes qui ont conçu la Place.

13. Mais la différence de perception de cette forme de protestation demeure. Pour un public occidental, une grève de la faim est avant tout une mortification qui, pour produire des effets de sens, n'a pas besoin d'être conduite jusqu'à ce qu'elle débouche sur une issue fatale : au contraire, sauf exception (Mme Thatcher et l'IRA...), toutes les parties en présence s'entendront, tacitement, afin d'éviter cette dernière. En revanche, en Chine, elle *est* une action suicidaire menée au nom d'une cause. C'est ce qui explique que des étudiants, qui en étaient à leur premier jour de jeûne, aient pu raisonnablement penser qu'ils mettaient ainsi leur vie en danger et entreprendre, par centaines, de rédiger leur « testament » : grossièrement fausse sur un plan physiologique, cette conviction révélait, tout simplement, le registre symbolique dans lequel cette action s'inscrivait. C'est ce qui explique aussi l'exceptionnelle sollicitude dont les autorités chinoises les entourèrent. En effet, tant Li Peng, le Premier ministre, que Zhao Ziyang, le Secrétaire général, se sont rendus au chevet des grévistes de la faim, afin de les persuader, non pas de cesser leur action, mais de ne pas la conduire à son terme.

avouer que le problème de savoir si Hu Yaobang avait été ou non un « grand marxiste » ne pouvait entraîner, de la part de l'homme occidental, qu'un sarcastique haussement d'épaules. Les étudiants se mirent donc au diapason de l'opinion publique occidentale, en faisant passer au premier plan les slogans démocratiques qui, c'était l'évidence, ne pouvaient manquer de garder l'œil des caméras des télévisions étrangères braqué sur eux. Cette métamorphose fut d'autant plus aisée à effectuer que, bien qu'ayant eu des causes repérables, le mouvement étudiant ne s'est à aucun moment doté d'une plate-forme revendicatrice claire et il n'a jamais eu de programme bien établi[14] : dans ces conditions, le flou d'une exigence abstraite de démocratie ne pouvait que rallier tous les suffrages en son sein.

Pendant ce temps, le point mérite d'être noté, le pouvoir continuait de faire contre mauvaise fortune bon cœur, en adoptant une attitude qui montrait bien qu'il reconnaissait s'être laissé piéger sur le terrain de sa propre symbolique. Concrètement, de manière très confucéenne, il faisait alterner les menaces, plutôt bon enfant au regard de ce qui allait suivre, et les tentatives de nouer le dialogue avec les étudiants, mais de façon paternaliste, la seule qui soit concevable pour lui. Finalement, l'immuable ordonnancement auquel devait obéir la réception de Gorbatchev à Pékin était bouleversé de fond en comble par l'occupation de la Place et, le 16 mai, c'est par une porte dérobée que celui-ci faisait son entrée dans le Palais du peuple. Pourtant, le régime chinois, dont on connaît la susceptibilité en la matière, ne sembla pas se formaliser le moins du monde de l'énorme « perte de face » qu'il venait de subir.

Mais l'épreuve de ce troisième événement médiatique une fois derrière elles, les autorités avaient les coudées franches. C'est ce qui explique que, le 19 mai, Gorbatchev à peine envolé vers Moscou, la loi martiale était proclamée sur l'ensemble du territoire de la municipalité de Pékin. Quant au mouvement étudiant, n'ayant plus

14. Ce problème a fait l'objet d'une analyse par Jacques Andrieu, « La mobilisation des intellectuels », *Où va la Chine ? Cahier de l'Ifri*, Paris, 1990 (Actes de la journée de travail de l'Ifri et de l'Inalco, à Paris, le 2 février 1990), pp. 73-112.

aucune ombrelle médiatique pour le protéger, il eût enfin dû, en bonne logique, proclamer sa dissolution. De fait, dès le 20 mai, un terme provisoire était mis à la grève de la faim, tandis que, le 27 mai, le « bureau politique » de la contestation étudiante[15] décidait, très sagement, de remettre à la rentrée universitaire l'instauration de la démocratie en Chine. Mais cette « décision » n'allait être suivie d'aucun effet, pour la bonne et simple raison que ladite instance dirigeante faisait aussitôt l'objet d'une purge et qu'elle était entièrement renouvelée, selon une procédure que je ne suis pas parvenu à élucider, mais qui, pour sûr, n'était fondée sur aucune consultation démocratique que ce fût[16].

## Quand la médiatisation construit l'événement

En réalité, élément entièrement nouveau dans un contexte politique et symbolique chinois, ce n'était plus la perspective d'un événement médiatique qui jouait dans la poursuite de la mobilisation, mais le simple fait de sa médiatisation, qui lui était acquise après le camouflet qu'avait été, pour le régime, la perturbation de la visite du Numéro un soviétique à Pékin.

L'affirmation peut sembler trop catégorique et, avant de la justifier, je vais m'employer à la nuancer. Il est évident que, après plus d'un mois d'existence, le mouvement étudiant avait enclenché une dynamique de groupe qui lui donnait assez de ressort interne pour se poursuivre, par simple inertie, pendant un certain temps. En outre, autre facteur qui lui était favorable, cette dynamique allait dans le sens de son élargissement et de sa focalisation. Élargissement, parce que des catégories entières de la population de Pékin s'engouffraient dans l'espace de liberté créé par

---

15. *Libération*, 29 et 30 mai 1989, *Le Monde*, 30 mai 1989.
16. On ne saurait trop insister sur le fait que, dès le départ, la contestation étudiante a été minée par un fléau bien chinois, le factionnalisme. Sur cette question, envisagée dans une perspective historique, on ne peut que recommander Andrew J. Nathan, *Peking Politics, 1918-1923 : Factionalism and the Failure of Constitutionalism*, University of California Press, Berkeley, 1976.

les étudiants sur la Place et qu'elles y donnaient libre cours à l'expression de leur mécontentement face à une inflation qui galopait au même rythme que la corruption. Focalisation, parce que, après avoir couru le risque de se laisser enfermer dans la proclamation abstraite de grands principes creux, le mouvement était en train de s'inventer des objectifs concrets et des procédures réalistes pour y parvenir, notamment la mise à l'écart de Deng Xiaoping et la déposition de Li Peng, le Premier ministre, par le canal, tout à fait légal, d'une convocation exceptionnelle du Comité permanent de l'Assemblée nationale populaire[17]. Enfin, dernier facteur favorable à la poursuite du mouvement, le régime, impatient de se réapproprier un espace monumental édifié dans le seul but de proclamer sa légitimité à la face du monde, commettait l'erreur de tenter un premier investissement militaire, mais pacifique, de la Place, alors que la mobilisation était encore dans une phase ascendante, provisoirement accélérée qu'elle était par le scandale absolu que constituait la proclamation de la loi martiale. Au lendemain de celle-ci, le 20 mai, cette tentative jeta de l'huile sur le feu, en fournissant aux étudiants un motif de mobilisation qui était évident, immédiat et sans appel. En conséquence, le corps d'armée préposé à cette tâche devait rebrousser chemin.

Cette défaite infligée par la « populace » à son armée était, pour le régime, une humiliation supplémentaire et sans précédent. Mais il sut tirer les leçons de l'expérience, et il n'y eut plus, jusqu'au 2 juin, de tentative pour occuper militairement le centre de Pékin. Visiblement, le régime s'était mis à jouer l'essoufflement de la contestation étudiante. C'était loin d'être une démarche idiote. Après la fin de la visite officielle de Gorbatchev à Pékin, nous l'avons vu, la poursuite du mouvement dépendait de son aptitude à se placer dans le domaine du possible. Mais le pouvoir allait lui couper l'herbe sous les pieds, en apportant la preuve par *a* plus *b* qu'il n'avait nullement été ébranlé par ce qui, de son point de vue, n'était que gesticulations et désordres sur la voie publique. Il le faisait le 25 mai, par le

---

17. Voir Jacques Andrieu, « Le mouvement des idées », dans *La Chine au XX^e siècle*, tome 2, Fayard, Paris, 1990, pp. 255-284.

biais d'une réapparition télévisée de Li Peng, en sa qualité inchangée de Premier ministre. La réaction ne se faisait pas attendre, et, dans l'heure qui suivait l'émission, les étudiants commençaient à donner des signes de désarroi. Dès le lendemain, celui-ci se muait en franche désaffection et c'est par centaines que les étudiants des délégations provinciales se mettaient à reprendre le train pour leurs universités d'origine. Le 27 mai, enfin, la coordination étudiante semblait s'incliner devant l'évidence et elle proclamait la dispersion du mouvement[18].

## Sacrifiés au « dieu Image »

Mais le 30 mai, après la purge que j'ai signalée au sein de la coordination étudiante, le mouvement connaissait une ultime relance, qui allait complètement à contre-courant de sa dynamique propre. Cette relance était structurée par un quatrième événement médiatique, en forme de *happening* cette fois: c'était l'érection d'une gigantesque statue de plâtre, la « déesse de la démocratie », au cœur même de la Place, face au portrait géant de Mao et à mi-distance entre celui-ci et la Stèle aux héros, dont les bas-reliefs offrent un condensé sculptural des mythes fondateurs du régime. Autrement dit, baroque allusion à la statue de la Liberté, qui levait un flambeau vers le ciel comme pour en implorer quelque faveur, cette moderne réplique de l'Astarté biblique était installée dans le saint des saints du communisme chinois, dans la claire intention de détourner vers elle le potentiel de dévotion dont ce lieu est investi[19]. Cette tentative d'introduction d'un nouveau culte du Veau d'or n'eût, bien sûr, pas été concevable s'il n'avait disposé, sur place, de sa propre classe sacerdotale. Cette classe de prêtres païens, c'étaient, bien évidemment, les centaines de journalistes du monde entier qui, depuis plusieurs semaines, s'étaient agglutinés autour de la Place, dans le seul but de sacrifier au dieu Image.

Tous les ingrédients d'une tragédie grecque à l'antique étaient alors réunis. La minorité agissante qui était, très

---

18. Voir *supra*, note 13.
19. *Libération, Spécial Chine*, juin 1989, p. 75.

visiblement, à l'origine de cette profanation était sûre de tenir le bon bout en jouant ainsi les prolongations : en effet, grâce à cette initiative, le mouvement étudiant obtenait un nouveau sursis. Quant aux autorités, elles furent convaincues, à juste titre de leur point de vue, qu'elles ne pouvaient plus continuer de faire montre de « patience », cette qualité confucéenne s'il en est, sans courir le risque de sombrer dans le ridicule achevé. C'est que cette « déesse » ainsi offerte à l'adoration des foules était la preuve, pour elles, qu'elles n'avaient nullement affaire à des ouailles insuffisamment élevées en vertu et qu'il fallait remettre dans le droit chemin, mais, bel et bien, à des hérétiques ayant délibérément commis un sacrilège majeur. Dès lors, une seule conclusion s'imposait. Elle était celle de Yahvé commandant le massacre des Hébreux infidèles à sa Promesse, comme la Bible l'atteste à de nombreuses reprises. Car, sous toutes les latitudes, le paternalisme n'a de sens que si son revers, c'est un *pater familias* en bonne et due forme.

Qui, aujourd'hui, se souvient de Tiananmen, le 4 juin 1989 ? Certes, demain, les historiens diront quelle part le prix du sang payé par la Chine a tenu dans la sortie, somme toute pacifique, des pays de l'Est européen du figement communiste de leur histoire. Mais, dans la mémoire collective, tous ces corps écrabouillés entrevus à l'heure du dîner n'auront guère laissé plus de traces que l'impression de leur image sur la rétine. A une exception près. Il s'agit du fameux film de l'homme arrêtant seul une colonne de chars par la seule force de sa serviette brandie en manière de talisman : sa valeur médiatique lui a assuré sa pérennisation sous la forme d'un « poster » qui, question popularité, continue de le disputer avec les vedettes du « Top 50 » (Johnny Hallyday, à ce qu'il paraît, l'a fait figurer dans son dernier *clip*). Beaucoup de monde y a donc trouvé son compte : le public occidental qui s'est repu et continue de se repaître d'une image forte, l'auteur du film et les multiples intermédiaires entre celui-ci et celui-là (agence, etc.). Beaucoup de monde, sauf le principal intéressé qui, à la suite d'une dénonciation en bonne et due forme (des standards spéciaux avaient été ouverts à cette fin), a été passé par les armes : la nouvelle est certes parvenue jusqu'à nos oreilles, mais, de toute évidence, vu la place qu'elle a occupée dans nos journaux télévisés, elle était tout à fait déplacée, voire anecdotique par rapport à l'authentique geste héroïque du pauvre bougre.

L'état d'esprit avec lequel les médias occidentaux ont abordé la crise chinoise, qui s'est jouée sous leurs regards avides de *scoops*, est parfaitement exprimé par le « dossier », que, en date du 15 juin 1989, *Paris-Match* lui a consacré. Intitulé « Pékin, reportage sous les balles », sous-titre, « Les photographies prises au ras du sol dans le fracas des armes », celui-ci se présente, effectivement, comme une série de photographies peu étudiées au niveau du cadrage et du thème, mais qui montrent très bien l'effet du passage d'une colonne de chars sur l'avenue Chang'an. Et, concluant le « dossier », il y avait deux clichés illustrant la souffrance, bien réelle, du « reporter » qui avait reçu une balle perdue en les prenant. On ne saurait mieux dire que toute cette agitation fébrile des médias sur la Place n'obéissait qu'à un seul mobile, sacrifier au dieu Image. Car que pouvait bien peser cette souffrance, qui fait partie, comme on dit, des « risques du métier », en regard du millier ou de la dizaine de milliers de morts que, selon les sources (Amnesty International, ou bien les rescapés de la répression réfugiés à l'étranger), la reconquête de la Place avait faits? Arrivé à ce degré d'indécence, il aurait dû apparaître à tout le monde que notre faim d'images était devenue la véritable fin. Que tel ne fût pas le cas n'en est que plus révélateur de notre degré d'accoutumance à l'intolérable.

# RÉSISTANCE
# ET LÉGITIMITÉ

Les rapports du politique et du militaire sont au cœur de la problématique de la résistance civile. Ce thème est abordé ici dans la période de « sortie » d'un régime considéré comme autoritaire ou totalitaire. Comment comprendre qu'un nouveau pouvoir politique à la recherche de sa propre stabilité ait pu parfois résister et s'affirmer face à une tentative de coup de force armé destiné à le renverser ?

Les deux études de cas présentées par Francisco Campuzano-Carvajal et Anne Le Huérou, sur les rôles respectifs du roi Juan Carlos et de Boris Eltsine face aux tentatives de coups d'État dans l'Espagne de 1981 et l'URSS de 1991, permettent des rapprochements éclairants. L'hypothèse est que la fermeté immédiate de ces figures politiques de premier plan, incarnant à un moment historique de leur pays une volonté de changement, fut de nature à engendrer une dynamique de résistance institutionnelle et / ou sociale. Dans les deux cas, Juan Carlos et Boris Eltsine possèdent en effet une légitimité propre, faisant pour ainsi dire partie de la donne initiale de la crise, et dont ils vont respectivement se servir pour résoudre le conflit. A travers leur personne, tout ou partie du pays se reconnaît au moment où éclate le complot : Juan Carlos parce qu'il est à la fois porteur de la légitimité de la Couronne et commandant suprême des armées ; Boris Eltsine parce qu'il vient d'être élu au suffrage universel à la présidence de la Fédération de Russie et qu'il symbolise alors, note Anne Le Huérou, « plusieurs années d'opposition de plus en plus radicale au système soviétique ». C'est donc au nom de leurs légitimités respectives qu'ils vont tenter de faire barrage aux putschistes.

Il est vrai que ces derniers font, dans les deux cas, de graves erreurs qui discréditent d'emblée leur tentative. Ils apparaissent comme des hommes du passé, attachés à un régime dont les éléments les plus avancés de la société veulent précisément sortir. Peut-être est-ce parce que les auteurs de ces coups de force ne saisissent pas l'évolution de leur propre pays qu'ils vont à l'échec : ils se montrent incapables de contrôler la situation sociale parce que leurs catégories mentales ne leur permettent plus de la comprendre. Par manque de préparation ou de lucidité, ils ne parviennent pas à « boucler » le champ politique, ce qui laisse ouvert un certain jeu dont savent profiter le roi et le nouveau président russe.

De même que Curzio Malaparte avait tenté d'analyser en son temps la technique du coup d'État[1], y aurait-il une technique pour résister à celui-ci ? La mise en perspective de ces deux exemples pourrait le faire croire. Bien que les situations des deux pays soient très différentes, ils recourent aux mêmes tactiques de base, à savoir :

1. Isoler les auteurs de la tentative de coup d'État : ni Juan Carlos ni Boris Eltsine ne cherchent la confrontation directe avec les putschistes. Ils tentent de créer en dehors de ceux-ci un rapport de forces qui se retourne contre eux.

2. Maintenir le principe d'un gouvernement civil pour éviter le vide politique que cherche à susciter le complot. Au moment même où Mikhaïl Gorbatchev est mis à l'écart, l'opposition de Boris Eltsine crée une alternative politique au coup d'État. Cette dynamique le pousse aussitôt à entreprendre la constitution d'un gouvernement en exil. Pour sa part, Juan Carlos fait annoncer la création d'un cabinet de crise. Son initiative est d'autant plus remarquable que la Constitution espagnole ne l'y autorise pas. Mais cette décision, expression d'un sens politique profond de la

---

1. Curzio Malaparte, *Technique du coup d'État*, traduction, Paris, Éd. Grasset, 1992.

situation, était légitime parce que, souligne Francisco Campuzano-Carvajal, « la formation d'un gouvernement parallèle, qui représentait le pouvoir civil, devait symboliser (...) la défense par le roi des institutions démocratiques ».

Procédant ainsi, Juan Carlos et Boris Eltsine expriment leur ferme volonté de résister au coup de force en affirmant le primat du politique sur le militaire. Ils ne peuvent pourtant pas atteindre leurs objectifs sans d'importants appuis, au sein des institutions du pays, qu'ils se doivent de rallier à eux. Or la première de ces institutions, la plus importante en la circonstance, est celle-là même qui est directement impliquée dans le complot : l'armée. Dans la mesure où les putschistes espagnols se réclament du roi et que celui-ci est le chef des armées, sa riposte est simple : il s'agit pour lui de faire savoir à la hiérarchie militaire qu'il n'entend aucunement soutenir l'opération. La position institutionnelle de Boris Eltsine est moins favorable puisqu'il n'est alors « que » le président de la Fédération russe. Son but est pourtant semblable : rallier à lui l'institution militaire afin de neutraliser les auteurs du coup. Dans quelles conditions l'a-t-il fait ? Au moyen de quelles concessions ? Anne Le Huérou rappelle que le rôle respectif de tous les protagonistes est loin d'être éclairci.

Quoi qu'il en soit, le succès de la résistance au putsch repose sur un certain paradoxe : bien que sa dynamique soit fondamentalement politique, son but étant de délégitimer le coup de force, sa chance de réussite dépend de sa capacité à rallier le pouvoir militaire de telle manière que celui-ci désamorce le complot. Autrement dit, la solution à la crise revient à obtenir la subordination du militaire au politique, ce qui constitue, en théorie, un principe fondamental du modèle républicain.

En Russie, la résistance au coup d'État s'est aussi jouée dans la capacité charismatique de Boris Eltsine à mobiliser la société. Il s'agit là d'une différence cardinale avec l'attitude du roi d'Espagne. Boris Eltsine recherche le soutien de la population pour donner plus de force à son action et n'y réussit d'ailleurs que partiellement. Sa contre-offensive est fondée sur une stratégie de communication publique, marquée par son appel spectaculaire à la résistance, juché sur un char, dès les premières heures du conflit. C'est pourquoi les médias indépendants jouent un rôle important pour relayer et amplifier son action. Si donc Boris Eltsine s'adresse à la population dès le début de la crise, Juan Carlos le fait plutôt à la fin, quand il estime que celle-ci s'est dénouée en sa faveur. Le peuple n'est que spectateur de la crise et n'est appelé par aucune des parties en présence à jouer un rôle particulier. Ce n'est qu'après avoir vérifié la loyauté des généraux à sa personne que le roi s'adresse à la nation. Son message — très bref — revient à dire à la population qu'il n'a pas cautionné le coup et qu'il demeure garant de la Constitution et de la transition démocratique. D'une certaine façon, le roi traite le putsch comme un non-événement.

La résistance victorieuse au coup d'État donne à ceux qui l'ont symbolisé une nouvelle légitimité. La fermeté du roi suscite en sa faveur un véritable plébiscite parmi la population, tandis que Boris Eltsine accroît son prestige national et international. Pourtant, la situation de ce dernier s'est révélée beaucoup plus fragile par la suite. Comment le comprendre ? En situant le coup d'État dans un temps plus long : celui du processus même de la transition. Sur ce plan, l'histoire des deux pays est en effet sans comparaison. En 1981, l'Espagne est déjà engagée depuis plusieurs années dans la sortie du franquisme tandis qu'en 1991, l'URSS n'a pas vraiment encore commencé sa transition « post-communiste ». En ce sens, les deux coups de force n'ont pas la même signification politique. En Espagne, l'échec du putsch a pour effet de consolider les institutions démocratiques du pays. En URSS, le coup d'État est plutôt vécu comme un « événement fondateur », qui enclenche un processus de rupture avec le communisme : processus laborieux et difficile, appelé à connaître des remises en cause successives, dont le drame d'octobre 1993 est l'illustration spectaculaire. En forçant le trait, on pourrait donc conclure que les deux coups de force ne témoignent pas de la même histoire : l'un, en Espagne, cristallise une histoire qui se termine, tandis que l'autre, en URSS, enclenche une histoire qui ne fait que commencer.

J. S.

172

# Le rôle du roi Juan Carlos dans la délégitimation de la tentative de coup d'État du 23 février 1981

*Francisco Campuzano-Carvajal*

On pourrait chercher les causes de l'échec du coup d'État du 23 février 1981 dans le retrait de l'armée de la politique dès avant la mort de Franco. Des auteurs comme Philippe Schmitter[1] ou Richard Gunther[2] relèvent, à juste titre, que l'armée espagnole avait cessé de jouer un rôle politique avant la transition et que au cours de celle-ci, les élites politiques avaient réussi à la maintenir en marge du processus politique. Elle n'avait pas, en particulier, participé en tant qu'institution aux négociations au cours desquelles les élites démocratiques avaient défini les nouvelles règles du jeu politique.

Doit-on en conclure, pour autant, que le coup d'État échoua parce que ses auteurs se trouvèrent isolés au sein d'une armée qui n'aspirait plus depuis longtemps à jouer

1. Schmitter, Philippe C., « An introduction to Southern European Transition », dans Schmitter, Ph. C., *et al.*, *Transitions from Authoritarian Rule* (I), Baltimore, The Johns Hopkins University Press, 1986 : pp. 4-10.
2. Gunther, Richard, « Spain : the very model of the modern elite settlement », dans Highley, J., Gunther, R. (ed.), *Elites and Democratic Consolidation in Latin America and Southern Europe*, Cambridge, Cambridge University Press, 1992 : pp. 38-80.

un rôle politique ? Ce serait oublier que toute l'armée, surtout dans ses échelons supérieurs, n'était pas devenue apolitique et encore moins démocratique. A plusieurs reprises depuis le début de la transition, des officiers de haut rang avaient critiqué les réformes politiques, et il était de notoriété publique que certains secteurs militaires souhaitaient le retour à un gouvernement fort. Quant au reste de l'armée, son attitude de neutralité était avant tout dictée par sa loyauté envers celui qui incarnait une monarchie restaurée par Franco et qui se voyait reconnaître, à ce titre, une double légitimité historique. Sans doute est-il vrai que seule une minorité d'officiers complotait contre la démocratie, mais il est non moins certain qu'une majorité d'entre eux aurait éprouvé peu de scrupules à seconder un coup anticonstitutionnel s'ils avaient eu la certitude que ses auteurs agissaient sous l'autorité du roi.

Plutôt que de considérer l'issue du coup d'État comme jouée d'avance, il conviendrait donc de chercher les raisons de son échec dans les conditions mêmes de son déroulement. A bien des égards, la situation qui prévalait en Espagne en février 1981 relève de l'« incertitude structurelle » qui caractérise, selon Michel Dobry, les conjonctures critiques. Pour expliquer de telles conjonctures, nous dit cet auteur, il convient de centrer l'analyse sur « ce qui se joue *dans* les processus de crise eux-mêmes » à travers l'activité tactique que déploient les acteurs concernés, « au détriment des "causes", "déterminants" ou "pré-conditions" (...) censés tout expliquer[3] ».

Dans cette perspective, la tentative de coup d'État du 23 février peut être analysée comme le moment paroxystique d'une crise politique que les secteurs réactionnaires, principalement localisés dans l'armée et la garde civile, tentèrent de retraduire en une crise des institutions imputable aux dysfonctionnements du système démocratique. La prise en otage du gouvernement et du Parlement devait ainsi provoquer une crise institutionnelle dont la seule issue aurait été la formation d'un gouvernement de salut national présidé par un militaire. Conscients qu'un

---

3. Michel Dobry, *Sociologie des crises politiques*, Paris, Presses de la F.N.S.P., 1986, p. 15.

tel scénario ne pouvait se réaliser sans l'appui de l'armée et que celle-ci resterait majoritairement fidèle au roi, les membres du complot tentèrent de faire accroire qu'ils agissaient en son nom. Dans ces conditions, c'est la tactique même des auteurs du coup d'État qui détermina celle qu'adopta le roi pour déjouer leurs plans. Son rôle dans la délégitimation du coup d'État consista donc, d'une part, à maintenir la légalité démocratique en assurant la continuité du pouvoir civil et, d'autre part, à isoler les militaires factieux en désavouant toute atteinte portée en son nom à la normalité constitutionnelle.

## La crise gouvernementale

A l'origine de la crise on trouve les tensions qui, depuis plusieurs mois, s'étaient accumulées au sein de la coalition gouvernementale. Le gouvernement présidé par Adolfo Suárez était soutenu au parlement par l'Union du centre démocratique (UCD), une coalition qui avait vu le jour en mai 1977, quelques semaines avant les premières élections démocratiques de l'après-franquisme. L'UCD regroupait une quinzaine de partis de diverses tendances (démocrates-chrétiens, libéraux, sociaux-démocrates, indépendants) qui venaient à peine de voir le jour et qui étaient constitués de personnalités souvent issues du régime précédent.

Après la victoire de l'UCD aux élections de juin 1977, Suárez obtint que les différentes formations qui l'avaient soutenu se fondent en une structure partisane unitaire dont il devint le président, et écarta progressivement les « barons » de l'UCD des postes de responsabilité[4]. Mais, une fois passée l'urgence des réformes politiques, l'accumulation des difficultés économiques et des déboires électoraux à des scrutins locaux contribuèrent à déstabiliser le *leadership* de Suárez.

---

4. Au I$^{er}$ congrès de l'UCD, tenu du 19 au 22 octobre 1978, Suárez devint le président du nouveau parti. Les chefs des courants politiques siégeaient dans le comité exécutif, mais seulement en qualité de membres du gouvernement. En avril 1979, après la deuxième victoire de l'UCD aux élections législatives, Suárez les écarta de la direction du parti en formant un gouvernement dans lequel ils ne figuraient pas.

Au sein de l'UCD, les chefs des différentes tendances politiques s'accommodaient de plus en plus mal de la tutelle que le gouvernement et, en dernière instance, Suárez exerçaient sur le parti et le groupe parlementaire. A la suite d'une réunion houleuse où la question du départ de Suárez fut évoquée, celui-ci dut se résigner à partager son pouvoir en formant, en septembre 1980, un gouvernement où les principaux barons de l'UCD refaisaient leur entrée. Le compromis de l'été n'apporta qu'un court répit à Suárez. La contestation gagna l'ensemble du parti. A l'approche du II<sup>e</sup> congrès d'UCD, prévu pour février 1981, on assista à l'émergence d'un secteur critique qui publia en décembre un document signé par 203 délégués, dont 94 parlementaires, qui exigeaient « que l'orientation du parti soit définie et élaborée par des organes collectifs et non par des volontés individuelles[5] ».

Dans le contexte de crise économique et de violence terroriste qui était celui de l'année 1980, la crise gouvernementale fut perçue d'emblée comme une menace pour la consolidation de la jeune démocratie espagnole.

## L'appel au roi

A partir de juillet 1980 commencèrent à circuler des rumeurs sur l'éventualité d'un gouvernement de coalition présidé par un militaire. Quelques mois plus tard, en octobre 1980, deux importants dirigeants socialistes eurent un entretien avec le général Armada, un proche du roi, qui évoqua devant eux une telle possibilité. Après en avoir informé le roi, Felipe González fit part à des journalistes de ses craintes concernant « un coup à huis clos, à la turque [qui] mettrait fin à la démocratie [...] et sans faire sortir un seul tank dans la rue[6] ». Le 16 novembre, Manuel Fraga, le leader de l'opposition de droite, se fit à son tour l'écho des rumeurs de coup d'État dans une lettre au

5. Cité par Carlos Hunneus, *La Unión de Centro Democrático y la transición a la democracia en España*, Madrid, Centro de Investigaciones Sociológicas, 1985, p. 326.
6. Cité par Powell, Charles T., *El piloto del cambio*, Barcelone, Planeta, 1991, p. 292.

monarque dans laquelle il l'incitait à intervenir pour « éviter une crise aux dimensions institutionnelle et historique[7] ».

Le roi donna sa réponse sous forme d'un message à la Nation dans lequel il exhortait toutes les institutions de l'État ainsi que les partis politiques à placer « la défense de la démocratie et le bien de l'Espagne » au-dessus des intérêts personnels et partisans. Dans une claire allusion aux rumeurs de coup d'État, il devait ajouter encore : « Efforçons-nous de préserver l'essentiel si nous ne voulons pas nous exposer à perdre les moyens et la possibilité d'agir sur ce qui est accessoire[8]. » Le roi prenait bien garde de ne pas sortir du rôle d'arbitre qui lui était dévolu par la Constitution de 1978[9]. Néanmoins, ses contacts avec les leaders politiques de l'opposition ainsi que la sévérité avec laquelle il avait critiqué dans son message ceux qui négligeaient leurs responsabilités envers le système démocratique contribuèrent à accentuer l'isolement politique de Suárez.

### La démission de Suárez

Dans ce climat tendu se produisit un événement qui contribua à intensifier la crise : Adolfo Suárez annonça le 29 janvier 1981, dans un message télévisé, sa démission de son poste de premier ministre et de la présidence de l'UCD. On a beaucoup spéculé sur les raisons d'une démission que son auteur n'a pas explicitées à ce jour. Certains auteurs invoquent les relations tendues entre Suárez et le roi, ou encore les pressions exercées par les militaires qui faisaient planer la menace d'un coup d'État. Bien qu'il soit difficile de vérifier le degré d'exactitude de ces explica-

---

7. *Ibid.*, p. 292.
8. *ABC*, 1er janvier 1981.
9. Selon la Constitution, « le Roi est le chef de l'État, symbole de son unité et de sa permanence ; il arbitre et tempère le fonctionnement régulier des institutions ; il assume la représentation suprême de l'État dans les relations internationales (...) et exerce les fonctions que lui attribuent expressément la Constitution et les lois » (art. 56-1). A noter que parmi ces fonctions figure celle de commandant suprême des forces armées (art. 62, h).

tions, elles constituent néanmoins des hypothèses vraisemblables étayées par certains indices qui confirment que la crise avait débordé depuis longtemps le cadre de la coalition gouvernementale.

Dans son message télévisé, Suárez justifiait en effet sa démission par sa volonté d'éviter que « le système démocratique de coexistence soit, une fois de plus, une parenthèse dans l'histoire de l'Espagne[10] ». Il est peu probable que Juan Carlos ait ouvertement demandé la démission de Suárez, simplement parce qu'il n'en avait pas les moyens constitutionnels[11]. Mais il est non moins certain que les relations entre les deux hommes s'étaient progressivement détériorées, en grande partie à cause de la paralysie politique dont semblait frappé Suárez[12]. En outre, le roi était sensible au mécontentement grandissant qui se manifestait dans les rangs de l'armée. Depuis sa nomination, Suárez avait pu se prévaloir de l'indispensable soutien du roi face à ceux qui, surtout dans les rangs de l'armée, critiquaient les réformes par lesquelles il démantelait le régime franquiste. Mais, en 1980, les militaires avaient accentué leur pression contre celui qu'ils accusaient de passivité face à la vague d'attentats terroristes que connaissait le pays. Depuis 1975, en effet, les attentats des deux principales organisations terroristes, ETA et GRAPO, avaient fait trois cent quarante-deux morts, avec une nette recrudescence en 1979 et 1980, principalement parmi les membres des forces de sécurité et de l'armée[13]. Il semblerait donc que vers la fin de l'année 1980, le roi soit parvenu à la conclusion que, tout comme Arias Navarro était en 1976 une entrave à la réforme politique, Suárez

10. *El País*, 30 janvier 1981.
11. Dans un entretien avec José Luis de Villalonga, le roi lui-même a déclaré à ce sujet : « On m'a accusé (...) de m'être débarrassé d'Adolfo. Mais cela revient à ignorer quel doit être le rôle du roi dans un régime parlementaire. Je n'avais aucun pouvoir qui me permette d'imposer une solution politique à ma convenance. » De Villalonga, José Luis, *El Rey*, Barcelone, Plaza y Janés, 1993, p. 166.
12. Selon un de ses proches, le roi aurait dit le 25 janvier : « Arias fut un gentleman ; quand je lui suggérai la démission, il me la présenta. » Cité par Powell, Charles T., *op. cit.*, 1991, p. 294.
13. Cf. Navalon, Antonio, Guerrero, Francisco, *Objetivo Adolfo Suárez*, Madrid, Espasa Calpe, 1987, p. 247.

était devenu un obstacle à la consolidation de la démocratie. Mais cette fois la menace ne provenait pas d'une mobilisation populaire, mais des secteurs réactionnaires qui incitaient l'armée à intervenir dans la crise.

## Les secteurs réactionnaires face à la crise

Dans les semaines qui précédèrent le 23 février, l'activité tactique déployée par les secteurs réactionnaires consista essentiellement à retraduire la crise gouvernementale en une crise de légitimité des institutions démocratiques.

Il faut rappeler que l'armée dont Juan Carlos était devenu le commandant suprême à la mort de Franco était une institution où subsistaient des secteurs fortement politisés. Nombre de ses chefs avaient fait leurs armes au cours de la Guerre civile et il fallut attendre 1978 pour que le premier officier n'ayant pas pris part à la Guerre devienne général. Il est intéressant de noter, en outre, que ses unités les plus modernes n'étaient pas déployées aux frontières mais concentrées dans les zones industrielles et autour des grandes villes, comme si elles devaient servir avant tout à combattre un ennemi intérieur.

Depuis le début de la transition, des officiers de haut rang avaient manifesté à diverses reprises leur hostilité à un processus qui, selon eux, menaçait gravement l'unité du pays. L'indignation des militaires s'était focalisée sur la légalisation du Parti communiste et le terrorisme. En septembre 1976, le général Fernando de Santiago avait démissionné de son poste de vice-président du gouvernement pour protester contre la légalisation des syndicats. En avril 1977, ce fut le tour du ministre de la Marine, l'amiral Pita da Veiga, à la suite de la légalisation du PCE. Il semblerait que ce soit à partir de cette date que les officiers les plus hostiles aux réformes commencèrent à comploter pour mettre un terme au processus démocratique[14].

---

14. Parmi les conspirations militaires qui précédèrent le 23 février, la plus importante fut sans doute celle qui se trama à Játiva, où plusieurs militaires de haut rang se réunirent en secret du 13 au

Après la démission de Suárez, le général Armada rencontra le roi à plusieurs reprises. Emilio Romero, un journaliste influent dans les milieux conservateurs, publia à cette époque un article dans lequel il faisait l'éloge du général Armada, présenté comme « un homme étranger [aux partis] et politiquement béni » [par le roi ?][15]. Il semble, donc, qu'à travers ces contacts le général Armada ait cherché, d'une part, à se faire passer pour l'homme providentiel que requérait la situation et, d'autre part, à donner l'impression que le roi cautionnait sa démarche. C'était la première phase de ce qui sera connu plus tard sous le nom d'« opération de Gaulle ».

En marge des contacts pris par Armada, le journal des anciens combattants franquistes, *El Alcázar*, publia le 17 décembre 1980 le premier d'une série d'articles signés d'un mystérieux « Almendros », un pseudonyme derrière lequel se cachaient, semble-t-il, un groupe de militaires de haut rang et des membres de l'extrême-droite civile. Dans son premier article, « Almendros » développait l'idée qu'il existait un divorce entre le gouvernement et l'armée dont la responsabilité incombait à Suárez, qui s'était employé à couper le roi des forces armées. Il annonçait l'imminence d'une crise gouvernementale et esquissait le portrait du futur chef du gouvernement, qui devrait réunir « les conditions requises pour récupérer l'autorité morale sur les militaires[16] ».

Dans son deuxième article, « Almendros » dressait le procès des institutions démocratiques, responsables de la crise que connaissait le pays, et concluait à la nécessité

---

16 septembre 1977. Il y fut décidé d'intervenir auprès du roi pour obtenir la démission du gouvernement de Suárez, la dissolution du Congrès pour une période de deux ans et la formation d'un gouvernement provisoire présidé par un militaire. Il semble que parmi les participants à la réunion de Játiva figuraient les anciens ministres militaires Barroso, Coloma Gallegos, De Santiago et Pita da Veiga, ainsi que les généraux Alvarez Arenas, Pradas Canillas et Milans del Bosch (qui avait sous ses ordres la division blindée Brunete). Alerté par un rapport des services secrets, le gouvernement réagit en procédant à des mutations, à des mises à la réserve anticipées et à la promotion de généraux loyaux. Cf. Ignacio Ramonet, « Une démocratie écartelée », *Le Monde Diplomatique*, avril 1981.

15. Cité par Powell, Charles T., *op. cit.*, p. 298.

16. « Almendros », « Análisis político del momento militar », *El Alcázar*, 17 décembre 1980.

d'une solution en marge de la Consitution : « Quand personne à l'intérieur de l'État ne semble en mesure de remplir cette fonction [de régénération politique], le moment est peut-être venu de faire appel, non à des congrès[17], à des partis ou à des gouvernements, dont rien de décisif ne peut sortir, mais aux autres institutions de l'État[18]. »

Le troisième et dernier article d'« Almendros », publié le 1er février, soit trois jours après la démission de Suárez, était beaucoup plus explicite. Après avoir constaté que la nouvelle situation faisait du roi et des forces armées les seuls recours possibles, « Almendros » enjoignait le monarque de former « un gouvernement de salut national » et avertissait que la passivité devant la situation de « décadence nationale [créerait] à court terme les conditions d'une intervention légitime des forces armées[19] ».

Presque au même moment se produisit un incident qui apporta des arguments supplémentaires à ceux qui incitaient l'armée à intervenir. Le 4 février, au cours d'une visite au Pays Basque, le roi se rendit à Guernica pour y prononcer un discours en présence des représentants des institutions autonomes. Mais lorsqu'il voulut prendre la parole, les parlementaires de la coalition indépendantiste Herri Batasuna l'en empêchèrent en chantant le poing levé un hymne nationaliste. L'incident, filmé par les caméras de la télévision, dura une dizaine de minutes, le temps que les membres du service d'ordre expulsent violemment les provocateurs. Le 8 février, *El Alcázar* publia un article du général De Santiago intitulé « Situation limite », dans lequel l'ancien ministre de Suárez dénonçait l'outrage subi par le commandant en chef des forces armées et incitait celles-ci à réagir devant le chaos qui sévissait dans le pays.

La tactique de ceux qui préparaient le coup d'État paraissait donc claire : dans une situation de crise des institutions démocratiques, les forces armées avaient le devoir d'agir au nom du roi pour sauver le pays. Mais,

---

17. Allusion au IIe congrès de l'UCD dont le début était prévu pour le 29 janvier.
18. « Almendros », « La hora de las otras instituciones », *El Alcázar*, 22 janvier 1981.
19. « Almendros », « La decisión del mando supremo », *El Alcázar*, 1er février 1981.

pour que ce scénario puisse se réaliser, il fallait encore neutraliser l'arène institutionnelle. La première phase de l'opération consista donc à mettre les principaux acteurs de cette arène, les parlementaires et le gouvernement, dans l'incapacité matérielle d'agir.

## *Le pouvoir civil pris en otage*

Le 23 février 1981, à dix-huit heures vingt-deux, le lieutenant-colonel Tejero, à la tête de deux cent quatre-vingt-huit gardes civils, prend d'assaut le Congrès au moment où les députés sont en train de voter l'investiture de Leopoldo Calvo Sotelo comme premier ministre. Les images de cette entrée ont fait le tour du monde. Sous le regard interloqué des députés, Tejero monte à la tribune pistolet au poing. Puis on entend des rafales de mitraillette et les députés se jettent à terre. Les seuls à rester assis sont Adolfo Suárez, le général Gutierrez Mellado et Santiago Carrillo. Gutierrez Mellado, se prévalant de son grade, tente de tenir tête à ceux qu'il considère comme ses subordonnés, mais il est violemment bousculé puis séparé des autres députés ainsi que les principaux leaders politiques. Quelques minutes plus tard, un des hommes qui accompagnent Tejero monte à la tribune pour demander aux députés de rester tranquilles et leur annoncer que sous peu un militaire de haut rang viendra leur communiquer des instructions. Il est dix-huit heures trente-trois.

La première phase du coup d'État venait de se dérouler selon les plans de ses auteurs. Leur objectif, qui consistait à provoquer une situation d'anormalité institutionnelle en capturant les députés avant qu'ils aient eu le temps d'élire le successeur d'Adolfo Suárez, avait été atteint. Comme le signale le rapport communiqué par le gouvernement aux députés quelques semaines après les événements, les auteurs du coup avaient la conviction que la situation de vide du pouvoir qu'ils venaient de créer provoquerait « une réaction en chaîne des forces armées et des forces de sécurité de l'État ». Le rapport signale encore que « le groupe auteur du coup prétendit, en utilisant le nom du roi et en agissant avec audace et par surprise, pousser d'autres officiers supérieurs et intermédiaires à prendre des décisions qui, une fois adoptées, seraient irrévocables[20] ».

Pour provoquer cette réaction en chaîne, l'assaut au parlement devait être suivi d'autres actions qui devaient apparaître comme une réponse spontanée des forces armées à la situation créée à Madrid. Pour atteindre cet objectif, les militaires factieux comptaient sur leurs complicités dans l'état-major de la IIIe région militaire dont le siège est à Valence, ainsi que dans celui de la division blindée Brunete qui est stationnée aux portes de Madrid.

A Valence se trouvait l'un des principaux responsables de l'opération, le général Jaime Milans del Bosch, commandant en chef des forces militaires de la zone du Levant, nommé après qu'on lui eut retiré le commandement de la division blindée Brunete. La mission qui incombait à Milans del Bosch consistait à prendre le relais de l'assaut au Parlement et à faire en sorte que l'on crût que l'armée intervenait pour maintenir l'ordre. Dans la journée du 23 février, il eut plusieurs réunions avec les officiers placés sous son commandement et il leur fit part de l'imminence d'un « événement grave » provoqué par la situation difficile que traversait le pays, assurant qu'il tenait ces informations du général Armada et que celui-ci agissait au nom du roi.

Après avoir eu confirmation par Tejero que tout s'était déroulé comme prévu à Madrid, Milans del Bosch mit en marche son plan. Une déclaration de l'état d'exception fut lue par les radios locales et les tanks commencèrent à faire mouvement dans les rues de Valence que la population avait désertées. Le préambule de la déclaration de l'état d'exception faisait apparaître le recours à la menace coercitive comme une réponse défensive à la vacance du pouvoir qui s'était produite à Madrid. Ce préambule était ainsi rédigé : « Devant les événements qui sont en train de se dérouler dans la capitale de l'Espagne et devant le vide du pouvoir qui en résulte, il est de mon devoir d'assurer l'ordre dans la région militaire placée sous mon commandement jusqu'à ce que l'on reçoive les instructions pertinentes de Sa Majesté le Roi. » En attendant ces hypothétiques instructions royales, les garanties constitution-

---

20. *El País*, 18 mars 1981.

nelles étaient suspendues et l'ensemble de la région était placée sous juridiction militaire.

Quant à la division blindée Brunete, on lui avait assigné la même mission qu'aux troupes commandées par Milans del Bosch[21]. Dans l'après-midi du 23 février, l'un des conjurés prit la parole devant les autres officiers de la division pour leur faire part d'un entretien qu'il avait eu la veille avec le général Milans del Bosch qui lui avait annoncé qu'un événement extraordinairement grave était imminent et qu'il fallait se tenir prêts à intervenir. Aux questions que lui posèrent le chef de la division et d'autres officiers, le porte-parole du général Milans del Bosch répondit qu'il ne pouvait en dire davantage, mais que cet événement serait connu à travers la radio et la télévision et que, en tout état de cause, tout se déroulerait selon les ordres du roi qui aurait à ses côtés le général Armada.

Ainsi, dans les deux cas, les mêmes arguments étaient avancés pour vaincre la perplexité des officiers : face à une situation aux développements imprévisibles, l'armée se voyait contrainte d'agir, en accord avec le roi, pour maintenir l'ordre. La fiction d'une implication directe du roi dans le coup était donc l'élément clé qui devait déterminer l'intervention de l'ensemble des forces armées. Mais pour que cette intervention puisse déboucher sur une situation irréversible, il importait d'agir vite avant que la supercherie ne soit découverte. Presque au même moment que se produisait l'assaut au Parlement, les unités de la division blindée reçurent donc l'ordre de déclencher l'opération *Diana* qui consistait à investir les points stratégiques de la capitale. Les studios de la télévision et d'une chaîne de radio furent occupés, mais l'ensemble du plan ne put se réaliser. Mais avant que la division Brunete ait pu se déployer entièrement, la riposte légale commença à s'organiser et les premiers contrordres à arriver dans les casernes. Le roi parvenait malgré tout à maintenir la légalité démocratique et à organiser la riposte au coup d'État en s'appuyant sur la hiérarchie militaire et ce qui restait

---

21. Depuis plusieurs années, les officiers hostiles aux réformes demandaient systématiquement à être mutés dans des unités de combat. Parmi celles-ci, la division Brunete était une des plus demandées car elle figure parmi les plus modernes de l'armée espagnole.

du pouvoir civil. Cette riposte consista dans un premier temps à éviter que ne s'instaure la situation de vide du pouvoir qui devait justifier l'intervention de l'armée.

## La continuité des institutions

Les auteurs du coup d'État commirent l'erreur de ne pas occuper, préalablement à l'assaut au Parlement, les centres de communication, si bien que les Espagnols purent assister en direct au coup d'État. Le roi lui-même fut immédiatement mis au courant de l'assaut au Parlement par un de ses assistants qui écoutait à la radio la retransmission de la séance d'investiture. Cette erreur peut paraître surprenante quand on songe que le succès de l'opération dépendait en grande partie de la capacité de ses auteurs à contrôler et à manipuler l'information. Plus surprenant encore : les auteurs du coup ne semblaient pas avoir estimé nécessaire de couper les lignes téléphoniques du palais de la Zarzuela, si bien que Juan Carlos put très facilement faire parvenir ses consignes à l'extérieur. Cette faille dans le dispositif des auteurs du coup allait donc s'avérer fatale, car elle permit que la riposte s'organise quasi sur-le-champ. Aussitôt après l'entrée de Tejero dans l'enceinte du Congrès, le directeur de la Sûreté de l'État, Francisco Laína, se mit en contact avec le roi qui lui ordonna de mettre rapidement fin à l'affaire, mais dans le respect de la Constitution.

Dans les premiers moments du coup d'État, les informations dont disposaient le roi et les autorités civiles et militaires ne concernaient que l'assaut au Parlement. Aussi, est-ce dans cette direction que s'organisa la riposte dans un premier temps. Le chef de la police nationale fut dépêché sur place pour tenter de convaincre Tejero de se retirer, mais celui-ci lui répondit qu'il ne recevait d'ordres que du roi et de Milans del Bosch. Quelques minutes plus tard, le directeur de la garde civile arriva à son tour au Parlement, mais sa démarche fut aussi infructueuse que la précédente. A partir de ce moment, Laína fit encercler le Congrès par des forces de police. Mais le recours à la force ne devait être envisagé que tard dans la nuit pour être écarté aussitôt à cause des risques que cela entraînait pour les otages. Et aussi parce qu'il importait avant tout d'éviter que le jeu ne bascule définitivement dans l'arène de la coercition. Un recours à la force de la part de ceux qui défendaient la légalité en vigueur aurait sans doute légitimé l'intervention salvatrice que les militaires factieux réclamaient pour les forces armées.

En accord avec la consigne de maintien de la légalité démocratique transmise par le roi au directeur de la Sûreté de l'État, les différents secteurs institutionnels s'organisèrent en fonction de la situation créée par le rapt du gouvernement et des députés. En effet, dès dix-huit heures trente, la junte des chefs d'état-major des trois armes (JUJEM) se mit à fonctionner sans discontinuer et à donner les premiers ordres aux chefs des zones militaires pour maintenir les garnisons dans leurs casernes. C'est grâce à cette prompte réaction de la hiérarchie militaire que fut évité, en particulier, le déploiement total de la division blindée Brunete.

Le roi put donc compter d'emblée sur la fidélité de la hiérarchie militaire, du moins dans ses échelons les plus élevés et les plus centralisés. Mais il importait aussi de rééquilibrer le poids des militaires dans la partie qui était en train de se jouer en assurant la permanence des institutions civiles. Pour cela, le roi prit la décision de former un cabinet de crise constitué par les secrétaires et sous-secrétaires d'État. La présidence de ce « gouvernement bis » fut confiée à Francisco Laína, le directeur de la Sûreté, qui prit immédiatement les mesures nécessaires pour que dans chaque province soient formées des juntes de sécurité sous la responsabilité des gouverneurs civils. En outre, dans une allocution radiophonique, Laína insista sur le rôle de Juan Carlos dans le maintien de la légalité démocratique : « Ceux qui en ce moment assument en Espagne la totalité du pouvoir civil et militaire, de manière transitoire et sous l'autorité de Sa Majesté le Roi, peuvent garantir à leurs compatriotes qu'aucun acte de force ne détruira la coexistence démocratique[22]. »

Juridiquement, l'existence de cette commission de secrétaires et sous-secrétaires d'État érigée en cabinet de crise pouvait paraître discutable, car aucun texte constitution-

---

22. Texte reproduit dans *El País*, 24 février 1981.

nel ou normatif n'autorisait le roi à procéder à sa formation. A ne s'en tenir qu'à une interprétation stricte du texte constitutionnel, le roi ne pouvait se prévaloir que de sa fonction de commandant suprême des forces armées que lui reconnaît la Constitution (art. 62, h). Encore est-il précisé que tous ses actes doivent être contresignés par le Premier ministre ou, le cas échéant, par le ministre compétent. Il va de soi que, le gouvernement ayant été séquestré, le respect de la Constitution se situait davantage à un niveau symbolique que juridique. La formation d'un gouvernement parallèle qui représentait le pouvoir civil devait symboliser non seulement la défense par le roi des institutions démocratiques, mais aussi sa volonté de maintenir le jeu dans l'arène institutionnelle. C'est ainsi qu'il fut décidé que le communiqué du cabinet de crise serait diffusé avant celui que devait publier aussi la JUJEM, justement, comme l'expliquera plus tard son directeur, « pour ne pas créer une impression de vide du pouvoir civil ni de prééminence de l'ordre militaire[23]. » Il importait, en somme, que la démocratie ne soit pas sauvée par ceux-là mêmes qui la menaçaient. A cet égard, il est intéressant de noter que, dans le document produit par la JUJEM dans les premières heures du coup d'État, il ne figurait aucune mention du rôle du roi ou des autorités civiles. Au contraire, le texte émanant du cabinet de crise insistait à plusieurs reprises sur la part prise par les institutions civiles à la défense de la Constitution ainsi que sur le rôle central joué par le roi.

La continuité du pouvoir civil, même si elle se situait dans une dimension plutôt symbolique, se révéla efficace, car elle contredisait le discours des militaires factieux sur la déliquescence du pouvoir civil. Il s'agissait donc d'imposer une interprétation de la réalité qui détruise celle des auteurs du coup. De ce fait, la continuité du pouvoir civil constitue le premier aspect de la tactique de délégitimation adoptée par le roi. A partir de là, son action allait consister essentiellement à détruire l'autre fiction élaborée par les militaires rebelles, à savoir son appui à un coup anticonstitutionnel.

---

23. Cité par Colectivo Democracia, *Los Ejércitos... más allá del golpe*, Barcelone, Planeta, 1981, p. 206.

## L'activité de marchandage du roi auprès des chefs militaires

Une des caractéristiques des conjonctures critiques, selon Michel Dobry, réside dans les « brusques déperditions de l'objectivation des rapports sectoriels » qui les accompagnent[24]. Parmi ceux-ci, les rapports d'autorité sont les premiers à en pâtir. De plus, dans de telles conjonctures, les *rapports collusifs* qui régissent les relations entre les différents secteurs, qu'ils soient objectivés ou simplement perçus sur le mode de « ce qui va de soi », ont de fortes chances de ne plus fonctionner de manière automatique. En d'autres termes, la définition « légaliste » des rapports entre le pouvoir civil (le gouvernement *bis*) ou la hiérarchie militaire représentée par la JUJEM, d'une part, et les chefs militaires d'autre part, se voyait menacée par la tactique de désectorisation des militaires factieux. A titre d'exemple, on peut signaler que lorsque le directeur du cabinet de crise, qui était aussi le directeur de la Sûreté de l'État, téléphona à Tejero pour lui ordonner de mettre un terme à la situation, celui-ci lui répondit dans les mêmes termes qu'aux directeurs de la police nationale et de la garde civile, à savoir qu'il ne recevait d'ordres que du roi et de Milans del Bosch. La même démarche tentée auprès du général Milans del Bosch se révéla tout aussi infructueuse. De même, quand le chef d'état-major de l'armée de terre tenta de retirer à Milans del Bosch le commandement de la IIIe région militaire et de le faire arrêter, celui-ci passa outre aux ordres de son supérieur hiérarchique.

Pour importantes que fussent, d'un point de vue symbolique, les ressources institutionnelles que représentaient le cabinet de crise et la JUJEM s'avéraient donc insuffisantes à elles seules à assurer le succès de la résistance au coup d'État. C'est par rapport à cette impuissance institutionnelle que l'intervention *directe* de Juan Carlos dans la crise prend tout son sens. Dobry signale encore « la nécessité dans laquelle se trouvent placés certains agents appartenant à des sphères sociales fortement objectivées

---

24. Dobry, Michel, *op. cit.*, p. 154.

(c'est-à-dire connaissant un degré relativement élevé d'impersonnalité des rapports internes), au moins lorsqu'ils cherchent à faire "jouer" des rouages institutionnels (...), *de payer de leur personne*, négocier, par exemple, avec d'autres agents qui leur sont normalement subordonnés ce qui, dans des conjonctures routinières, tend à aller entièrement de soi, en particulier le principe même de leur autorité[25]. » C'est à cette activité de marchandage que dut se livrer le roi dans la nuit du 23 au 24 février. Activité de marchandage ne veut pas dire ici qu'il y eut une négociation entre le roi et les militaires, mais simplement que, pour reprendre les termes de Dobry, Juan Carlos dut « payer de sa personne » pour s'assurer de la fidélité des chefs militaires et imposer le retour à la normalité constitutionnelle.

Dans un premier temps, Juan Carlos se mit en contact téléphonique avec le général Milans del Bosch pour lui confirmer les ordres que venait de lui communiquer son supérieur hiérarchique. Mais cette première intervention du roi auprès d'un des principaux acteurs du coup d'État n'eut pas d'effet : Milans del Bosch refusa de lever l'état d'exception. Il cherchait ainsi à gagner du temps dans l'espoir que les autres zones militaires se joindraient au coup d'État. Pour contrecarrer l'effet de contagion attendu par ses auteurs, le roi entreprit donc de contacter individuellement les commandants des différentes zones militaires, d'abord pour démentir une quelconque implication de la Couronne dans le coup d'État et, ensuite, pour s'assurer de leur loyauté.

Nous avons vu que beaucoup de militaires éprouvaient un sentiment d'hostilité à l'égard d'un processus politique qui, à leurs yeux, portait atteinte à des principes qu'ils considéraient comme intangibles, en particulier l'unité nationale. Nous avons vu aussi que les attentats terroristes avaient provoqué un sentiment d'exaspération parmi eux, et que nombreux étaient ceux qui pensaient que l'armée ne pouvait rester impassible devant les attaques sanglantes dont elle faisait l'objet. Il est donc probable qu'une majorité des chefs militaires aurait appuyé le coup

_____

25. *Ibid.*, pp. 206-207.

d'État s'ils avaient eu la certitude que le monarque le cautionnait[26]. Ces militaires, qui n'éprouvaient qu'un attachement bien tiède à l'égard des institutions démocratiques, respectaient, en revanche, une monarchie qui symbolisait à leurs yeux l'unité nationale et dont le représentant était, de surcroît, le successeur désigné par Franco.

L'intervention énergique et sans ambiguïté de Juan Carlos auprès des chefs militaires parachevait donc la tactique de délégitimation mise en œuvre par le monarque dès les premiers moments du coup d'État. La suite des événements allait montrer que, sans l'appui du roi, les chances de réussite du coup d'État se trouvaient réduites à néant.

### L'échec du coup d'État

Lorsque le général Armada entra en scène, il ne pouvait plus jouer le rôle de l'homme providentiel qu'il s'était réservé pour lui-même. Il ne pouvait se prévaloir de l'appui du monarque, qui avait refusé de le rencontrer, ni invoquer une situation de vide du pouvoir. Un peu avant une heure du matin, Tejero téléphona à Milans del Bosch pour lui faire savoir que le général Armada se trouvait à ses côtés et qu'il lui demandait l'autorisation de s'adresser aux députés pour leur proposer la formation d'un gouvernement de coalition présidé par Armada lui-même. Mais Tejero était hostile à une telle solution et il fit savoir à Milans del Bosch qu'il n'accepterait que la formation d'une junte militaire présidée par Milans del Bosch, ce à quoi se refusa ce dernier.

A peu près au même moment, vers une heure du matin, le roi s'adressa à la population pour la rassurer sur l'évolution de la situation. Juan Carlos se contenta d'indiquer qu'il avait donné l'ordre aux autorités civiles et militaires de défendre l'ordre constitutionnel auquel la Couronne s'identifiait pleinement. Ce message, très bref, dressait un bilan plutôt qu'il n'indiquait une tactique à suivre. L'essen-

---

26. Jose Luis de Villalonga rapporte que le roi s'entendit répondre par certains commandants des zones militaires qu'ils exécuteraient ses ordres « quels qu'ils fussent ». De Villalonga, *op. cit.*, p. 156.

tiel, en fait, avait déjà été accompli. Certes, il restait encore à obtenir que Milans del Bosch lève l'état d'exception et que Tejero évacue le Parlement. Mais il était évident que la tactique des auteurs du coup d'État tournait à vide et que l'isolement même dans lequel ils se trouvaient ne faisait qu'accentuer leurs propres contradictions.

Après la diffusion du message du roi, on sait que celui-ci eut encore deux entretiens téléphoniques avec Milans del Bosch. Le deuxième entretien fut suivi d'un télex envoyé par le roi à deux heures trente dans lequel il en confirmait le contenu. Il est intéressant de citer les deux premiers points du message du roi, car ils résument les principes qui guidèrent son action tout au long de cette interminable nuit :

« 1. J'affirme ma décision catégorique de maintenir l'ordre constitutionnel dans le cadre de la légalité en vigueur : après ce message je ne peux plus revenir en arrière.

« 2. Aucun coup d'État ne peut s'abriter derrière le Roi : il est dirigé contre le Roi[27]. »

Ici encore, l'intervention du roi se révéla décisive, car Milans del Bosch obtempéra à ses ordres. Mais certains ont cru déceler une certaine ambiguïté dans les paroles du roi dans la mesure où l'avertissement de ne plus pouvoir revenir en arrière après son message laissait planer un doute sur son attitude pendant les heures qui l'avaient précédé. Était-ce un indice de l'existence de tractations entre le roi et les militaires pour qu'il se joigne à eux ? Cela voudrait donc dire qu'avant deux heures trente le roi n'avait pas encore brûlé ses navires ? Cette interprétation malveillante, qui fut en fait celle des membres du complot au moment de leur procès, ne résiste pas à l'examen de ce que fut l'attitude du roi dès les premiers moments du coup d'État. Il est probable, en revanche, que tant que le roi n'eut pas la certitude de contrôler entièrement la situation, la prudence lui dicta de ne pas couper tous les ponts avec Milans qui, rappelons-le, ne s'était pas déclaré en rébellion contre lui. Mais une fois qu'il devint clair que Milans et Tejero étaient isolés, cette prudence n'était plus de mise.

---

27. Cité par Colectivo Democracia, *op. cit.*, p. 214.

Selon José Luis de Villalonga, au cours de l'entretien qui précéda le télex, le roi aurait dit à Milans que jusqu'à ce moment il s'était refusé à le considérer comme un rebelle, mais qu'il le considérerait comme tel s'il ne faisait pas rentrer ses tanks[28]. En d'autres termes, le roi abandonnait le registre de la persuasion pour celui de la menace.

Au milieu de la nuit, il ne restait donc plus qu'à obtenir l'évacuation du Parlement. Bien que la situation fût encore dramatique à cause du risque d'une action désespérée de la part des assaillants, elle ne représentait plus à ce moment-là une menace pour la démocratie. Après de longues tractations qui durèrent jusqu'au lendemain midi, Tejero accepta de libérer les députés et de se rendre aux autorités militaires.

Le rôle du roi Juan Carlos dans l'échec de la tentative de coup d'État du 23 février 1981 a permis de vérifier le rôle central qu'il a joué au cours du processus de démantèlement du régime franquiste tout en contribuant de manière décisive à consolider l'institution monarchique. Héritier d'une monarchie restaurée par Franco, il jouissait aux yeux des militaires d'une légitimité historique qu'il sut utiliser pour faire accepter par ceux-ci les réformes conduites sous son autorité. Il n'ignorait pas que la monarchie qu'il incarnait ne pouvait se perpétuer que dans le cadre d'un système pluraliste, et que, pour devenir une institution respectée de tous, il fallait qu'elle administre la preuve de son engagement en faveur de la démocratie. Il s'y était employé sans ambiguïté bien avant 1981. Mais encore fallait-il qu'il puisse se prévaloir aux yeux des Espagnols d'une légitimité moins suspecte que celle dont il avait hérité. A cet égard, son attitude dans la nuit du 23 au 24 février fut indéniablement décisive pour asseoir le prestige de la monarchie. A n'en pas douter, l'expectative dans laquelle tous les Espagnols assistèrent à son face-à-face avec les militaires tint lieu de véritable plébiscite.

---

28. De Villalonga, *op. cit.*, p. 177.

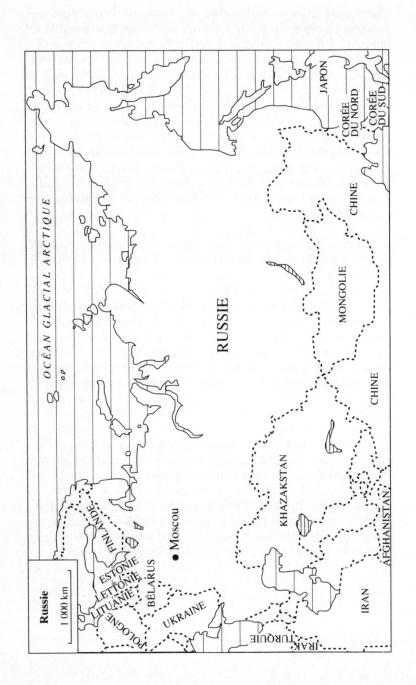

# Le coup d'État manqué du 19 août 1991 à Moscou : de la légitimité d'un homme à la résistance d'une société ?

*Anne Le Huérou*

Le coup d'État manqué du 19 août 1991 a donné le coup de grâce au régime soviétique, après cinq années d'une évolution qui n'avait pas jusque-là donné lieu à un événement fondateur, tel qu'avaient pu l'être la chute du mur de Berlin pour l'Allemagne, ou les importantes manifestations de la « Révolution de velours » en Tchécoslovaquie. Jusqu'à cette date, le processus engagé en 1985-1986 avait été beaucoup plus un processus « par en haut » qu'un processus « par en bas ».

A ce titre, la tentative de coup d'État introduit bien une rupture. Mais pour autant, cet événement a-t-il constitué « l'épreuve de vérité[1] » ? Il convient de s'interroger à la fois sur les conditions de la résistance au putsch, sur ce que celle-ci doit à la légitimité d'un homme, Boris Eltsine, élu deux mois auparavant président de la Fédération de Russie au suffrage universel, et ce qu'elle doit à une mobilisation des éléments les plus avancés de la société.

Si ce n'était les trois morts qui ont marqué tragiquement ces événements, dans la nuit du 21 au 22 août, ce coup d'État pourrait apparaître comme une gigantesque

---

1. « L'épreuve de vérité a-t-elle eu lieu ? », *Libération*, 28 août 1991.

farce, un épisode où, comme le note Claude Lefort quelques jours après le putsch[2] « le burlesque l'a emporté sur le tragique ». Son histoire reste encore à écrire. On tentera ici, à partir du récit des événements et des analyses dont on dispose, de poser la question qui nous paraît centrale dans la perspective de cet ouvrage, celle de la légitimité, qu'il s'agisse de la disparition des anciennes légitimités du système soviétique ou de l'émergence de nouvelles, qui vont faire définitivement basculer le pays dans l'après-communisme.

## Les changements initiés avec la perestroïka : émergence de nouvelles légitimités

La tentative de coup d'État du 19 août 1991 survient à un moment où la profondeur de la crise est telle que la sortie du système apparaît comme inévitable : comme le soulignent Édouard Klopov et Leonid Gordon[3], « une situation particulièrement difficile s'instaure quand la période d'affaiblissement de légitimité coïncide avec la période de dégradation de la conjoncture économique ». La première étape (1985-1986) aurait été « la plus propice à des réformes économiques décisives » car « l'autorité du pouvoir était intacte, tout comme la reconnaissance de sa légitimité », et parce que, pendant la seconde (1987-1988), les « mesures techniques » destinées à sauvegarder l'essentiel du système s'étaient effacées devant la nécessité de véritables réformes et la volonté de démocratisation.

Au fur et à mesure que ces changements apparaissent irréversibles, les plus conservateurs, qui continuent de garder une grande importance dans l'appareil, résistent et se crispent, menacés dans leur existence même par le processus de réforme. A ce titre, la période qui s'étend de l'automne 1990 au putsch peut être lue comme une période où la tension entre les avancées des réformateurs et les résistances des conservateurs atteint un paroxysme.

---

2. *Ibid.*
3. Leonid Gordon et Édouard Klopov, « Les processus sociaux de la perestroïka », *L'Autre Europe*, 23, 1990, pp.73-85.

Mikhaïl Gorbatchev tente de maintenir un cap centriste, mais est de plus en plus « ballotté » entre les deux tendances, tandis que les conservateurs adoptent une stratégie d'encerclement[4]. Après le refus du « plan des 500 jours[5] » à l'automne 1990, la nomination de Valentin Pavlov au poste de Premier ministre en janvier 1991 annonce une période de durcissement du régime. Gorbatchev donne des gages aux conservateurs en s'entourant de plusieurs personnalités que l'on retrouvera parmi les putschistes : citons Vladimir Krioutchkov à la tête du KGB, qui opère une reprise en main de l'institution, et Anatoly Loukianov, président du Soviet suprême, présenté comme le cerveau du coup d'État, alors même qu'il s'agit d'un compagnon de longue date du Président.

De la nomination de Guennadi Iannaïev comme vice-président au refus d'alliance avec les radicaux, du départ du ministre de l'Intérieur libéral V. Bakatine (et de son remplacement par le conservateur Boris Pougo) à la démission du ministre des Affaires étrangères Édouard Chevarnadze en décembre 1990, dénonçant un « coup d'État rampant » que Mikhaïl Gorbatchev se refuserait à contrer, sans oublier l'intervention militaire à Vilnius le 15 janvier 1991, qui apparaît à la fois comme une répétition générale du coup d'État, mais annonce en même temps son échec, en raison de la réaction immédiate de Gorbatchev : la suite d'événements est là pour confirmer le fil conducteur d'un « coup d'État annoncé ». Pour autant, s'est-il agi d'une stratégie aussi consciente et progressive que le laisse penser cette présentation de la chronologie des événements ? ou bien d'une alternance d'avancées et de reculs des conservateurs, marquée, quoi qu'il en soit, par une polarisation politique de plus en plus forte des deux camps ?

Le printemps et le début de l'été 1991 peuvent également être analysés comme une série de reculs pour les

---

4. Présenté notamment dans Général Kobets (présenté par Alexandre Adler), *La vie quotidienne à Moscou pendant le putsch : 18-21 août 1991*, Paris, Hachette, 1991 et de manière générale dans différents articles ou ouvrages marqués par une méfiance générale à l'égard de M. Gorbatchev et de la réalité du processus de réformes.

5. Préparé par les économistes les plus « radicaux » de l'entourage de Gorbatchev, il prévoyait un passage très rapide à l'économie de marché.

conservateurs. Au printemps 1991, la position de Boris Eltsine se renforce en Russie avec le demi-échec du référendum du mois de mars proposé par Gorbatchev. Confirmé dans son action à la tête du Soviet suprême de la RSFSR par un Parlement qui lui vote les pleins pouvoirs (avec le soutien du groupe des « Communistes de Russie » créé par le colonel Alexandre Routskoï qui jouera un rôle clé dans l'entourage du président russe pendant le coup d'État), Boris Eltsine est en position de force pour conclure avec Mikhaïl Gorbatchev l'accord de Novo-Ogarievo, après quasiment deux mois d'épreuve de force avec les mineurs en grève, sur la question cruciale du traité de l'Union. En juin, son élection à la présidence de la Fédération de Russie avec 57 % des voix (et le colonel Routskoï comme vice-président) consacre sa légitimité et l'alternative politique qu'il constitue. L'approche de la signature du traité de l'Union, prévue pour le 20 août 1991, fait apparaître la fin de l'URSS et du système communiste comme de plus en plus irréversible. A fortiori, la disparition des conservateurs est inscrite dans cette évolution.

Ainsi, à la veille du coup d'État, Gorbatchev a toujours le pouvoir légal, mais est de moins en moins légitime. Entre-temps, une autre légitimité est apparue, celle de Boris Eltsine, qui s'appuie à la fois sur plusieurs années d'une opposition de plus en plus radicale au régime soviétique et sur le verdict tout récent des urnes qui ont fait de lui le premier président élu au suffrage universel de l'histoire russe. Le sentiment domine, aussi bien parmi les intellectuels que dans l'opinion publique, que le système n'est pas réformable. Or, toute la tentative de Gorbatchev était fondée sur l'ouverture et la réforme du système. Il est victime du paradoxe — apparent — d'être celui qui a permis les évolutions et qui apparaît à ce moment comme le principal obstacle au fait que le processus soit mené jusqu'à son terme. Aussi peut-on considérer « le processus de réformes comme une réponse à retardement du système aux changements fondamentaux qui ont affecté les relations État-Société[6] ».

---

6. Gail J. Lapidus, « State and society : toward the emergence of a civil society », dans Sewerin Bialer (Ed), *Politics, society and nationalities : inside Gorbatchev's Russia*, Boulder, Westview Press, 1989, pp. 121-148.

Mais ces changements fondamentaux que la perestroïka a révélés, amplifiés et accélérés, n'étaient pas apparus *ex nihilo* en 1985. Moshe Lewin, en réhabilitant l'étude du système soviétique comme « système social », a très bien analysé ces évolutions de long terme[7] qui permettent de dépasser les analyses considérant le totalitarisme comme suffisant à caractériser la société soviétique[8], génératrice d'un *homo sovieticus* passif et résigné. Cela ne signifie pas que des éléments de totalitarisme ne soient pas encore présents, et l'on peut légitimement, comme le fait Pierre Hassner[9] « se poser la question du degré de changement de l'Union soviétique (...) et de la compatibilité du modèle totalitaire avec des éléments d'évolution et de diversification qui se sont manifestés dans le monde communiste (...) ». Mais il s'agit d'un système affaibli dans son principe et dans son contenu, qui a eu dans les pays de l'Est européen à faire face à de fortes contestations des sociétés civiles. Peut-on alors le qualifier, comme le fait Vaclav Havel à propos de la société tchécoslovaque des années quatre-vingt, de « totalitarisme tardif » ou « décadent », qui « n'a que faire d'assassins et d'assassinés[10] », mais qui continue d'imprimer sa marque dans le système étatique, par des instruments de contrôle et de répression, et dans un certain nombre de comportements individuels ou collectifs ?

C'est donc bien aussi dans la rencontre de ces transformations de long terme de la société et du bref délai des mois qui précèdent la tentative de coup d'État que la question de la légitimité va prendre une telle importance pendant les événements d'août 1991. Tout régime politique, même le plus autoritaire, est à la recherche de certaines formes de

---

7. Moshe Lewin, *La grande mutation soviétique*, Paris, La Découverte, 1989.
8. Sur cette question du totalitarisme comme explication du système soviétique, trois articles font remarquablement le point : Pierre Hassner, « Le totalitarisme vu de l'Ouest », et Jacques Rupnik ; « Le totalitarisme vu de l'Est », dans *Totalitarismes*, ouvrage collectif sous la direction de Guy Hermet, Paris, Economica, 1984, pp. 15-41 et 43-71 ; Vladimir Berelowitch, « La Soviétologie après le putsch : vers une guérison ? », *Politix*, n°18, 2ᵉ trim. 1992, pp.7-20.
9. Pierre Hassner, « Le totalitarisme vu de l'Ouest », dans *Totalitarismes, op. cit.*, p. 31.
10. Vaclav Havel, *Essais politiques*, Paris, Calmann-Lévy, 1989 ; Le Seuil, Points politiques, 1991, p. 165.

légitimité. Pour le régime soviétique, l'analyse proposée par Jacques Sapir reprend, en l'adaptant à la réalité soviétique, la typologie classique des formes de légitimité [11] et souligne que, au cours de son histoire, « le système soviétique a utilisé des combinaisons, variables, de ces quatre formes. Si certaines, naturellement, ont tendu à être dominantes, aucune n'a pu s'imposer comme la référence unique ». Dans un pays en transition d'un régime autoritaire vers une démocratie, cette question revêt une importance toute particulière. Dans ce sens, on peut analyser les réformes de Mikhaïl Gorbatchev comme une tentative d'instaurer une certaine légitimité démocratique, mais aussi de restaurer une légitimité « rationnelle-bureaucratique », dirigée dans le sens de la modernisation des institutions et du fonctionnement économique et social. Son échec sur ce plan viendrait d'un conflit apparu comme irréductible entre ces deux formes de légitimité, les « démocrates » ayant pour cible principale les « bureaucrates » du système, alors « qu'elles cohabitent, avec des tensions, des ajustements périodiques, dans les démocraties occidentales [12] ».

La démarche d'autres auteurs permet d'approfondir la problématique de la légitimité au-delà de la typologie classique : celle du philosophe et politologue David Beetham [13], qui propose une définition pluridimensionnelle d'un pouvoir légitime qui introduit, au-delà de la légalité, la relation gouvernants-gouvernés et la notion de consensus ; celle de Paul Bastid [14], qui insiste sur le rôle de l'opinion. Ces deux approches permettent de mieux relier la légitimité du pouvoir à la société et à l'opinion

---

11. Jacques Sapir, *Feu le système soviétique : permanences politiques, mirages économiques, enjeux stratégiques*, La Découverte/Essais, 1992, pp. 41 et sq. : l'auteur énumère ainsi la légitimé charismatique, envers un homme mais aussi envers une idéologie ; la légitimité patrimoniale, traditionnelle, que l'on peut rapporter dans le système soviétique au mode clientéliste d'exercice du pouvoir ; la légitimité bureaucratique ou « légale-rationnelle », reposant largement sur la compétence et l'organisation ; enfin la légitimité démocratique, principalement mais pas exclusivement issue du suffrage universel et de la délégation des pouvoirs.

12. *Ibid.*, p. 50.

13. David Beetham, *The legitimation of power*, London, 1991.

14. Paul Bastid (sous le direction de), *L'idée de légitimité*, Annales de philosophie politique, Paris, Presses Universitaires de France, 1967.

publique ; elle devient ainsi un concept clé dans l'analyse de la résistance.

## Putsch ou coup d'État ?

Dès les premières heures du coup d'État, deux forces sont en présence : d'une part le « Comité d'État pour l'état d'urgence » (CCEU)[15], dont les objectifs, diffusés par la radio le 19 août au matin, sont d'éviter le glissement de la société vers la « catastrophe nationale » et de garantir la « légalité et l'ordre[16] » ; d'autre part, Boris Eltsine, Ivan Silaïev et Rouslan Khasboulatov qui lancent quelques heures plus tard un appel à la résistance, à la désobéissance civile et à la grève générale, et demandent aux institutions d'État de se placer sous leur autorité.

L'une des premières constatations qui s'imposent est la relative modération des déploiements de forces : l'état d'urgence n'est décrété qu'à Moscou et Leningrad. Les mesures de contrôle de la presse ne sont pratiquement pas suivies d'effets et seules la radio et la télévision fédérales, plus facilement contrôlables, sont aux mains des putschistes. Dès le départ, et même si personne ne peut préjuger de la suite des événements, ce coup d'État prend, aux dires des témoignages, des allures de « coup d'État d'opérette. » Cette volonté de se conformer à une certaine légalité ne témoigne-t-elle pas déjà d'une absence de légitimité, perçue plus ou moins consciemment par les auteurs du coup d'État, tout au moins par les plus en phase avec la réalité du pays et de son évolution récente ?

D'ailleurs, s'agit-il d'un putsch ou d'un coup d'État ? A cette question, Marc Ferro, peu après les événements, optait pour le second : c'est le sommet de l'État qui est le

---

15. Qui, outre les personnalités de l'entourage immédiat de Gorbatchev mentionnées plus haut, comprend le maréchal Iazov, commandant en chef des forces armées, O. Baklanov, président du Conseil de sécurité, ainsi que deux représentants de l'économie d'État V. A. Starodoubtsev (Union des paysans, c'est-à-dire le représentant des kolkhozes et des sovkhozes) et A. I. Tiziakov (Association des entreprises industrielles d'État, c'est-à-dire le représentant du complexe militaro-industriel).

16. Appel du Comité d'État pour l'état d'urgence diffusé le 18 août et publié dans la *Pravda* le 20 août 1991.

véritable auteur de ce coup de force et non l'armée qui respecte sa tradition « non interventionniste ». Peut-être, en se référant à la lettre de la « légalité soviétique », peut-on parler de tentative de destitution quasi constitutionnelle du président en exercice.

Les plus hautes autorités de l'État s'emparent donc du pouvoir, ce qui, au-delà des préoccupations réelles exprimées sur son sort personnel, achève de discréditer Gorbatchev. Une grande partie de l'opinion démocrate le tient au moins pour responsable d'avoir ainsi choisi son entourage et de n'avoir pas écouté les mises en garde, jusqu'à celles d'Alexandre Iakovlev, un de ses plus proches conseillers, qui démissionnait deux jours avant le putsch. La résistance va alors principalement porter sur la légitimité des uns et l'illégitimité des autres.

### L'échec du coup d'État reflète l'illégitimité des putschistes...

Les membres du CCEU vont commettre une accumulation d'erreurs dont la non-arrestation de Eltsine, alors que c'est lui qui incarne la légitimité, est la plus flagrante. Le rôle exact de ce dernier reste d'ailleurs à éclaircir : a-t-il appris le coup d'État par la radio dans sa *datcha* des environs de Moscou et a-t-il réussi à s'enfuir *in extremis* vers la Maison Blanche, bénéficiant de la précipitation des putschistes qui avaient bien prévu son arrestation, mais n'ont pu la réaliser, pour des raisons techniques ou par refus d'obéissance de l'équipe chargée de son arrestation ? Ou bien était-il, d'une manière ou d'une autre, au courant de ce qui se préparait et a-t-il joué au plus fin, sachant que la tentative de coup d'État était vouée à l'échec ?

Autre « erreur » de taille, l'incapacité à maîtriser l'information et à utiliser le pouvoir médiatique à leur avantage : « Le Comité d'État a peu parlé, peu écrit, mal exploité les images. Plus grave, il a été incapable de censurer le pouvoir légitime et légal en place[17] ». La conférence de presse tenue le 20 août ridiculise totalement les putschistes ; de

---

17. Daniel Colard, « Perestroïka, coup d'État et médias », *Défense nationale*, janvier 1992, pp. 69-78.

surcroît, elle vient après l'appel à la résistance lancé par le président russe du haut d'un char stationné devant la Maison Blanche, ce qui achève de la délégitimer ; quant au brouillage des stations indépendantes, c'est un fiasco. Le champ médiatique s'est ainsi trouvé libre, y compris vis-à-vis de la communauté internationale, et a ainsi constitué une carte maîtresse dans la riposte.

La décomposition de l'État a elle aussi été largement sous-estimée ; le délitement progressif des institutions était allé beaucoup plus loin que ne l'imaginaient les putschistes. Ainsi, les ordres ont été peu suivis, chaque institution étant profondément divisée, et particulièrement l'armée. Si les explications les plus contradictoires ont couru sur son véritable rôle dans les événements, c'est en partie parce qu'elle est, comme les autres institutions, traversée par des courants opposés. On a estimé à 50 % la proportion des jeunes officiers qui avaient voté pour Boris Eltsine en juin 1991 : quelle interprétation donner à cette nouvelle suite d'erreurs dans le choix des hommes ? Le général Alexander Lebed est envoyé par les putchistes défendre la Maison Blanche alors qu'il a rencontré Eltsine peu de temps auparavant, et il y est envoyé par le général Pavel Gratchev, connu comme démocrate[18] ; de manière générale, la passivité de nombreuses unités a favorisé de fait la résistance, même quand elle n'en a pas elle-même constitué un pôle.

Autres absents de taille dans le soutien affirmé au coup d'État, le Parlement et le Parti. Pour le premier, on peut parler de complicité passive, les députés ne se déclarant pas ouvertement contre la tentative, mais ne manifestant pas non plus d'enthousiasme à suivre les décisions du CCEU ; quant au second, affaibli par des départs successifs, sans doute surpris par la précipitation des auteurs du coup d'État, il ne mobilise ni ses militants, ni ses ressources, ni les secteurs de la vie économique et sociale qu'il contrôle, en faveur du CCEU. Certains de ses membres sont certes impliqués, certaines directions locales se ral-

---

18. Voir notamment ces éléments développés par Michel Tatu dans « Reflexiones sobre un golpe de estado frustrado », *Politica exterior*, 5 (22), 1991, pp.133-146.

lient, mais dans l'ensemble, la passivité et l'attentisme dominent, sans que l'on puisse clairement déterminer dans quel sens ces positions agissent. Dans un ouvrage collectif publié après le putsch[19], Oleg Witte note que l'appareil n'a pas dans son ensemble soutenu activement la résistance, et que « le rapport des forces a changé en faveur du pouvoir républicain russe plus par l'affaiblissement du Comité d'État d'urgence que par le renforcement du pouvoir républicain lui-même ». Ce constat amène plutôt à parler d'un rôle « en creux » des institutions dans l'échec du coup d'État.

En revanche, on ne peut passer sous silence l'adhésion, au moins passive, manifestée par l'opinion à cette tentative de « reprise en main ». Certes, vient s'ajouter aux erreurs techniques ou tactiques des auteurs du coup d'État, la sous-estimation par les putschistes à la fois des évolutions d'une société qui n'est pas prête à renoncer aux libertés récemment acquises et de la capacité de Eltsine et d'un certain nombre d'autres leaders démocrates à réagir puis à entraîner des segments de la société derrière eux et à médiatiser leur riposte. Certains observateurs estiment cependant que les soutiens au coup d'État, notamment en province, ont été beaucoup plus nets que ne le laissent penser les images de la résistance[20]. Les villes de province sont effectivement restées étrangement calmes et l'appel à la grève générale a été très peu suivi, excepté parmi les mineurs du Kouzbass. En fait, il s'est agi dans certaines catégories de la population d'un soutien par défaut, reposant non pas sur l'adhésion aux idées ou aux valeurs défendues par les auteurs du coup d'État, mais sur une lassitude profonde face à la dégradation de la vie quotidienne et sur le rejet du jeu politique. A défaut d'une véritable légitimité, c'est en tenant compte de ces courants, réels dans une partie de l'opinion et pouvant conduire à une certaine nostalgie de l'ordre ancien, que les auteurs du coup d'État ont pensé pouvoir réussir leur entreprise.

---

19. Oleg Witte, *Putsch*, Éditions du Progrès, 1991. Cité par Kathy Rousselet dans « le coup d'État en Union Soviétique : au-delà du mythe », *Politique étrangère*, (4), 1991.

20. Stephen Miller, « The Soviet Coup and the benefit of breakdown », *Orbis*, 36 (1), 1992, pp. 69-85.

Mais l'échec de la tentative de coup d'État a pu venir du propre sentiment d'illégitimité de ses auteurs, ce qui expliquerait en partie l'accumulation des erreurs. Peut-être les hommes du CCEU n'étaient-ils pas prêts à aller jusqu'au bout, jusqu'à un nouveau « Tiananmen » ; peut-être ont-ils pris conscience progressivement que la nouvelle légitimité qui se mettait en place en Russie était déjà trop établie pour leur permettre de réussir soit par le recours à la force, sur lequel ils ne pouvaient pas compter autant qu'ils le souhaitaient, soit par un discours de l'ordre s'appuyant sur la montée — réelle — des mécontentements, mais bien insuffisant pour mobiliser de manière significative la société derrière eux.

### ... mais surtout la légitimité du président russe...

La résistance a été la conjonction et la convergence de plusieurs éléments. Tout d'abord, elle a été l'affaire de deux villes, Moscou et Leningrad, et de deux hommes, Anatoly Sobtchak, maire de Leningrad, et surtout Boris Eltsine. Le suffrage universel a par deux fois fourni au nouveau président russe la légitimité démocratique, renforcée par sa lutte incessante contre les conservateurs et de plus en plus contre Mikhaïl Gorbatchev lui-même. Cette position correspond à l'évolution d'une partie croissante de l'opinion qui voit progressivement en Eltsine la seule « alternative ».

Son discours aux accents populistes, ses prises de position parfois tapageuses lui confèrent également une légitimité « charismatique » qui va être renforcée par son attitude pendant les événements mêmes : prise de position immédiate, courage personnel, appel à la résistance dans lequel il proclame la continuité de la légalité et des institutions démocratiques, en même temps qu'il appelle à la désobéissance civile, proclame la constitution d'un gouvernement en exil, et n'oublie de s'adresser à aucune des composantes de la société pour les appeler à se rallier aux institutions russes et à leur président : « (...) Tout cela nous amène à déclarer illégales toutes les décisions et dispositions de ce comité. Nous sommes persuadés que les organes du pouvoir local se conformeront sans faillir aux lois constitutionnelles et aux décrets du Président de la RSFSR (...). Nous nous adressons aux militaires en leur demandant de manifester leur haut sens du civisme et de refuser de participer à un coup d'État réactionnaire. D'ici là nous appelons à une grève générale illimitée[21](...). » C'est là que *légitimité* et *résistance* viennent se rencontrer, du côté des institutions. La résistance est alors une stratégie politique visant à dénoncer un pouvoir de fait au nom de la légitimité d'un pouvoir de droit. « Fonder la résistance, (...), jeter les bases nécessaires à son développement, c'est exprimer de manière solennelle et publique la volonté de préserver la légitimité du pouvoir de droit en refusant de collaborer avec le pouvoir de fait. C'est dire combien la dynamique créatrice de la résistance réside avant tout dans cet acte initiateur et déclaratoire d'une politique de non-coopération[22]. » Cette analyse, développée dans le contexte de la résistance des institutions à l'occupation d'un pays par une puissance extérieure, nous paraît s'appliquer tout aussi bien à une stratégie de résistance à un coup d'État. La légitimité va devoir y trouver d'autant plus de poids à l'intérieur qu'elle ne peut utiliser l'argument « national » pour délégitimer un occupant : au contraire, elle aura à s'affirmer face à des putschistes qui se réclament de « l'intérêt supérieur du pays » et déclarent agir au nom du peuple ou de la nation. Difficulté supplémentaire qui donne encore plus de force à la réussite d'une stratégie de résistance.

Ces événements peuvent aussi être analysés comme la réussite d'une stratégie personnelle et médiatique de la part de Boris Eltsine à qui le coup d'État a « réussi ». Leonid Ionin, dans *Nezavissimaïa gazeta*, estime ainsi que « les membres du Comité d'État pour l'état d'urgence (...) auraient eu toutes les chances de réussir sans la géniale stratégie psychologique de Boris Eltsine et de son équipe. Ceux-ci n'avaient pratiquement aucune force réelle, mais ils ont joué dans les médias du monde entier un drame

---

21. Appel lancé le 19 août à 12h10 et publié dans la *Komsomolskaïa Pravda* du 22 août 1991.
22. Jacques Semelin, *Sans armes face à Hitler, la résistance civile en Europe : 1939-1943*, Paris, Payot, 1989, p. 75.

d'une telle ampleur que le Comité d'État pour l'état d'urgence n'a pu résister et a fui[23].» Ces propos illustrent à la fois la manière dont le putsch a profité à Boris Eltsine, lui permettant d'asseoir définitivement son autorité, et le rôle essentiel des médias dans une stratégie de résistance. Il faut également mentionner le rôle important qu'ont pu jouer les membres de l'entourage de Eltsine, ainsi que les nouvelles institutions russes, et notamment la Maison Blanche, siège du Parlement de Russie. Cette autre légitimité provient aussi du processus de démocratisation mis en œuvre pendant les années précédentes (élections au Congrès des députés du peuple en 1989, puis élections locales en 1990) qui a permis à de nouvelles générations, à certains acteurs des mouvements « informels » d'accéder à la représentation politique.

Deux forces s'affrontent donc dès le commencement du coup d'État sur le terrain de la légitimité, puisque les opposants au CCEU ne sont pas privés de parole ni de moyens d'expression, bien au contraire. Il s'agit là d'un jeu complexe où la légitimité du nouveau président russe alimente celle des nouvelles institutions et permet de mobiliser autour d'elle d'autres acteurs qui vont à leur tour renforcer la légitimité personnelle de Boris Eltsine.

### ... ainsi que de la mobilisation de certains secteurs de l'opinion

Va intervenir ici la conjonction d'une résistance de la part des institutions et de certains segments de la société qui, bénéficiaires des cinq années de perestroïka, sont ceux qui perçoivent le mieux la légitimité de Eltsine.

C'est ici qu'il faut à nouveau souligner le rôle de l'armée, non plus comme institution hésitante et divisée, mais comme l'un des acteurs de la résistance. Le général Kobets, par exemple, symbolise l'évolution d'une partie de l'armée, celle qui vote Eltsine en juin 1991, et surtout de ses cadres, pris peu à peu dans la polarisation et la radica-

---

23. Leonid Ionin, *Nezavissimaïa gazeta*, 12/9/91, p. 8, cité par Kathy Rousselet, *art. cit.*

lisation de la scène politique, qui « se sont convaincus, à mesure que la crise prenait de l'ampleur, que le règne du parti communiste était parvenu à son terme sans pour autant que l'existence des forces armées (...) soit nécessairement remise en question par les tenants d'une nouvelle société » [24], et qui, pour nombre d'entre eux, posent un réel acte d'engagement en se ralliant ouvertement à Eltsine entre 1990 et 1991 alors que celui-ci est dans une phase d'opposition déclarée au pouvoir. L'exemple le plus frappant est le ralliement du colonel Alexandre Routskoï à Eltsine au printemps 1991, alors que celui-ci est en grande difficulté au Parlement russe face à une offensive des conservateurs. D'autres, comme le maréchal Iazov, modéré à l'origine et choisi comme tel par Mikhaïl Gorbatchev afin de réformer l'institution militaire, se sont peu à peu raidis devant le cours pris par les réformes et ont été jusqu'à rallier les auteurs du coup d'État. Cependant, celui-ci fut aussi le premier, conscient que l'armée ne suivait pas, à faire défection (le 21 août), précipitant l'échec des putschistes.

Du côté des démocrates qui se déclarent d'emblée du côté de la résistance au coup d'État, le général Chapochnikov, qui déclara ensuite avoir été prêt à défendre Eltsine avec des avions de combat en cas d'assaut de la Maison Blanche, le vice-ministre de l'Intérieur Boris Gromov qui déclare le 20 août que ses troupes ne bougeront pas, et V. Karpoukhine, commandant des troupes d'élite du groupe Alpha, qui a refusé de donner l'assaut à la Maison Blanche.

Les médias, notamment presse et radio, ont joué un rôle essentiel dans la résistance et dans l'échec de la tentative de coup d'État, notamment dans les grandes villes. A Moscou, toute une partie de la population était rivée à l'écoute de *L'Écho de Moscou,* une station indépendante qui a informé la population pendant toute la durée des événements. A Saint-Pétersbourg, l'appel à la résistance lancé par Anatoly Sobtchak est entendu par la population sur la station locale de télévision restée loyaliste. Les putschistes

---

24. Général Kobets (présenté par Alexandre Adler), *La vie quotidienne à Moscou pendant le putsch : 18-21 août 1991, op. cit.,* p. 14.

tentent, avec un certain succès au départ, de mettre la presse au pas, mais les *Izvestia* se mettent en grève et la *Pravda* publie l'appel à la résistance et à la grève générale de Boris Eltsine. Quant aux médias étrangers, ils relaient l'appel à la résistance et, notamment via la chaîne américaine CNN, le déroulement quasiment heure par heure des événements qui se déroulent devant la Maison Blanche.

A cet égard, les journalistes méritent une attention particulière, car ils ont été, dans l'URSS de la perestroïka, une des catégories sociales les plus en pointe dans la lutte pour l'avancée des libertés et de la démocratie, à la fois relais et leaders d'opinion. Dès le printemps 1986, la catastrophe nucléaire de Tchernobyl et sa révélation presque immédiate, à la fois par le gouvernement et par les médias, avaient annoncé très clairement la *glasnost*, marquée notamment par l'essor des débats dans la presse. Cette première période aboutit au constat d'une coupure profonde entre l'État-parti, le système politique et la société. L'immobilisme qui en résultait rendait impossible la mise en œuvre des réformes et du processus de modernisation voulus par la nouvelle équipe au pouvoir. Les intellectuels et les journalistes vont se trouver là encore au centre du processus, les dirigeants voulant s'efforcer de combler ce fossé en leur enjoignant de conduire en quelque sorte ce processus de débat et de prise de parole dans toute la société.

Cela étant, si les médias ont pu jouer ce rôle amplificateur, c'est parce qu'un ferment existait dans la société, parce qu'en six ans, celle-ci avait « bougé », à la fois sous l'impulsion d'un processus venu d'en haut, mais aussi dans la révélation de tendances plus profondes. Tout au long des années de perestroïka, la « mémoire retrouvée[25] » a permis la mise à jour du refoulé. Un à un, les tabous ont été levés : le premier, sur les crimes du stalinisme, dès 1986, puis les critiques se font de plus en plus vives jusqu'à mettre en cause le régime lui-même. Le point d'orgue de ce processus se situera d'ailleurs dans les jours qui suivent immédiatement le putsch d'août 1991, avec le

---

25. Alain Brossat, Sonia Combe, Jean-Yves Potel, Jean-Charles Szurek (sous la direction de), *A l'Est, la mémoire retrouvée*, Paris, La Découverte, 1990.

déboulonnage des statues des figures du communisme, y compris Lénine, qui accompagne l'interdiction du PCUS et la confiscation de ses biens.

La population, enfin, n'est pas massivement descendue dans la rue, même à Moscou et Leningrad. Mais quelques dizaines de milliers de personnes, déterminées et surtout représentatives des catégories sociales les plus actives et motrices du changement dans la population, ont pu constituer une force réelle.

Quelles sont ces catégories ? Les jeunes, très absents de la vie politique et sociale depuis le début de la perestroïka, ont fait ici une entrée massive, accentuant encore la coupure des générations. Ensuite, des hommes d'affaires, là encore souvent des jeunes, sans aucun passé politique et qui ont créé des coopératives ou de petites entreprises privées de services. Ils avaient tout à perdre d'un retour en arrière et ils étaient devant la Maison Blanche de Moscou du 20 au 22 août. Ils ont fourni à Eltsine un soutien financier, matériel et logistique tout à fait important. Une nouvelle classe politique issue de la *glasnost*, sur des positions réformatrices radicales, peu importante numériquement mais d'un grand poids dans l'opinion, est aussi présente. Mentionnons enfin les mineurs, qui représentent une force sociale et politique non négligeable, mais dont l'appel à la mobilisation sera plus le fait des leaders du mouvement, acquis aux démocrates, que de la « base » qui déclarait deux mois plus tard que Moscou était loin et que « l'information arrivait mal[26] ».

Ces acteurs de la résistance ont donc largement contribué à renforcer la légitimité de Boris Eltsine, seulement partiellement « donnée » au départ. C'est à la fois l'illégitimité des auteurs du coup d'État, qui ne se déduit pas forcément de la légitimité de Eltsine, et le succès de la résistance du président russe et des institutions russes, conjuguée à la résistance de certaines catégories de la population qui ont fait l'échec du putsch. La résistance au coup d'État a donc été à la fois le produit de la légitimité de Boris Eltsine et une condition de sa pérennité au-delà de cet événement fondateur.

---

26. Propos recueillis à Kemerovo en octobre 1991.

## La chute de la légitimité présidentielle depuis 1991

Depuis 1991, la question de la légitimité n'a cessé de constituer l'une des clés de la situation politique en Russie. Témoins les résultats en demi-teinte du référendum du 25 avril 1993, qui confirmaient la légitimité du président tout en en soulignant déjà les limites[27]. Mais ce sont bien sur les tragiques événements d'octobre 1993, pendant lesquels se sont succédé un coup de force « illégal » d'un président « légitime » — la dissolution du Parlement — et la rébellion armée, écrasée dans le sang, de ce même Parlement, qui ont apporté un éclairage nouveau et fait revenir en première ligne la question de la légitimité. Après ces événements, et les résultats des élections du 12 décembre viennent encore le confirmer, celle du président russe apparaît comme bien entamée.

Tout d'abord, sur le plan des faits et des acteurs de ces journées, la situation n'est pas symétrique de celle de la tentative de coup d'État de 1991. En octobre 1993, les rebelles de la Maison Blanche, qui étaient, pour une grande partie d'entre eux, devant ce même bâtiment aux côtés de Boris Eltsine face aux putschistes d'août 1991, vont eux aussi parier sur la lassitude et le mécontentement de la population. Mais, à la différence de 1991, les députés retranchés dans la Maison Blanche et leurs partisans, bien que vaincus, n'ont pas totalement perdu leur pari, et ce pour plusieurs raisons.

D'une part, la « résistance » était cette fois menée par les parlementaires et leurs partisans, dont tous n'étaient pas des militants ultranationalistes ou communistes. L'armée, alors qu'elle avait en 1991 largement délaissé la « légalité soviétique » des putschistes pour rallier la légitimité du président russe, est apparue plus divisée, hésitant parfois à obéir à un pouvoir censé aujourd'hui incarner à la fois légalité et légitimité. Quant au « camp démocrate », il est apparu comme très faible pendant ces événements. Les acteurs, les groupes sociaux mobilisés en août 1991,

---

27. Voir notamment Marie Mendras « Les trois Russie : Analyse du référendum du 25 avril 1993 », *Revue française de science politique*, vol. 43, n° 6, décembre 1993.

ont été très largement absents en octobre 1993 et la manifestation, convoquée *in extremis* par Egor Gaïdar le 3 octobre, bien clairsemée.

Ces éléments ont témoigné d'une érosion de la légitimité de l'équipe présidentielle. Et si le pari des rebelles du Parlement n'a pas été totalement perdu, c'est aussi parce que Boris Eltsine lui, n'a pas gagné le sien, qui était, en venant à bout du Parlement, de remporter une victoire politique, qui aurait renforcé sa légitimité en agissant un peu comme un plébiscite. Il a dû se contenter d'une victoire militaire, dont le déroulement et les modalités laissent encore de nombreuses interrogations.

Un autre élément est venu entamer la légitimité du Président et de son équipe : le recours à la force et la violence des affrontements ont levé un tabou, celui du sang versé, et, pour la première fois depuis la période révolutionnaire, ont fait resurgir le spectre de la guerre civile. Boris Eltsine, en décrétant une journée de deuil national pour *toutes les victimes* a implicitement reconnu l'importance du traumatisme dans la société, d'autant plus que l'absence de violence avait caractérisé le processus de transformations politiques et sociales initié en 1986. Quelles que soient les responsabilités des uns et des autres, il y a lieu de se demander aujourd'hui si le recours à la force, y compris de la part d'un pouvoir considéré comme légitime, ne le condamne pas, à terme, à l'illégitimité.

Un peu plus d'un an après, cette question trouve à nouveau toute son actualité dans l'interprétation des événements qui se sont déroulés en Tchétchénie depuis le 11 décembre 1994 et de leurs répercussions en Russie. L'opinion publique, en majorité contre la guerre, en tout cas contre la manière dont a été conduite l'intervention des forces armées russes dans cette République du Nord-Caucase, renouvelle son refus du « bain de sang ». Les médias confirment leur indépendance progressivement acquise pendant les années de perestroïka et résistent à la fois à l'information officielle et aux attaques du pouvoir.

La légitimité du pouvoir actuel dans la société y a encore perdu un peu plus. Quelles que soient ses arrière-pensées politiques, la fronde, ouverte ou latente, qui s'est déclarée parmi les militaires en est le meilleur exemple. C'est au nom de la Constitution, au nom aussi sans doute d'une certaine « conscience soviétique » que nombre d'officiers ont exprimé leur désaccord avec l'utilisation de l'armée comme force de police dans ce qu'ils considèrent être une guerre civile. Mais au-delà de l'indignation morale largement exprimée dans la population, la mobilisation effective de quelques organisations de droits de l'homme et des « mères de soldats », ou l'émergence d'une figure morale comme celle de Serguëï Kovalev (délégué aux droits de l'homme du président russe qui a tenté d'enclencher un processus de négociations) sont plus proches du monde dissident des années soixante-dix que de la mobilisation d'août 1991. Le « camp démocrate », passé du côté de l'opposition au président russe, essaie quant à lui, en s'appuyant sur cet embryon de résistance, de retrouver une légitimité très largement entamée par les conséquences économiques et sociales des réformes et par son attitude ambiguë lors des événements de 1993. Mais la rupture entre la société et le monde politique s'est encore aggravée. Elle explique dans une large mesure la faible réaction d'une opinion lassée de protester « contre » et qui ne parvient pas à se mobiliser autour de valeurs positives.

Ainsi l'histoire de la Russie depuis 1991 montre que tout processus de légitimation du pouvoir est insuffisant s'il ne se rapporte qu'aux mécanismes électoraux ou à des légitimités personnelles. Une légitimité construite dans une phase historique antérieure, celle de contestation de l'ancien système, trouve difficilement d'autres fondements dans une phase de développement et de reconstruction.

Le problème est alors de savoir à quelles conditions de nouvelles légitimités politiques peuvent permettre la constitution d'un espace politique qui accompagne un processus de modernisation. Dans un ouvrage publié en 1992, J.L. Cohen et A. Arato[28] placent le concept de société civile au centre d'une redéfinition de la légitimité démocratique. Ils s'appuient sur les nouvelles formes d'action collective qui ont émergé dans les pays d'Europe de l'Est ou dans certaines sociétés du Sud, et notamment sur les processus

---

28. J. L. Cohen, A. Arato, *Civil society and political theory*, The MIT Press, Cambridge (Mass.) ; London, 1992.

de résistance ou de désobéissance civiles. Dans le cas de la Russie, qui a connu peu ou pas de mouvements sociaux, le concept de « société civile » est encore plus qu'ailleurs malaisé à définir. Mais cette grille d'analyse peut permettre de sortir d'une pensée trop souvent réduite, notamment pour l'ensemble des sociétés dites « en transition », aux seules sphères de l'économie et du pouvoir. Elle peut en tout cas permettre de poursuivre la réflexion sur l'articulation des institutions et de la société dans un processus de résistance.

# REGARDS CRITIQUES

# Remarques historiennes
## au service d'une cause commune

*Jean-Pierre Rioux*

Née de la science politique, nimbée de sociologie et même de psychosociologie, la notion de « résistance civile » est-elle d'un vrai secours pour l'historien et a-t-elle à ses yeux un avenir ? Telle est la question qu'il faut se réjouir d'avoir à examiner brièvement, mais sans détours et en urgence, grâce à Jacques Semelin et à tous les chercheurs qu'il a su déjà convoquer.

Sans détours ? Assurément, car dans le passé trop rares ont été les occasions offertes aux historiens d'avoir à procéder, avec leurs confrères venus d'autres sciences sociales, à l'examen clinique conjoint d'un concept ou d'un objet lancé dans le champ de la recherche. La dérobade ou le biais seraient malvenus, dès lors que l'affaire est si honnêtement mise sur la table. Et songeons au profit que chacun eût pu tirer, dans les années 1960, d'une bonne empoignade autour des usages du concept de « totalitarisme »... Félicitons-nous donc d'être conviés à une vraie discussion, aujourd'hui, autour d'une notion qui passe pour son contraire, sinon son *a contrario*.

En urgence ? Tout aussi volontiers, car la rectitude du débat passe par l'examen de cette dizaine de contributions déjà bien construites et rassemblées dans ce recueil ; par la visite aussi des lieux de recherches collectives, séminaires pionniers et premières publications, où la « résistance civile » est désormais testée et son maniement rodé : tout aventurisme, toute faiblesse décelés devant conduire à rectifier le tir, autant vaut s'expliquer sans plus tarder.

Osera-t-on réclamer au préalable des renforts avant d'avoir à se prononcer, pour que la fécondation soit plus vigoureuse et l'examen *in vitro* plus approfondi ? Il nous semble en effet que « résistance civile » aurait tout à gagner d'une consultation de deux autres spécialistes : l'ethnologue, ou l'anthropologue, d'une part ; le juriste de l'autre. Sur l'orchestration catégorielle d'un refus et la magie des lieux du rassemblement, sur le rapport au pouvoir sur scène, sur les ruses de la sociabilité ou les transferts de symbolisme, sur le dynamisme des mémoires longues ou les vertus identitaires des temps immobiles de la vie quotidienne, l'ethnologie n'aurait-elle rien à nous apprendre et n'est-il pas maladroit de se priver de son concours ? Sur la plasticité potentielle de l'institution, la négociation collective de la règle ou la contagion sociale des jurisprudences, la science du droit peut nous révéler des cheminements prometteurs qui nuanceraient les schémas d'affrontement, et elle sait réguler des collations d'exemples qui paraissent à première vue trop disparates.

Nonobstant, il faut dire l'essentiel d'entrée de jeu : tout devrait pousser les historiens à faire hardiment de la « résistance civile » un concept, un savoir-faire et un objet d'histoire. Non par bravade, bien inutile puisque des travaux probants ont été conduits sans eux, ni par ambition impérialiste, tout à fait déplacée en ce domaine où, justement, ils sont conviés au partage des tâches communes. Mais parce qu'ils seraient bien insensibles à l'air du temps qui les porte et bien infidèles à leur vocation s'ils n'adhéraient pas, en toute liberté critique, à l'enjeu programmatique de cette résistance-là.

C'est, au vrai, d'alliance instinctive et non pas de ralliement raisonné qu'il faudrait parler. En 1984, le colloque « Totalitarisme » ne mobilisa guère les historiens, y compris ceux de la rue Saint-Guillaume ou de l'Institut d'histoire du temps présent du CNRS. En revanche, cinq ans plus tard, un spécialiste du second conflit mondial et non des moindres, Jean-Pierre Azéma, préfaçait très placidement un travail de Jacques Semelin, élaboré en concertation constante avec des historiens, et l'éventail des publications périodiques spécialisées a été aussitôt ouvert à la réflexion de celui-ci[1]. Tout s'est passé comme si nous avions été quelques-uns à savoir aussitôt, et sans songer assez à justifier cette intime conviction, que la « résistance civile » de Semelin était un pain à partager.

Cette familiarité immédiate tient d'abord au fait que les travaux qui disent sa verdeur portent sur des périodes depuis longtemps familières à l'historien français du XXe siècle et sur lesquelles il a beaucoup travaillé, à titre individuel ou collectivement. L'étude des années 1930 a été bien piochée dès le milieu des années 1960[2]. Celle du second conflit mondial a bénéficié dès les lendemains de la Libération de protections officielles et de moyens ; elle a connu depuis quinze ans de vrais regains et s'est appliquée tout particulièrement à creuser les questions de l'autoritarisme du régime de Vichy et des collaborations[3]. Celle des décennies qui suivent 1945 s'est mise en place sans solution de continuité, mais avec des occupations du terrain géographiquement très inégales et, en particulier, d'évidentes lacunes du côté des ex-pays de l'Est, de l'Extrême-Orient et de l'Amérique latine[4].

Mais, mieux encore, poser maintes questions au nom d'une « résistance civile » rencontre des interrogations qui excitent passablement aujourd'hui la curiosité historienne. Qu'on ouvre, par exemple, le livre-manifeste des renouveaux de l'histoire politique orchestrés par René Rémond[5] : sur l'associationnisme, l'opinion, les médias, les

---

1. Pierre Hassner, Guy Hermet et Jacques Rupnik (sous la direction de), *Totalitarismes*, Paris, Economica, 1984. Jacques Semelin, *Sans armes face à Hitler. La résistance civile en Europe (1939-1943)*, Paris, Payot, 1989. Jacques Semelin, « Le totalitarisme à l'épreuve de la résistance civile (1939-1989) », *Vingtième siècle. Revue d'histoire*, n° 39, juillet-septembre 1993 et « Belgique, Pays-Bas, Danemark : l'héroïsme au quotidien », *L'Histoire*, n° 171, novembre 1993.
2. L'appel avait été lancé par René Rémond, « Plaidoyer pour une histoire délaissée. La fin de la IIIe République », *Revue française de science politique*, avril-juin 1957.
3. Le temps des synthèses collectives est même venu : voir Jean-Pierre Azéma et François Bédarida (sous la direction de), *Vichy et les Français*, Paris, Fayard, 1992 et Jean-Pierre Azéma et François Bédarida (sous la direction de), *La France des années noires*, Paris, Le Seuil, 1993, 2 vol.
4. Voir Agnès Chauveau et Philippe Tétart (sous la direction de), *Questions à l'histoire des temps présents*, Bruxelles, Complexe, 1992 et *Écrire l'histoire du temps présent*, Paris, CNRS Édition, 1993.
5. René Rémond (sous la direction de), *Pour une histoire politique*, Paris, Le Seuil, 1988.

intellectuels, les mots, la religion ou la guerre, il suit pratiquement toutes les pistes qu'ici ou là une « résistance civile » peut inviter à parcourir. Qu'on observe aussi l'attention nouvelle portée aux phénomènes d'opinion, aux opérations de sauvetage et aux cris du quotidien par temps d'oppression et l'on retrouvera la même convergence des points de vue[6]. Signe ultime de cette heureuse concomitance : dans les renouveaux qu'on nous promet d'une histoire de la Résistance en France, les tenants de la « résistance civile » participent de plain-pied à l'instruction en cours[7]. La cause semble par conséquent déjà entendue : l'adhésion des historiens va de soi.

A condition, toutefois, que cette « résistance civile », dans son parcours buissonnier entre les deux pôles du refus de la servitude et de l'affirmation d'une identité dans la rupture, jalonné par des problématiques de recherche (l'affirmation des droits de l'homme, le poids du religieux, la dénonciation de l'illégitimité juridique, le soutien international : les quatre points qui ont été retenus ici sont incontestablement des passages obligés) à travers lesquelles on peut tenter de sentir sa respiration, conserve une cohérence en occupant tout le temps et tout l'espace que les sciences sociales veulent bien lui consentir quand elles affûtent leurs hypothèses de travail et érigent à distance leurs objets d'études.

## L'amont et l'aval

Sur les temporalités de la « résistance civile », les historiens, on l'imagine, sont sourcilleux et, forts de leurs privilèges sur la datation, ils scrutent avec attention les ancrages à l'amont et les suites en aval. Il faudra bien en effet, sous peine de rabâcher des définitions de cette résis-

---

6. Voir Pierre Laborie, *L'opinion française sous Vichy*, Paris, Le Seuil, 1990 ; Asher Cohen, *Persécutions et sauvetages. Juifs et Français sous l'Occupation et sous Vichy*, Paris, Le Cerf, 1993 ; Jean-Pierre Rioux, « Survivre sous l'Occupation », *L'Histoire*, n° 80, juillet-août 1985 et « Le clair-obscur du quotidien » dans Jean-Pierre Azéma et François Bédarida, *Vichy et les Français, op. cit.*
7. Voir le dossier « Que reste-t-il de la Résistance ? », *Esprit*, janvier 1994.

tance à l'envers trop exact de « totalitarisme », tenter de la considérer, d'abord et surtout en Europe, naturellement, dans sa filiation intime avec la brutale mutation qui a inauguré et baptisé l'histoire de ce siècle : la Grande Guerre. Car toutes les études récentes montrent à l'envi que le quotidien puis la culture de guerre en 1914-1918 ont non seulement été initiateurs, comme l'on sait, des totalitarismes, mais aussi, dans des proportions plus faibles mais réelles, comme une histoire pleinement culturelle pourrait nous l'apprendre bientôt, de quelques-unes de leurs dénégations : la guerre vécue, à l'avant comme à l'arrière, au feu du drame indicible comme en mémoire vigilante après la fausse paix, a proposé tout à la fois, dirait un bridgeur, la donne et l'annonce, la main et le jeu à la carte, l'entame et la défausse[8]. Exhiber cet acte de naissance en bonne forme, si tragique et si violent, sera le plus sûr moyen d'ouvrir le plein jeu historique du vocable « résistance civile », en relativisant et en enracinant des phénomènes qui surgissent bien plus tard, depuis les années 1930, tout en les sortant de la problématique monotone de la simple ambition d'un face-à-face subversif avec le pouvoir « totalitaire ». Une identité du baptême du feu, en quelque sorte, court et surgit dans maintes manifestations de résistance : à nous de les déceler et d'en mesurer la force et les nuances, de Prague à Leningrad et depuis Rome, Lisbonne ou Berlin.

De même, il importe de bien suivre les cheminements d'aval et ne pas considérer que le parcours de la « résistance civile » s'achève et épuise ses vertus, ici ou là, en 1989. Le foisonnement géographique des textes présentés ici montre que cette mise en garde est sans doute vaine, mais mieux vaut peut-être l'avoir en tête. D'abord parce que toute histoire, on le sait bien, court « jusqu'à nos jours » et trouve, banalement mais fortement, dans le déroulement d'un présent insaisissable le renouveau de ses questionnements rétrospectifs et rétroactifs. Et surtout parce que, si l'histoire cherche anxieusement à dater les inaugurations et les avènements, elle répugne à bon escient à dater les fins et leurs commencements. C'est sa manière à elle de sortir des problématiques trop rigides des âges ou des révolutions ; de

---

8. Voir, par exemple, « La guerre de 1914-1918. Essais d'histoire culturelle », numéro spécial de *Vingtième siècle. Revue d'histoire*, janvier-mars 1994.

préserver un à-venir dont la richesse inédite renouvelle le questionnement du passé. De grâce, n'enfermons donc pas la « résistance civile » derrière les grilles des proclamations péremptoires d'une clôture prématurée du siècle[9], car les idéocraties ont la vie dure et sont plus plastiques qu'on ne croit. Et suivons plutôt à la trace les suites, quelles qu'elles soient, de ses manifestations datées et victorieuses : un Jirinovski aussi, en triste exemple, nous en dit long aujourd'hui sur les évolutions répulsives qui distinguèrent au bout du compte Elstine contre Gorbatchev.

Posons donc tranquillement la « résistance civile » en fille de ce siècle. Mais ne la privons pas de ses actualités, de ses ascendances, de ses descendances ni même de ses fredaines, sinon elle risque de péricliter en concept-valise trop commode, simple cache-misère d'analyses insuffisantes et myopes de l'évolution secrète des sociétés sous la botte depuis les années 1920. Lui concéder des origines insoupçonnées et des filiations après l'orage, lui reconnaître un droit à la métamorphose par temps de reconstruction post-totalitaire, est sans doute la meilleure façon de l'acclimater aussi, chemin faisant, au vif d'une histoire sociale en quête de renouvellements et qui pourrait bien la rencontrer prochainement elle aussi[10].

Cette préservation d'une chronologie souple et à géométrie variable devrait aller de pair avec l'exploration spatiale la plus large de ses facultés d'intervention. Car l'on sent bien, à la lecture des textes, qu'il y a encore beaucoup à faire pour l'arrimer solidement aux continents asiatique, africain et sud-américain. Cette extension mondiale ne pourra prendre ses aises, nous semble-t-il — mais ce n'est, hélas, pour l'instant qu'un vœu pieux —, qu'à la condition de faire aussi utilement de la « résistance civile » l'envers, ou le contrepoids, de formes bien particulières de régimes autoritaires qui n'ont jamais eu grande force heuristique en science politique, au moins en France, mais dont l'usage historique pourrait devenir beaucoup plus

---

9. Par exemple, Jean Baechler, *La grande parenthèse (1914-1991). Essai sur un accident de l'histoire*, Paris, Calmann-Lévy, 1993.
10. Voir Christophe Charle (sous la direction de), *Histoire sociale, histoire globale ?*, Paris, Éditions de la Maison des sciences de l'homme, 1993.

probant : les populismes, ou les nationaux-populismes. Il suffit de plonger dans une littérature anglo-saxonne plus ancienne qu'on ne pense, mais curieusement peu exploitée, ou de relire tous les travaux récents de Guy Hermet sur l'acclimatation démocratique pour comprendre que les populismes exotiques ont fait lever des résistances bien singulières. Pour l'Europe et pour la France elle-même, les aperçus ne manquent pas chez Zeev Sternhell ou Pierre-André Taguieff. Autrement dit : creusons la veine populiste pour muscler la « résistance civile », en montrant davantage qu'elle est recevable face aux types d'autoritarisme les plus variés.

## *A la rencontre de l'histoire culturelle*

Il serait déplacé de songer à conclure, puisque tout doit se jouer désormais dans la poursuite d'investigations mises en commun. Mais comment ne pas voir que l'étude de la « résistance civile » provoque et épouse l'histoire en cours ?

Au chapitre de l'histoire politique, elle entérine une « désidéologisation » qui va bon train, puisqu'elle soumet à examen toutes les formes de lutte contre l'idéocratie, naguère observée par Raymond Aron, qui ont si largement contribué à bousculer quelques paradigmes jusqu'ici fondateurs des sens de l'histoire, comme Modernité, Nation ou Révolution[11]. Elle contraint de réexaminer la force du Droit face au Pouvoir dans des sociétés désaccordées[12]. Elle dit l'importance d'un combat pour les valeurs inscrit au cœur de la vie quotidienne, avec toutes les formes associatives et toutes les ambivalences de la civilité. Elle pose la majesté des acteurs obscurs. Elle réhabilite l'événement, en soulignant à la fois sa gratuité et sa médiation

---

11. Sur la difficulté à conclure au XXᵉ siècle le cheminement historique supposé de « Révolution », voir Alain Rey, *Révolution. Histoire d'un mot*, Paris, Gallimard, 1989, et Charles Tilly, *Les révolutions européennes (1492-1992)*, Paris, Le Seuil, 1993.
12. Exemples dans le dossier « Le droit et l'histoire », *Le Débat*, n° 74, mars-avril 1973.

nécessaires, en orchestrant davantage son inévitable poly-phonie. Elle contribue donc à légitimer une histoire narra-tive qui se met désormais à l'écoute de l'événement et des acteurs pour se guérir de ses cancers idéologiques, qui renoue avec la mémoire pour mieux se départir des abstractions de l'Idée et du Sens[13].

De fait, la « résistance civile » devrait contraindre les his-toriens à poser dès à présent maintes questions historiques, qu'on tenait pour sociales, en termes culturels ou socio-cul-turels. La démonstration est largement faite ici même du rôle central du facteur religieux, de la Pologne aux Philippi-nes. Mieux encore : de sa part dans la constitution et la manifestation d'une force culturelle qui devient un vecteur de la protestation. On sent bien aussi que la mémoire collec-tive, fondatrice d'identités, et que l'enjeu de mémoire sont omniprésents et toujours actifs dans toutes les formes de résistances. Et mille signes et traces culturels, que la « résistance civile » nous conduit à tenir pour majeurs à la lecture des textes, attendent eux aussi qu'on fasse l'histoire de leur rébellion, depuis les forêts tchèques de l'under-ground où des musiciens contribuèrent à lancer la Charte 77 au Berlin des « Lennonistes » qui annonçaient la chute du Mur, du Biafra à Haïti, de Santiago à Riga. N'en doutons pas : c'est à une réévaluation de la force du culturel dans le cours du siècle que nous sommes ainsi conviés.

Sans parler de ce qui est peut-être l'essentiel aux yeux de l'historien du XXᵉ siècle : le rôle non négligeable de la « résistance civile » dans l'élaboration d'une axiomatique, qui tarde à s'imposer, des histoires sociales de la commu-nication et de la médiation. Qu'il s'agisse des types de sources (la photo de presse, par exemple, à propos de la place Tiananmen), des modalités de la diffusion et de la synergie sociale des effets du message, ou du prétendu égotisme instinctif des médias, tous les faits avancés dans ce recueil montrent que la piste est sûre. Et que la suivre à travers ces phénomènes résistants, à si forte densité pro-prement culturelle, pourrait contribuer à installer cette

---

13. Ces mesures de salubrité avaient pourtant été dès longtemps proposées : voir *La passion des idées*, numéro spécial d'*Esprit*, août-sep-tembre 1986.

forme d'histoire toute neuve à bonne distance critique du matérialisme des modèles sémiologiques ou médiologiques qui hantent à ce jour le marché de la recherche[14].

14. Par exemple, voir Régis Debray, *L'État séducteur. Les révolutions médiologiques du pouvoir*, Paris, Gallimard, 1993.

# La démocratie
# comme état de grâce

*Michel Wieviorka*

Quand il s'agit des sociétés démocratiques, nous savons distinguer diverses orientations de l'action collective et leurs modes de composition. Nous savons, par exemple, ne pas confondre les problèmes du changement et ceux du fonctionnement ; ou bien encore analyser dans leur autonomie relative les conduites de crise, qui correspondent à des réactions aux modifications qui affectent une situation, et les conduites de conflit, dans lesquelles un rapport social est en jeu, et où s'opposent deux acteurs distincts pour le contrôle d'un même enjeu. Nous savons aussi hiérarchiser les niveaux de l'action : historiquement, selon l'importance de ses effets sur le processus historique ; sociologiquement, selon la plus ou moins large portée des significations qu'elle met en jeu.

Nous disposons, pour le dire autrement, d'un ensemble d'outils analytiques qui peuvent être conçus comme autant d'éléments d'une théorie de l'action, à partir desquels il nous est possible d'aborder l'étude concrète de telle ou telle expérience historique. Cet ensemble n'est pas clos, définitif, il s'enrichit constamment des questions et des défis nouveaux que lui pose l'étude concrète des sociétés, leurs transformations, leur développement, l'apparition de formes et de processus inédits.

L'étude de l'action collective, dans les démocraties, est facilitée par ce qui est précisément en leur cœur : la capacité, même si elle est toujours limitée en pratique, dont disposent en principe les acteurs pour transcrire leur conscience en action, leurs demandes sociales, culturelles ou politiques en revendications, en luttes, en mobilisations ou en courants d'opinion. Cette capacité est elle-même indissociable de l'existence d'un espace public, où les problèmes peuvent être posés et négociés, où la liberté d'opinion et d'expression est la règle, où un système diversifié et concurrentiel de médias fonctionne.

Tout change dans les sociétés soumises à la dictature ou au totalitarisme. Les sciences sociales n'y sont pas seulement interdites d'expression, ou réduites à des formes perverties où elles servent d'instrument de répression ou à la glorification du régime. Elles sont aussi d'une application difficile, et pas uniquement parce que l'accès à la connaissance est empêché par le pouvoir, qui entend éviter l'autoréflexion de la société qu'elles permettent, plus directement que l'art ou la littérature.

Dans ces sociétés, en effet, la nature même du pouvoir impose une distance, parfois totale, entre la conscience et l'action, entre les significations de l'expérience vécue et leur transcription en pratiques. Les conduites qui parviennent à mettre en cause le pouvoir, qu'elles soient expressives ou instrumentales, ne peuvent procéder que d'un courage ou d'une force de caractère exceptionnels, d'une exaspération devenue désespoir, ou de circonstances particulières de relâchement ou d'affaiblissement du régime. Entre ces conduites, de dissidence par exemple, ou de bouffée émeutière, et l'absence d'action, bien des signes peuvent témoigner, discrètement, du travail de la conscience, et les comportements individuels portent souvent la marque d'une résistance diffuse au pouvoir. L'importance de l'alcoolisme, ou les données relatives aux taux de suicide ou à celui de fécondité peuvent ainsi, par exemple, apporter des indications importantes sur la façon dont une conscience privée d'action collective se dote d'autres modes d'expression, et il en va de même avec certaines expressions de la culture : la musique rock, en Europe Centrale et en Russie, a ainsi constitué dans les années quatre-vingt une forme importante de mise en cause du système par les jeunes.

Il faut donc ici, plus encore que dans d'autres situations, distinguer clairement le sens de l'action, qui procède de la conscience des acteurs et peut les tarauder en profondeur, mais en silence, et ses effets historiques concrets, qui peuvent sembler dérisoires ; il faut aussi, ce qui n'est pas totalement différent, éviter de confondre deux modes d'approche qui se veulent l'un et l'autre des sociologies des mouvements sociaux, et dont l'objet en fait diffère nettement : d'un côté, la sociologie de l'action, qui s'intéresse aux orientations, réelles ou virtuelles de l'action, à ses significations, et de l'autre, la sociologie dite de la mobilisation des ressources, qui se consacre aux moyens dont se dote l'acteur, à ses calculs, à ses stratégies pour parvenir à ses fins. Dans les situations qui nous occupent, la sociologie de la mobilisation des ressources n'est pas une orientation intellectuelle particulièrement facile à mettre en œuvre, car elle dispose de bien peu d'éléments historiques concrets pour s'alimenter, le propre d'une dictature ou d'un régime totalitaire étant précisément de s'efforcer d'interdire toute initiative collective qui échapperait à son monopole sur les ressources de l'action. On peut toutefois dans cette perspective, et en s'inspirant de Michel de Certeau ou d'Ervin Goffman, s'intéresser à la façon dont ceux qui résistent à l'emprise du totalitarisme ou au pouvoir de la dictature inventent les moyens de contourner l'État et les stratégies permettant d'échapper à sa répression. Pourtant, notre point de vue, différemment, s'inscrira plutôt dans les orientations d'une sociologie de l'action qui peut postuler, même si la vérification empirique en est difficile, l'existence d'une conscience collective d'autant plus malheureuse qu'elle est privée d'action.

Les manifestations concrètes de la conscience collective, dans de telles situations, sont en effet rares, contournées, nécessairement affaiblies, et comme l'accès direct à cette conscience est interdit aux chercheurs, il faut attendre que le régime s'affaiblisse, que des failles deviennent perceptibles dans son pouvoir pour que, d'un côté, cette conscience se transcrive éventuellement en action, et que, d'un autre côté, les chercheurs en sciences sociales puissent y consacrer leurs travaux. Ce qui passe par l'utilisation des instruments analytiques dont ils disposent, mais aussi par une grande vigilance face aux risques de l'ethnocentrisme et de l'anachronisme. Ce qui, de plus, est obscurci par la nature ambivalente de la situation, où les éléments caractéristiques de l'ordre qui est contesté se lestent d'éléments qui annoncent ou préfigurent un nouveau système.

De ce point de vue, la conjoncture actuelle offre des opportunités exceptionnelles, ne serait-ce qu'en Europe où nous venons de vivre, en quelques années, l'effondrement spectaculaire du communisme réel et la fin de l'Empire soviétique, après avoir vécu, au milieu des années soixante-dix, la fin concomitante des dictatures espagnole, portugaise et grecque.

### Les trois registres de la conscience collective

Trois registres principaux, éventuellement combinés, peuvent guider l'analyse sinon de l'action, du moins de la conscience collective de ceux qui, sous ces dictatures et ces régimes totalitaires, ont vécu et exprimé, quand ils l'ont pu, un fort sentiment d'oppression.

Le premier est d'ordre social. Il renvoie à la domination, à l'exploitation ou à l'expropriation de leurs moyens de production et des fruits de leur travail que connaissent des groupes qui peuvent être définis socialement, à commencer par les ouvriers et les paysans. Sous la dictature, comme avec le totalitarisme, l'existence collective de tels groupes est généralement reconnue, et même organisée, qu'il s'agisse du corporatisme et du néo-corporatisme de type franquiste, dont Juan Linz a donné les meilleures analyses, ou des syndicats mis en place dans tout le bloc soviétique, véritables courroies de transmission du pouvoir communiste en même temps qu'agents centraux de gestion du logement, des crèches, de la santé ou des loisirs des ouvriers depuis l'entreprise, placée au cœur de la vie sociale et que des travaux comme ceux de Thomas Löwitt ont permis depuis longtemps de connaître.

Mais ce n'est évidemment pas dans de telles institutions que peut se donner à voir la conscience sociale des ouvriers ou des paysans, et bien davantage dans des conduites qui revêtent deux formes essentielles. La première est celle de révoltes collectives apparaissant lorsque les conditions matérielles deviennent intolérables, et qui mettent en forme des revendications limitées à ce niveau, en demandant par exemple que soient annulées des hausses de prix pour les produits alimentaires de première nécessité. De telles révoltes ont à plusieurs reprises éclaté dans l'Empire soviétique, et ont été alors soumises, tout à la fois, à une répression brutale et au black-out sur l'information. La deuxième modalité d'expression de cette conscience sociale est plus difficilement perceptible : elle s'observe dans une résistance diffuse à l'exploitation, dans les conduites, bien connues des sociologues du travail, que sont l'absentéisme ou le freinage, dans l'autodestruction par l'alcool de l'acteur privé d'action, dans une indiscipline limitée, la recherche de « niches » où l'on échappe au travail et au regard de ceux qui l'organisent.

Le deuxième registre est d'ordre culturel et moral. La conscience, ici, est celle d'une identité collective malmenée, niée, interdite. Il peut s'agir du sentiment national, surtout dans les situations où le pouvoir dictatorial ou totalitaire est indissociable d'une domination étrangère, comme ce fut le cas dans les démocraties populaires d'Europe Centrale, ou, dans l'Espagne franquiste, aux yeux notamment des nationalistes basques. Il peut s'agir d'un sentiment religieux, que l'idéologie communiste a prétendu éradiquer tout en devant souvent pratiquer un certain compromis, de particularismes ethniques, culturels, spirituels.

La conscience communautaire peut éventuellement combiner ces divers éléments, la nation et la religion, par exemple, semblant former un tout indissociable dans certaines expériences. Elle est parfois indissociable d'une conscience sociale, à laquelle elle apporte alors le ciment non plus seulement d'une expérience partagée de travail et d'exploitation, mais aussi, plus largement, d'une communauté d'existence. Les mineurs, dans de nombreuses luttes, sont ainsi portés par une combinaison de conscience sociale et de conscience communautaire, où la religion joue un grand rôle, et que les femmes viennent fréquemment incarner, symboles actifs de la communauté mobilisée pour sa survie.

Fonctionnant de manière symbolique, souvent enracinée dans un long passé historique, forte de traditions qui peuvent inclure des références à des actions antérieures de résistance nationale ou religieuse, la conscience communautaire est généralement moins vulnérable que la conscience sociale ; elle constitue, lorsqu'elle est puissante, un obstacle ou une opposition beaucoup plus consistants et stables à la dictature ou au totalitarisme, avec éventuellement un caractère intransigeant ou irréductible. Sa force vient aussi de ce que dans certains cas, le pouvoir lui-même participe de la culture collective, se veut par exemple lui aussi catholique, ou encore s'identifie à la nation. C'est pourquoi le sort d'un mouvement d'opposition, dans les situations tendues où il a su se mobiliser et où il se confronte à un pouvoir affaibli et réduit pour l'essentiel à sa capacité de répression, n'est pas le même selon qu'il partage ou non avec lui, au-delà du refus de la domination qu'il exerce, les mêmes valeurs religieuses ou nationales : l'expérience de Solidarność en Pologne aurait certainement revêtu un tout autre tour en 1980 et 1981 si, au sein du pouvoir, on ne s'était pas voulu souvent profondément polonais ; de même, la façon dont Ferdinand Marcos a cédé, aux Philippines, en 1986, doit certainement beaucoup au fait qu'il partageait la foi catholique qui animait l'opposition populaire, elle-même largement organisée par l'Église. A l'inverse, on ne peut qu'être frappé de l'absence totale de valeurs communes entre les manifestants de la place Tiananmen en 1989, et le pouvoir qui les a réprimés sauvagement, et qui se serait peut-être comporté différemment s'il avait partagé avec eux une même conscience religieuse ou nationale. Mais ajoutons une dernière précision : la conscience communautaire, lorsqu'elle est puissante, semble souvent perpétuer d'anciennes traditions qui en constituent le socle solide et presque indéracinable, alors qu'une analyse précise donne à voir tout autre chose, et fait apparaître cette image comme largement mythique. On dit souvent, par exemple, que la religion catholique et l'Église polonaise ont constamment apporté une résistance massive au communisme : la réalité est plus nuancée, et il suffit de lire les *Notes de prison* du cardinal Wyszynski[1] pour voir à quel point cet homme, qui a incarné au plus haut point l'intransigeance de la foi face au totalitarisme, s'est retrouvé très isolé au moment de son emprisonnement au milieu des années cinquante, tandis que l'appa-

---

1. Paris, Le Cerf, 1983.

reil de l'Église était disposé non seulement au compromis, mais aussi à la compromission.

Enfin, le troisième registre sur lequel peut fonctionner la résistance à une dictature ou à un totalitarisme est d'ordre politique. La conscience peut alors en appeler à la démocratie, aux droits de l'homme et du citoyen, à un régime ouvert au pluralisme des opinions et des croyances : dans les situations les plus dures, cette conscience devient une position éthique dont les dissidences soviétique ou tchécoslovaque ont donné d'admirables expressions. Mais elle peut aussi s'orienter dans d'autres directions. C'est ainsi qu'elle peut prendre l'allure de projets révolutionnaires, d'inspiration marxiste-léniniste, face à une dictature qui par ailleurs s'accommode du capitalisme, comme ce fut le cas avec ETA au Pays Basque, passant à la lutte armée contre le régime franquiste ; ou bien encore, elle peut relever d'un fondamentalisme reprochant au pouvoir non pas tant son idéologie que ses dérives par rapport au modèle fondateur du régime. C'est ainsi que l'on retrouve, parmi les membres de la Charte 77 en Tchécoslovaquie, quelques militants qui se réclament du trotskysme.

Un premier principe, de tridimensionnalité, est donc, nous semble-t-il, utile pour analyser la conscience collective et ses éventuelles expressions concrètes dans les situations de dictature et de totalitarisme. Encore faut-il en préciser davantage les implications.

### Séparation, fusion et articulation des orientations de l'action

Les trois registres — social, identitaire, politique — peuvent fort bien fonctionner chacun de manière isolée, ou sans unité. Un même pays ne connaît alors que des expressions de l'un ou de l'autre, uniquement la résistance d'une conscience communautaire, ou celle d'appels à la démocratie ; ou bien encore, les manifestations qui correspondent à nos trois registres apparaissent en des lieux et des moments distincts, s'ignorent mutuellement, et à la limite semblent s'opposer bien plus qu'être capables de s'unir. La dissidence, surtout lorsqu'elle se retrouve en exil, a pu ainsi donner parfois l'image de tensions internes extrêmement vives, informées par des conflits réduits apparemment, à la limite, à des querelles de personnes, mais en réalité signifiant le choc, par exemple, entre un nationalisme radicalisé et des positions démocratiques ouvertes à la modernité occidentale.

L'expérience polonaise est de ce point de vue particulièrement intéressante puisque, longtemps, émeutes ouvrières, résistance nationale incarnée par l'Église catholique et appels à la démocratie portés par des intellectuels ont fonctionné en ordre dispersé, dans l'indifférence et parfois l'hostilité mutuelle, avant de se rapprocher tout au long des années soixante-dix pour confluer et s'articuler dans Solidarność, comme on le voit bien dans le film d'Andrzej Wajda *L'Homme de fer*, ou dans la recherche menée sur ce mouvement par Alain Touraine et plusieurs chercheurs, français et polonais, dont nous-même[2].

Cela nous conduit à une autre remarque, qui est que les trois principaux registres de la conscience et de l'action sont susceptibles aussi de se combiner. Cette combinaison peut elle-même n'être que partielle, sociale et communautaire, sociale et politique, politique et communautaire ; surtout, elle peut correspondre à l'une ou à l'autre de deux logiques qu'il convient de bien distinguer.

La combinaison des registres peut d'abord tendre à leur fusion, à la production d'une pensée, de discours et de pratiques où ils deviennent indifférenciés, où le social, le politique et le culturel sont amalgamés, ce qui, paradoxalement, inscrit alors l'opposition dans la même famille idéologique que son ennemi. Dans cette perspective, en effet, la totalisation qui s'effectue devient intransigeance, appel à l'absolu ; elle peut enclencher des processus de terrorisme ; elle interdit en fait, en son sein même, toute référence à la démocratie. Cette première logique se rencontre fréquemment dans les mouvements en lutte contre une dictature, et par exemple dans de nombreuses expériences de lutte armée dans l'Amérique latine des années soixante et soixante-dix, bien analysées, de ce point de vue, par Régis Debray dans ses deux volumes de *La critique des armes*[3].

2. *Solidarité*, Paris, Fayard, 1982.
3. Paris, Le Seuil, 1974.

La deuxième logique, au contraire, repose sur l'effort des acteurs pour articuler, et non amalgamer, les diverses significations de l'action, pour les unir sans les confondre. Elle signifie que la démocratie non seulement est l'objectif politique de la résistance, mais aussi une condition de son fonctionnement, *hic et nunc.* Elle se rencontre par exemple dans la façon dont s'est constituée puis a fonctionné la Charte 77 en Tchécoslovaquie, dans sa référence constante au pluralisme et au dialogue, dans son souci de renouveler chaque année le trio de ses porte-parole, ou dans la diversité de leurs orientations politiques et religieuses. Cette logique caractérise également Solidarność, d'abord de façon presque unanime, au moment de la naissance du mouvement, puis toujours de façon majoritaire, malgré la montée en puissance d'une face d'ombre en son sein, populiste, sensible au thème des « vrais Polonais », et plus ou moins tentée par l'antisémitisme.

### *Le moment privilégié de l'articulation démocratique*

Sans en faire une règle absolue, on constate que, couramment, la fin d'une expérience totalitaire ou dictatoriale est l'occasion d'un moment, qui peut être très bref, où les trois registres qui viennent d'être distingués semblent donner lieu à une articulation qui suscite, à l'intérieur du pays comme à l'extérieur, une intense euphorie, le sentiment plus ou moins exalté d'une libération totale en cours, d'une conciliation harmonieuse de la raison, de la démocratie, de la justice et de la culture. Faut-il rappeler ici l'immense soutien international dont a bénéficié, en tout cas dans les opinions publiques, le mouvement à la fois social, national et démocratique que fut Solidarność, ou l'enthousiasme qui a accompagné, neuf ans plus tard, la chute du mur de Berlin ?

Mais, plus ou moins vite, ces sentiments laissent la place à d'autres, moins euphoriques, en même temps que le moment de l'articulation démocratique semble dépassé par de nouvelles réalités, moins exaltantes, et souvent inquiétantes. On a tôt fait de réaliser, pour les sociétés post-totalitaires de l'ancien Empire soviétique, que le changement ne s'y réduit pas, beaucoup s'en faut, à un processus simple et direct dans lequel la démocratie et le marché viendraient se substituer au totalitarisme et à l'économie administrée. On a vu la Yougoslavie sombrer dans la pire barbarie des dictatures, de la guerre et de la purification ethnique, après un court instant d'optimisme et de joie, dont Vesna Pusic, à propos de la Croatie, rend compte dans un excellent article[4]. Ou bien encore, on a vu le mouvement basque ETA, incarnation d'une lutte de libération sociale, politique et nationale dans laquelle la démocratie avait sa place, passer d'une violence limitée et contrôlée, à l'époque du franquisme déclinant, à un terrorisme de plus en plus aveugle et meurtrier en même temps qu'à une véritable fusion des éléments de son action[5].

Le moment particulier où les consciences, en se libérant, semblent le cas échéant capables de se transcrire en une action articulée, peut donc correspondre à un haut niveau d'action. Encore faut-il ajouter que ce niveau peut fort bien se révéler lui-même décevant.

Les régimes totalitaires, moins encore que les dictatures, ne peuvent guère être comparés au couvercle de marmites sous pression à l'intérieur desquelles des acteurs sociaux attendraient une conjoncture favorable pour se montrer en plein jour : leur affaiblissement ou leur effondrement donnent à voir plutôt des sociétés civiles épuisées, de bien modestes mouvements sociaux, et ouvrent plutôt la voie à des antimouvements sociaux, au populisme ainsi qu'à des mouvements identitaires qui prennent vite l'allure d'un nationalisme différentialiste fortement xénophobe.

C'est d'ailleurs une erreur, très souvent, d'expliquer la chute d'une dictature ou d'un régime totalitaire par l'intervention d'une mobilisation populaire, qu'elle soit plutôt sociale, politique, communautaire ou mixte. Le génie d'Hélène Carrère d'Encausse a été, à une époque où l'Empire soviétique semblait en place pour de nombreuses années, d'en annoncer la déstructuration ; mais celle-ci, contrairement à la thèse présentée par cet auteur, n'a pas

---

4. « La dictature à légitimité démocratique », *Cahiers internationaux de sociologie*, vol. XCV, 1993, pp. 369-388.
5. On me permettra de renvoyer ici à mon livre *Sociétés et terrorisme*, Paris, Fayard, 1988.

dû grand-chose à la poussée des nations ou de la religion musulmane en Asie centrale, et pas davantage à des contestations sociales ou politiques.

C'est pourtant dans la conjoncture historique précise où leur déclin est suffisamment engagé pour qu'ils ne puissent plus contenir d'éventuelles contestations, mais où ils disposent encore des ressources suffisantes pour se maintenir au pouvoir que les dictatures et les totalitarismes offrent à leurs opposants les conditions les plus favorables à la construction d'une action intégrant, sans les fusionner, des significations qui relèvent des trois registres que nous avons distingués. Ces conditions ne sont pas toujours suffisantes, faute d'acteurs ou même, tout simplement, d'élites intellectuelles et politiques capables de penser ce type de situation et de jouer un rôle dans l'organisation de l'action. Mais l'histoire récente montre qu'elles peuvent être déterminantes.

C'est ainsi que Solidarność, à l'époque de son émergence, doit être compris à la lumière de l'hypothèse d'un déclin historique du totalitarisme encore capable, on l'a vu avec le coup de force du général Jaruzelski en décembre 1981, de se transformer en junte militaire, et donc d'agir sur un mode répressif, mais épuisé s'il s'agit de sa capacité de mobilisation idéologique. De même, l'apogée des mouvements sociaux et culturels associés à des projets de démocratie en URSS s'est joué entre 1987 et 1990, quand la *perestroïka* marquait, tout à la fois, la fin du modèle soviétique, mais aussi une certaine capacité du pouvoir en place à gérer encore l'évolution : l'apparition du seul mouvement social important né dans ce pays pendant la *perestroïka*, celui du Syndicat indépendant des mineurs, date de cette époque, et se caractérise par l'association de revendications économiques et de demandes politiques antitotalitaires, alors qu'ensuite ce mouvement est entré dans une période de crise ; l'action des nouveaux entrepreneurs y a pris l'allure d'une combinaison d'appels à la libération de l'économie et de soutien au processus démocratique, alors qu'ensuite les mêmes acteurs ont pu rêver d'une dictature à la Pinochet, ou d'une formule comparable à la voie suivie par la Chine. Les mouvements écologistes ont été au cœur de mobilisations où le thème démocratique, antitotalitaire, était très prégnant, alors que ces mobilisations se sont ensuite considérablement décomposées, et que l'on a vu se développer une thématique inquiétante associant les demandes écologistes à un nationalisme plus ou moins antisémite et à l'orthodoxie la plus traditionaliste. On peut faire un constat analogue à propos de l'épuisement de certaines dictatures. Ainsi, jamais la capacité d'intégrer le social (les références au mouvement ouvrier) et le culturel (l'identité nationale) à la démocratie n'a été aussi grande, au Pays Basque espagnol, et, plus précisément, au sein d'ETA, même si cette organisation était déjà dominée par une idéologie marxiste-léniniste, qu'au moment où le régime franquiste vivait ses derniers feux, trouvant encore les moyens d'exercer la répression, mais perdant manifestement son emprise sur la société. Dans de telles circonstances, le déclin du régime, ou sa crise, font que les oppositions, dans leur diversité, trouvent la force pour s'exprimer ; et le fait qu'il tienne toujours le désigne comme un adversaire unique, quelle que soit l'orientation de ceux qui entendent en finir avec lui, ce qui est un encouragement à l'union des opposants. Ce type de situation est propice tout à la fois à l'émergence de la diversité et au rapprochement ; or la démocratie n'est-elle pas la formule politique qui assure de manière unifiée la traitement articulé des diversités sociales, culturelles et politiques ?

Ces périodes de grâce ne durent pas. Les acteurs qui les ont le mieux incarnées se transforment ou cèdent la place, parfois de façon spectaculaire. En Russie, les dissidents, dans l'ensemble, sont aujourd'hui marginalisés ; les forces démocratiques qui, en Europe Centrale, ont joué un rôle décisif dans la période de la fin du communisme connaissent de graves revers électoraux, et même si la démocratie s'y met en place, on assiste à la montée d'une logique de l'amalgame, avec des populismes sombres associant, dans leurs formes extrêmes, mais en fait plus rarement qu'on ne le dit généralement, le « rouge » et le « brun », la nostalgie des garanties qu'apportait l'ancien régime et un patriotisme chauvin et xénophobe. La nation, en période de grâce, était un droit que l'on réclamait, elle devient souvent un nationalisme agressif, un devoir, une obligation, en même temps que s'affirment les tendances à exiger l'homogénéité culturelle ou ethnique du corps social. Et si l'on considère l'expérience basque que nous avons déjà évoquée à plusieurs reprises, il apparaît nettement qu'ETA devient progressivement un acteur purement terroriste à partir de la transition espagnole vers la démocratie.

Au moment où l'on sort de la dictature ou du totalitarisme, les acteurs qui se sont le plus identifiés à la résistance trouvent un espace provisoire propice à la démocratie. Leur action combine la destruction encore nécessaire de l'ancien système et la construction d'un nouveau. Plus celle-ci progresse, et plus la nouvelle donne appelle une recomposition de l'action dans laquelle les anciens acteurs sont déstabilisés, dépassés par l'histoire, ou en tous cas confrontés à de nouveaux problèmes qui les obligent, s'ils veulent trouver une place dans la société qui se crée, à de profondes transformations. Les anciens opposants peuvent devenir de nouvelles élites économiques, politiques ou culturelles, ou encore disparaître purement et simplement de l'espace public qu'ils ont contribué à ouvrir.

Ne transformons pas en loi générale ce qui n'est qu'un constat empirique fondé sur quelques expériences. Le moment de grâce qui vient d'être évoqué ne se rencontre pas systématiquement chaque fois qu'une dictature expire ou qu'un totalitarisme se déstructure ; et lorsqu'il survient, il n'est pas nécessairement suivi des pires drames. Il constitue en fait une des modalités possibles, un premier pas éventuel dans une transition. Ce premier pas, dans les expériences que nous avons évoquées, est éphémère et fragile, ce qui nous rappelle qu'il existe plusieurs voies de sortie d'un régime, et non un quelconque sens de l'histoire. Ce qui nous rappelle aussi, et surtout, que la démocratie annoncée par la rencontre de significations qui demandent l'État de droit, le pluralisme de la culture et l'insertion des groupes porteurs de demandes sociales dans l'espace public exige beaucoup plus que la seule disparition du régime qui les interdisait.

# Les révolutions ne sont plus ce qu'elles étaient

*Pierre Hassner*

Deux choses remplissent l'observateur du totalitarisme d'un étonnement sans cesse renouvelé : la facilité avec laquelle l'Empire soviétique s'est effondré, la profondeur des traces qu'il a laissées derrière lui. A peine découverte la fragilité du totalitarisme, nous semblons redécouvrir la fragilité de la démocratie et celle de la paix.

On pourrait symboliser les successions de bonnes et mauvaises surprises des observateurs occidentaux à l'aide de formules empruntées aux titres de Jean-François Revel : si *Comment les démocraties finissent*[1] est aussitôt démenti par la chute de l'empire soviétique, *le Regain démocratique*[2] est aussitôt mis en question non seulement par les régimes criminels qui sévissent de la Serbie au Rwanda, non seulement par la crise des démocraties occidentales, en proie à la paralysie des élites politiques et à la montée du populisme, mais aussi par le désert du civisme et de la moralité publique dans la plupart des pays ex-communistes, par la montée de la corruption et de la criminalité, par la recherche de boucs émissaires ou la nostalgie soit de la stagnation, soit de la poigne de fer d'antan. Finalement, celui des titres de Revel qui garde une valeur

---

1. Éd. Grasset, 1983.
2. Éd. Fayard, 1991.

permanente, c'est *La Tentation totalitaire*[3]. Le problème fondamental qui est posé est moins celui de la nature de la démocratie et du totalitarisme, moins, aussi, celui de leurs victoires et de leurs défaites, que celui des rapports des sociétés modernes avec elles-mêmes. Autrement dit, ce qui est en cause, c'est le rapport du social et du politique et celui de l'individu et de la collectivité à l'époque moderne.

### Le concept de société civile

C'est ici que l'on rencontre le concept de société civile, et que l'on comprend combien Jacques Semelin a eu raison de centrer son interrogation sur les causes de la chute des régimes autoritaires et totalitaires et sur la notion de société civile. La question qui se pose est bien, en effet, celle-ci : est-ce la résistance de la société civile qui a provoqué la chute de ces régimes, et cette résistance et cette chute sont-elles différentes dans le cas des régimes autoritaires et dans celui des régimes totalitaires ? Derrière cette double question à la fois relativement précise et probablement insoluble se cachent, à nouveau, toute une problématique et toute une dialectique.

Longtemps, on a défini le totalitarisme précisément par la suppression de la société civile. Cette définition reste valable au niveau des ambitions de pouvoir et de la logique de l'idéologie, même si certains interprètes ont eu tort de croire encore plus au succès de cette ambition et de cette logique que les idéologues eux-mêmes et de proclamer la victoire du système et la naissance d'un *homo sovieticus* réduit au rôle d'un rouage de la machine totalitaire. Assez vite, pourtant, le déclin de la phase révolutionnaire a laissé apparaître des survivances et des renaissances, des aspirations et des résistances, des niches et des réseaux qui ont mis à l'ordre du jour soit la notion de société civile soit celle de cultures nationales. Le problème est que, comme le totalitarisme et la démocratie, ces notions se prêtent à leur tour au double danger de réification et de mythologisation.

---

3. Éd. Laffont, 1976.

A l'idée de l'absorption de la société civile par le pouvoir a succédé, largement sous l'influence du phénomène « Solidarité », celle d'une société civile autonome, en révolte contre le totalitarisme ou lui tournant le dos pour s'organiser, autant que faire se peut, de manière indépendante et parallèle : d'où l'idée d'une « société en dissidence ». Cette idée n'était certes pas dépourvue de validité, comme le montre encore l'exemple actuel du Kosovo, où la population albanaise, exclue et persécutée, recrée une société parallèle et semi-clandestine avec ses écoles et ses hôpitaux, aidée en cela par la survivance de fortes structures communautaires et traditionnelles. Mais il reste à la concilier avec les sombres diagnostics actuels concernant l'absence de société civile dans les pays ex-communistes et le lent apprentissage nécessaire pour en faire naître une, contrairement à la « renaissance de la société civile » qui, comme le montre le beau livre de Victor Perez-Diaz[4], se produit beaucoup plus facilement dans un régime post-autoritaire comme l'Espagne.

## Une multiplicité de forces

Comment en un plomb vil l'or pur s'est-il changé ? C'est, à l'évidence, qu'il faut distinguer entre plusieurs définitions de la société civile et plusieurs phases de son développement. La société civile minimale qui se crée dans l'opposition au totalitarisme et qui doit son unité à cette opposition même n'a que peu de rapports avec ce qu'on pourrait appeler la société *civique* qui, à l'intérieur d'un régime pluraliste, se définit par la gestion pacifique des différences et des conflits, par le respect de l'État et de la loi, du bien public et des règles du jeu. Entre les deux, quelle place faire à la société privée ou privatisée qui émerge bel et bien dans tous les pays ex-communistes, celle de la corruption et de la concurrence sauvage, allant de la débrouillardise privée à la criminalité organisée, celle des mafias ethniques, nationales et transnationales ? Et dans quelle mesure cette dernière est-elle une rupture

---

4. *The Return of Civil Society*, Harvard University Press, 1947.

ou un prolongement par rapport à la « société de réseaux » de l'ancien régime, telle que Bernard Pacqueteau[5] la décrit dans le cas de la Roumanie ?

Bien évidemment le problème ne se pose pas que dans la succession mais aussi dans la synchronie, c'est-à-dire dans la structure même des sociétés totalitaires ou post-totalitaires et pour la combinaison des causes qui ont, simultanément, provoqué leur chute. Pour adopter une métaphore spatiale, cette chute a pu venir de l'intérieur ou de l'extérieur, du haut ou du bas. Les régimes autoritaires post-totalitaires ne correspondaient plus à l'image valable, et encore de manière simplifiée et dans certaines limites, pour les régimes totalitaires dans leur phase culminante, celle d'une opposition dualiste soit entre l'« égocrate » absolu et ses sujets ou victimes, soit entre le parti et la société.

Ils connaissaient, malgré l'absence quasi totale des institutions pluralistes, une distinction complexe entre le leader, l'élite du parti, des idéologues et des policiers, l'élite émergente des technocrates, qu'avait étudiée Peter Ludz pour la RDA, la contre-élite des dissidents, enfin et surtout la composante peut-être la plus importante et sûrement la moins étudiée, celle de la masse de la société, parfois unie derrière les dissidents et contre le régime, parfois morcelée par l'effet du système, mais reconstituant des réseaux traditionnels ou nouveaux, parfois, sans doute le plus souvent, passive et occupée à survivre à la fois par le double langage et par la fuite dans le privé. Quant à l'influence extérieure, il est clair que tous les pays communistes étaient soumis au conflit entre l'attraction économique et culturelle occidentale et la pression policière et militaire soviétique, l'URSS elle-même n'échappant pas à la dualité entre la compétition, en particulier stratégique, avec l'Occident et sa dépendance par rapport à l'aide ou à l'ouverture de celui-ci.

---

5. « La société contre elle-même. Choses vues en Roumanie », *Commentaire*, n° 59, automne 1992, pp. 621-628.

## Une théorie impossible

Énoncer cette multiplicité de niveaux et de forces revient à suggérer la multiplicité de leurs combinaisons et donc des réponses aux questions de Jacques Semelin, selon les époques et selon les pays. Qui pourrait, en particulier, énoncer une théorie générale du rapport entre la résistance active et spirituelle des dissidents, la résistance passive et indirecte de la société et la volonté de changement ou d'adaptation des élites dirigeantes, creusant leur propre tombe en apprentis sorciers ? En ne prenant, provisoirement, pour exemple que les trois pays d'Europe Centrale qui devaient former le pacte de Visegrad, on n'insistera jamais assez sur leurs différences. En Pologne, où la révolte est antérieure à Gorbatchev, on note les rôles à certains égards rivaux de l'Église (analysé par Patrick Michel) et de Solidarité (seul mouvement de résistance de masse, malheureusement insuffisamment analysé jusqu'ici, y compris dans ce recueil, à noyau ouvrier mais fortement influencé par les intellectuels dissidents du Kor et du Groupe des experts) ; la Hongrie, elle, vit sur la continuité d'une réforme commencée dans les années soixante, mais les masses y sont démobilisées, les dissidents peu nombreux, et on peut observer ce phénomène extraordinaire et encore mal compris qu'est la perte de confiance de l'élite dans sa légitimité et sa décision de courir le risque de perdre le pouvoir par des élections authentiques ; enfin la Tchécoslovaquie de la fin des années quatre-vingt ne connaissait ni mouvement massif de résistance comme en Pologne, ni élites réformatrices comme en Hongrie.

Miroslav Novak décrit parfaitement le relatif isolement des dissidents de la Charte 77. Il est clair que l'impulsion de la « révolution de velours » est venue essentiellement de l'extérieur, de l'exemple des pays voisins et de la nouvelle tolérance gorbatchévienne, encore que, à la surprise des dissidents eux-mêmes, une certaine mobilisation de dernière minute se soit manifestée, créant une dynamique qui a fait échec, comme partout sauf en Roumanie, aux manœuvres et complots des factions rivales de la *nomenklatura*.

En RDA aussi, le rôle de l'extérieur semble prédominant : ce sont l'attraction exercée par la République fédérale et le lâchage de Honecker par Gorbatchev qui ont été déterminants, beaucoup plus que l'évolution réformatrice des élites rendues confiantes par la stabilisation, évolution qu'avait théorisée Peter Ludz[6] et qu'avaient espérée les milieux dirigeants ouest-allemands, en particulier le SPD. Là aussi, cependant, la population est intervenue *in extremis*, brouillant les calculs des communistes réformateurs et les espoirs des intellectuels dissidents, attachés à des versions différentes de la « troisième voie » plutôt qu'à la réunification.

Dans les Balkans, si la Bulgarie correspond à un modèle assez proche de celui de la Tchécoslovaquie voire de la RDA (dissidence faible, effort, sans doute inspiré par Moscou, pour un changement gorbatchévien des équipes à l'intérieur de l'élite dirigeante, échec devant la pression populaire de dernière minute déclenchée par la contagion), la Roumanie et l'Albanie, sans échapper complètement à ce modèle, présentent des variations liées à la fois à leur plus grande indépendance et au caractère paléo-totalitaire de leurs régimes : ceux-ci résistent plus longtemps, la transition se fait, du moins en Roumanie, de manière à la fois plus violente et moins complète. La Roumanie représente le seul cas où le remplacement des communistes réactionnaires par des communistes gorbatchéviens ait réussi ; en Albanie, le renversement a été radical, et ce sont les anti-communistes qui aujourd'hui mènent une épuration voire une persécution violente contre les communistes ; en Bulgarie, on connaît une situation intermédiaire et plus proche à la fois d'un jeu démocratique classique et de la situation en Europe Centrale : les communistes rebaptisés socialistes restent une force importante, se maintiennent un temps au pouvoir, l'abandonnent devant les pressions de l'opposition anti-communiste, puissante surtout dans les villes, le retrouvent en partie puis complètement à la suite des divisions de cette dernière et des frustrations économiques, sociales et nationales.

6. « Entwurf einer soziologischer Theorie totalitär verfaster Gesellschaften », *Soziologie der DDR, Kölner Zeitschrift für Soziologie und Sozialpsychologie*, 8, p. 11-58.

## La question de l'URSS

*Last but not least,* il y a la question centrale de l'Union soviétique elle-même. Le rapide survol qu'on vient de lire insistait sur le rôle négatif ou positif, répressif ou permissif, dissuasif ou exemplaire, du pouvoir de Moscou. Sans celui-ci, la révolution hongroise de 1956 et le réformisme révolutionnaire tchécoslovaque de 1969 auraient réussi ; sans Gorbatchev, sans son exemple, sans sa répudiation de la doctrine Brejnev et sans son apparente entreprise de gorbatchevisation des élites dirigeantes satellites, les « révolutions douces » de 1989, y compris peut-être le compromis polonais, n'auraient pas eu lieu. Mais le régime soviétique lui-même n'a pas échappé à la double dialectique de l'intérieur et de l'extérieur, du haut et du bas. Clairement, l'impulsion principale est venue de l'intérieur et du haut de la fraction modernisatrice de l'élite dirigeante, symbolisée par les deux personnalités dominantes, Sakharov et Gorbatchev, le père de la bombe H devenu dissident et l'apparatchik modèle devenu révolutionnaire malgré lui : partis l'un et l'autre d'une volonté de réforme, l'un a fini par mettre fondamentalement en cause le système, l'autre par le détruire en voulant le sauver. Mais ce double renversement s'est opéré précisément au nom d'une double ouverture, vers le monde extérieur et vers la société soviétique.

L'entreprise gorbatchévienne s'est inspirée des tentatives de réforme est-européennes, notamment du printemps de Prague ; surtout, elle a été fondamentalement liée à la détente, à la renonciation à l'isolement (par exemple à l'arrêt du brouillage des radios occidentales, y compris Radio Free Europe / Radio Liberty), à la recherche prioritaire de l'aide occidentale et du désarmement, à la peur d'une défaite catastrophique dans la compétition technologique. D'autre part, si la société a clairement commencé par être l'objet passif des initiatives venues d'en haut (au point que Gorbatchev, dans son célèbre discours aux écrivains de 1987, devait leur demander de constituer une « opposition de sa majesté »), très vite, comme pour l'apprenti sorcier de Goethe, les esprits ainsi libérés refusèrent de rentrer dans la bouteille du système. Le cocktail explosif de la perestroïka, des résistances nationales insoupçonnées par le pouvoir central, de la division au sommet entre Gorbatchev et Eltsine, et du putsch infructueux des conservateurs devaient aboutir à l'effondrement du système et de l'empire intérieur lui-même, après celui de l'empire extérieur, dans cet « été des dupes » de 1991. Plus que jamais et que partout ailleurs, il s'agit d'une épreuve de faiblesse plutôt que de force, ou d'une révolution sans révolutionnaires. Le changement est plus radical qu'en Europe de l'Est puisque ce qui s'effondre, ce n'est pas seulement le régime, mais la situation de l'URSS comme puissance impériale et l'identité nationale de ceux qui se considéraient comme Soviétiques, et puisque la société a encore moins l'expérience de la démocratie et du capitalisme que ses anciens satellites européens. Mais, pour les mêmes raisons, il se pourrait qu'en profondeur les permanences soient plus frappantes encore : l'absence de tradition démocratique et de société civile aujourd'hui laisse le champ libre, comme hier le dépérissement du pouvoir totalitaire, à une même réalité : celle des réseaux et de la corruption, celle de l'alliance de la nomenklatura et des mafias avec simplement un déplacement d'équilibre intérieur à l'élite : hier, c'était le pouvoir politique et policier qui s'intégrait les autorités traditionnelles, les nouveaux technocrates et les nouveaux trafiquants ; aujourd'hui, ce sont les maîtres de l'argent et de la violence qui manipulent les détenteurs de la légitimité formelle. D'où aussi une renaissance, sur le plan impérial extérieur, des anciennes aspirations à la domination et bien souvent des anciennes dépendances fondées sur la permanence des structures.

### Résistance civile et fragilité du système

Quel rôle assigner, dans tout cela, à la résistance civile ? Les millions de victimes du Goulag ont-ils contribué de manière décisive à l'évolution, autrement qu'en inspirant à tous la peur du dérapage sanglant ? Les solitaires héros descendus sur la place Rouge le 21 août 1968, la longue campagne prophétique de Soljenytsine, ont-ils, sinon suscité des disciples, du moins contribué à délégitimer le système, ont-ils appris aux Soviétiques à avoir un peu moins peur et à supporter un peu moins de vivre dans l'hypocrisie du double langage ? Comment peser, dans la désaffection à l'égard du régime ou dans la perte d'assurance de ses dirigeants, la part de la volonté de consommation attisée par l'exemple occidental, celle des échecs extérieurs et celle de la soif de vérité ou d'absolu, exprimée par la renaissance religieuse ?

Il n'y a, dans ce domaine, qu'une certitude négative : celle de la fragilité des régimes totalitaires à partir du moment où les deux ressorts constitutifs, définis par Hannah Arendt — l'idéologie et la terreur — viennent à manquer. La terreur ayant presque disparu sous Khrouchtchev et l'idéologie sous Brejnev, ce qui restait — le règne d'un langage idéologique vide auquel personne ne croit et d'une puissance sans autre légitimité et sans autre objectif que l'autoconservation — était beaucoup moins stable qu'on ne le croyait.

D'où, au-delà des querelles vaines entre partisans et adversaires du modèle totalitaire, la question réelle, celle du statut de ces formes intermédiaires dont j'indiquais en 1984, dans le texte cité par J. Semelin, qu'on pouvait les appeler « autoritarismes post-totalitaires », à condition de remarquer qu'ils ne se distinguent pas tellement de « totalitarismes postrévolutionnaires ». Dix ans et quelques révolutions plus tard, leur situation conceptuelle n'a pas tellement changé, puisque le maître incontesté des études sur les régimes autoritaires et les transitions à la démocratie, Juan Linz[7], écrivait récemment : « La disparition de l'Union soviétique a inévitablement soulevé certaines questions sur l'applicabilité et la valeur heuristique du type idéal du totalitarisme. Comment conceptualiser le processus de dissolution qui a mené à la Communauté des États Indépendants est un nouveau défi pour la politique comparée. Sur la base de certaines similarités avec d'autres régimes autoritaires, j'ai caractérisé l'Union soviétique post-stalinienne ou peut-être post-khrouchtchévienne comme un *régime autoritaire post-totalitaire*, parce

---

7. « Types of Political Regimes and Respect for Human Rights : Historical and non-national Perspectives », ch. 8 dans *Human Rights in Perspective*, dirigé par A. Eide et B. Hajtvet, Oxford, Blackwell, 1991.

que l'héritage de la période totalitaire la différencie des autres types de régimes autoritaires. Dans la discussion de cette conceptualisation, on a soulevé la question de savoir s'il devait s'agir d'un sous-type de la catégorie plus large et hétérogène des régimes autoritaires ou d'un nouveau type distinct. Tant qu'on n'aura pas mené davantage de recherches guidées par des soucis théoriques, ce problème ne pourra être tranché ».

### Entre autoritarisme et totalitarisme

Le présent ouvrage ne permet pas, lui non plus, de le faire, mais mon impression personnelle est que, pris en lui-même, il tendrait plutôt à souligner la parenté de tous les régimes autoritaires ou à atténuer l'originalité des régimes post-totalitaires. Certes, la disposition binaire des études de cas met bien en relief les différences entre le cas des Philippines et celui de la Pologne pour le rôle des Églises, la Tchécoslovaquie et la Bolivie pour les droits de l'homme, le Bénin et la Chine pour les médias. Mais un choix différent d'études de cas aurait pu donner l'impression opposée. Il me semble, en tout cas, que les différences des régimes post-totalitaires entre eux — par exemple pour le rôle des Églises — sont aussi importantes que par rapport aux autres régimes autoritaires.

Faut-il, pour autant, emboîter le pas aux critiques du concept de totalitarisme et noyer celui-ci dans la catégorie fourre-tout des régimes autoritaires ? Certes pas. Il suffit de penser à ce qu'aurait donné une comparaison entre régimes autoritaires du tiers-monde et les régimes communistes pris dans leur phase sanglante — la Tchécoslovaquie du procès Slansky, la Chine du Grand Bond en avant, la Russie de Staline ou, de nos jours, le Cambodge de Pol Pot ou la Corée de Kim Il Sung. Faut-il, alors, faire passer la barrière entre régimes totalitaires et post-totalitaires, et considérer qu'après Staline, les régimes communistes étaient devenus des régimes autoritaires comme les autres ? Non certes encore — puisque les circonstances de leur chute et leur héritage révèlent chez certains d'entre eux des traits plus totalitaires qu'on ne l'avait jamais soupçonné (par exemple l'étendue de l'espionnage et du contrôle exercé par la Stasi en RDA), que d'autres régimes comme la Pologne n'ont jamais été pleinement totalitaires et que l'évolution des régimes totalitaires est loin d'être à sens unique : ainsi le régime de Ceausescu était-il à la fois moins sanglant et plus délirant que celui de Gheorghiu-Dej.

## Évolution et révolution

Plutôt qu'à définir des essences ou même des classifications de régimes, peut-être est-ce aux tendances et aux types de changement qu'il faudrait s'intéresser. Peut-être faudrait-il distinguer deux phénomènes — l'érosion du totalitarisme, plus fréquente que ne le soupçonnaient ses théoriciens, et le passage à la démocratie, plus difficile et cahoteux que ne le pensaient les spécialistes de la « transitologie ». Les régimes totalitaires ne sont pas restés immuables, mais ils n'ont pas suivi une progression séculaire vers la démocratie en passant par l'autoritarisme comme l'avait fait la monarchie absolue en passant par la monarchie constitutionnelle, le suffrage censitaire, etc.

Peut-être la présence de l'Occident et son attraction, notamment à travers les médias, bouleverse-t-elle les transitions ordonnées et logiques en encourageant la *revolution of rising expectations* et les déceptions qui en résultent. Peut-être est-ce la minorité d'observateurs qui, comme Richard Pipes, pensait que l'URSS était dans une situation révolutionnaire, qui avait raison par rapport aux deux camps qui pariaient, l'un sur la permanence du système, et l'autre sur le succès des réformes. Mais, pas plus que les évolutions, et peut-être pour des raisons en partie apparentées (l'influence de l'Occident par lequel on se sent surveillé et dont on voudrait se faire accepter), les révolutions non plus ne sont plus ce qu'elles étaient : elles sont beaucoup moins violentes en règle générale, parce que à la fois les élites contestées et les populations révoltées sont beaucoup moins prêtes à aller jusqu'au bout de la violence.

Il faudrait croiser les deux binômes évolution-révolution et totalitarisme-post-totalitarisme pour se demander comment la sortie de la phase incandescente s'est faite plus par l'affaiblissement du dynamisme central que par la montée de la société, mais comment la sortie de l'autoritarisme post-totalitaire ne semble pouvoir se faire que de manière chaotique, pour faire place à des régimes où une certaine démocratie formelle coexiste avec un mélange d'anarchie violente et de restes totalitaires. Le déclin du totalitarisme par érosion plutôt que par réforme et l'effondrement des régimes post-totalitaires dans des révolutions plus passives et chaotiques que populaires et sanglantes seraient deux des principaux phénomènes à analyser. Encore faudrait-il, une fois de plus, se méfier des généralisations abusives. Il y a eu des révolutions populaires réussies au niveau de leurs pays respectifs (la Hongrie de 1956, la Pologne de 1980, sans doute la Tchécoslovaquie de 1968 si le processus avait suivi son cours), et il y a eu des élites dirigeantes, comme en Serbie, qui, loin de s'avouer vaincues, ont su remplacer un totalitarisme de type communiste par un totalitarisme de type fasciste, voire, si on pense au nettoyage ethnique, de type nazi. D'autre part le pays qui a connu le stalinisme le plus pesant et, après la parenthèse du printemps de Prague, le plus durable, la République Tchèque, semble aujourd'hui le plus préservé des retours totalitaires ou post-totalitaires, communistes ou nationalistes.

Ce qui importe, c'est d'éviter les étiquettes pour procéder à une analyse fine, pays par pays. Mais il importe tout autant de ne pas perdre de vue la portée mondiale du phénomène totalitaire et la possibilité de son retour. Quant à se prononcer sur ses chances de victoire ou sur celles de la résistance civile, cela impliquerait une vision de l'homme, de la société et de leur histoire. Chargé, dans ce recueil, de représenter l'approche de la science politique, je ne saurais conclure que par le même appel à la modestie, encore confirmé et renforcé, qu'en 1984. La science politique, et plus généralement les sciences sociales, peuvent offrir des méthodes et des concepts. Les réponses — toujours, d'ailleurs, spéculatives et partielles — ne peuvent appartenir qu'à l'histoire et à la philosophie.

# Présentation des auteurs

ANDRIEU Jacques, chargé de recherche au CNRS (Centre de recherches interdisciplinaires sur la Chine contemporaine, Paris).

CAMPUZANO-CARVAJAL Francisco, professeur agrégé à l'université d'Artois (UFR de langues et civilisations étrangères).

CHARENTENAY Pierre de (sj), professeur de science politique et président du Centre Sèvres (Paris).

HASSNER Pierre, directeur de recherche au Centre d'études et de relations internationales (Fondation nationale des sciences politiques) ; professeur à l'IEP de Paris.

LAVAUD Jean-Pierre, professeur de sociologie à l'université Lille-I.

LE HUÉROU Anne, doctorante à l'EHESS (Paris).

MICHEL Patrick, chargé de recherche au CNRS (Centre d'études interdisciplinaires des faits religieux - EHESS - CNRS).

NOVAK Miroslav, professeur de science politique à l'université Charles (Prague).

RIOUX Jean-Pierre, inspecteur général de l'Éducation nationale, ancien directeur de recherche au CNRS et rédacteur en chef de *Vingtième siècle. Revue d'histoire*.

VITTIN Théophile E., chercheur associé au Centre d'études des médias de l'université Bordeaux-III.

WIEVIORKA Michel, directeur du Centre d'analyse et d'intervention sociologiques (EHESS-CNRS).

# Index

# Collection « Culture de paix »
## dirigée par Richard Pétris

Si les hommes ont de tout temps fait montre de la dernière énergie dans l'art de la guerre, ils savent aussi faire la paix sous toutes ses formes. Mais n'a-t-on pas, de fait, toujours davantage mis en valeur les exploits guerriers que les actes de paix ? Pourquoi ne raconte-t-on pas les faits de paix comme les faits de guerre ?

Une meilleure description du champ et des processus de la paix n'aiderait-elle pas à la  construction de celle-ci ? Sans aucun doute : il faut montrer que l'aventure de la paix mérite d'être tentée.

Sans craindre le pluralisme des points de vue, cette collection invite des hommes et des femmes engagés dans l'action, la recherche ou le pouvoir, à tirer des leçons de leur expérience et à s'exprimer sur les démarches qui leur paraissent aujourd'hui le mieux construire un monde de paix. Nous sommes, en effet, à un moment de grands changements et le moindre n'est pas le passage, difficile, d'une culture de guerre à une culture de paix.

*A paraître en mars :*

François de Rose, *La Troisième Guerre mondiale n'a pas eu lieu. L'Alliance atlantique et la paix.*

Formaté typographiquement par DESK,
Laval – Tél. (16) 43 68 13 67

Achevé d'imprimer le 8 février 1995
dans les ateliers de Normandie Roto Impression s.a.
61250 Lonrai
pour le compte des Éditions Desclée de Brouwer
N° d'imprimeur : I4-2571
Dépôt légal : février 1995
Imprimé en France